LES ESCLAVES
DE LA
RÉPUBLIQUE

With gratitude for your
eternal hospitality & generosity
& much love,

11-6-98

LAURENT DUBOIS

LES ESCLAVES DE LA RÉPUBLIQUE

L'histoire oubliée de la première émancipation
1789-1794

Traduit de l'anglais par
Jean-François Chaix

CALMANN-LÉVY

*Ouvrage traduit avec le concours
du Centre national du livre et
du Secrétariat d'État à l'Outre-mer
dans le cadre de la librairie de l'Outre-mer*

Livre publié sous la direction
de Patrick Weil

Titre original :
A COLONY OF CITIZENS :
SLAVE EMANCIPATION DURING THE FRENCH REVOLUTION

© Calmann-Lévy, 1998
© Laurent Dubois, 1998, pour les droits
mondiaux en langue anglaise

ISBN 2-7021-2911-0

INTRODUCTION

Le 30 juin 1997, un rituel hybride se déroulait à la mairie de Pantin, dans la banlieue de Paris. Le maire socialiste de la commune présidait la cérémonie, ceint de l'écharpe tricolore. L'un après l'autre, dix sans-papiers — Chinois, Maliens, Haïtiens — se présentèrent devant le représentant élu de la République ; chacun était accompagné par deux citoyens français — dans chaque cas, un homme et une femme — auxquels le maire demanda de confirmer qu'ils souhaitaient être les parrains du sans-papiers. Le premier magistrat de la commune et les témoins signèrent un document qui fut remis individuellement aux sans-papiers.

Quand les dix groupes eurent signé, le maire les remercia et les invita à boire du champagne et du jus d'orange. Il s'apprêtait à disperser l'assemblée quand un jeune Haïtien du nom d'Erol Josué demanda à prendre la parole. Josué était un *oungan* — un prêtre vaudou — qui vivait en France depuis cinq ans, et dirigeait des cérémonies dans une banlieue de Paris. Il était aussi musicien et danseur. Il indiqua qu'il préférerait chanter plutôt que parler, et entonna deux chants de louanges à Agwe, un *Lwa*, dieu vaudou qui vit sous l'océan et protège les voyageurs, et Lasirèn, son épouse, la patronne des musiciens. Le chant de louanges à ces divinités dans la salle des fêtes d'une mairie voulait rappeler le lien particulier d'Erol Josué à la République, le temps où ses ancêtres étaient des citoyens. Ils faisaient partie d'un passé ignoré de la République et par cette chanson, ils appartenaient à nouveau à son présent. En intégrant les *Lwa* dans la cérémonie républicaine, Josué laissait parler la mémoire d'un passé oublié, en espérant qu'il pourrait créer un avenir différent.

Ce livre veut tenter de raconter ce moment oublié de l'histoire de la République où, à la fin du xviiie siècle, des esclaves devenus citoyens de la Caraïbe réussirent par leurs actes à transformer l'Europe et les Amériques. Ces esclaves insurgés offrirent un nouveau contenu à l'universalité abstraite du langage des droits en réclamant la citoyenneté républicaine et l'égalité raciale. Ces événements des Antilles bousculaient l'imaginaire politique de la métropole quant à la transformation et l'« universalisation » de l'idée des droits. Une partie fondamentale de la culture politique qui fut, durant l'expansion des xixe et xxe siècles, considérée comme l'héritage et la propriété unique de l'Europe, est en fait le produit d'un conflit autour du sens de la citoyenneté qui s'est déroulé dans la Caraïbe. Le « modèle républicain d'intégration », qui est aujourd'hui au centre de la culture politique de la France moderne, est né là-bas aussi d'un processus transculturel liant l'Europe, l'Afrique et les Amériques, et a donné à l'universalisme de la République une signification puissante et inattendue. Des alliances entre les esclaves insurgés et les représentants de la République aux Antilles émergea un nouvel ordre colonial dans lequel la même Constitution était appliquée en métropole et aux colonies, et les mêmes droits garantis à tous les citoyens au sein de l'empire français. Ces changements infligèrent un puissant et décisif camouflet à l'esclavage ; ils amorçaient un long mouvement qui entraîna progressivement l'émancipation générale dans toutes les Amériques[1].

Ce livre propose une nouvelle perspective sur la Révolution française, envisagée comme un événement historique façonné en profondeur par le processus qui a marqué la Caraïbe durant les années de la Révolution. En cherchant

dans la Révolution française les « racines » de la République, je ne fais que suivre les pistes traditionnellement
empruntées par de nombreux historiens français. L'histo-
riographie de la Révolution française est un carrefour où
se croisent des interprétations politiques divergentes de
l'Histoire ; elle est la scène des batailles théoriques et idéologiques fondamentales qui ont façonné la droite et la
gauche françaises ; c'est également le cœur des rites de
l'adhésion nationale. Pourtant, l'attention considérable
dont les historiens ont entouré la Révolution s'est concen-
trée à l'intérieur des frontières de la France métropolitaine,
et la carence d'écrits consacrés aux colonies est remarquable. Ce manque est d'autant plus surprenant que de
nombreux révolutionnaires avaient annoncé, et admis que
la destinée de ces régions déterminerait le sort de la nation
en général[2]. Un retour à l'histoire de l'engagement de la
République envers l'esclavage paraît particulièrement opportun : intégrer la Caraïbe dans une histoire plus générale
de la pensée républicaine française oblige à repenser la notion même d'histoire nationale, avec son projet limité et
refermé.

À la fin du XVIIIe siècle, alors que la France métropolitaine et la Caraïbe étaient transformées de concert, les nouvelles, l'idéologie, les peuples traversaient l'Atlantique en
redonnant une vigueur accrue aux conflits qui avaient cours
dans les deux continents. Les idéaux et symboles nés de la
Révolution française étaient reformulés dans la Caraïbe, où
le sens de la citoyenneté et de l'appartenance nationale prenait des directions inédites. Nulle part le caractère transculturel de la Révolution ne fut plus apparent que dans le processus d'émancipation de l'esclavage ; à bien des égards,
c'en fut le moment le plus radical. Et on ne peut
comprendre l'histoire de la Révolution en France sans tenir
compte de l'expansion des idéaux républicains consacrés
par l'émancipation et par la mobilisation décisive d'armées
d'anciens esclaves au service de la République contre les
Anglais. Pour combler un vide entre ce qu'on a traditionnellement décrit comme deux histoires nationales, je me
concentrerai non sur Paris ou Saint-Domingue, mais sur la

Guadeloupe. L'histoire de cette île nous permet de comprendre l'émergence et la signification du projet colonial républicain à cette jonction du XVIIIᵉ et du XIXᵉ siècle où la France et Haïti sont nées comme deux Républiques promises à des avenirs très différents.

À la veille de la Révolution, la France possède trois colonies aux Antilles — la Guadeloupe, la Martinique et la partie ouest de Saint-Domingue — qui s'ajoutent à la Louisiane et la Guyane. Acquises par la France pendant le XVIIᵉ siècle (la Guadeloupe et la Martinique en 1635 et Saint-Domingue en 1697), ces colonies antillaises avaient connu un développement intense durant le XVIIIᵉ siècle. De toutes ces colonies, Saint-Domingue était la plus belle et la plus riche ; à elle seule, elle produisait plus pour la métropole que les treize colonies, devenues plus tard les États-Unis, ne produisaient pour l'Angleterre. La Martinique et la Guadeloupe étaient aussi considérées comme vitales pour l'économie de la France ; en 1763, en conclusion de la guerre de Sept Ans, le royaume avait cédé le Canada tout entier en échange de ces deux îles, et certains Anglais pensaient avoir perdu dans l'affaire. Parmi les autres Petites Antilles voisines, plusieurs avaient été dans les mains des Français pendant différentes périodes ; ces îles — notamment Sainte-Lucie, Saint-Vincent et la Grenade — abritaient d'importantes populations de Français vivant sous régime anglais.

Ces colonies fonctionnaient sur la base d'un esclavage brutal qui consommait la vie de milliers d'Africains transportés dans des bateaux négriers français et vendus comme des objets aux Antilles. Les sociétés des Antilles à la fin du XVIIIᵉ siècle représentaient le summum du système esclavagiste : des grandes habitations à sucre regroupaient des centaines d'esclaves pour le travail dur et incessant de la coupe et de la préparation de la canne. Quatre-vingt-dix pour cent de la population des îles étaient des esclaves privés de droits, légalement catégorisés comme objets ; leurs conditions de vie étaient en principe déterminées par le Code Noir institué en 1685, mais les planteurs en évitaient soigneusement les stipulations. Parmi les esclaves, il régnait évidemment d'importantes différences entre ceux, majoritaires, qui travaillaient dans les champs, ceux qui étaient domestiques, et ceux qui dépendaient de l'artisanat des villes et avaient parfois un minimum d'indépendance. Il y avait aussi des groupes d'esclaves fugitifs appelés les *marrons* ; ils vivaient en communautés dans les montagnes inaccessibles des îles et entretenaient avec la société coloniale un conflit constant, même si certains gouverneurs avaient signé des accords avec eux.

Surgissant de la classe des esclaves, les *gens de couleur* avaient été émancipés par leurs maîtres ou avaient acheté leur liberté. Certains avaient gagné leur liberté en servant dans l'armée ; des gens de couleur de Saint-Domingue avaient servi la France dans la guerre d'Indépendance des États-Unis. Parfois, ces émancipés étaient fils de planteurs, et ils héritaient des terres et même des esclaves ; d'autres, certaines femmes notamment qui travaillaient dans le commerce, avaient pu construire des fortunes importantes une fois libres. Pendant la seconde moitié du XVIIIe siècle, les gens de couleur représentaient un groupe important dans la colonie, et même s'ils étaient souvent liés aux Blancs par des liens de famille, ils étaient considérés comme dangereux. Des lois les excluaient de nombreuses professions et de la plupart des postes administratifs sur la base de leur race.

Au sommet de la société coloniale, il y avait les Blancs, parmi lesquels les divisions étaient profondes : marchands, artisans, soldats, et évidemment grands planteurs.

Cette société unique, dans laquelle la grande majorité de la population était esclave, et le préjugé de couleur une partie fondamentale d'un ordre économique centré sur la production des denrées coloniales pour la métropole, allait exploser avec l'arrivée de la Révolution. À travers l'action d'esclaves insurgés, le monde colonial se trouva tout à coup renversé. L'abolition de l'esclavage fut décrétée localement à Saint-Domingue en 1793 ; elle sera proclamée sur toute l'étendue des territoires français en 1794. Ce livre raconte l'histoire de l'émancipation, une des réalisations les plus belles de la Révolution. Il démontre que, loin de se situer en France, les fondements politiques et militaires du décret d'émancipation de 1794 se trouvaient aux Antilles, dans les insurrections d'esclaves.

L'événement au cœur de ce récit est une révolte d'esclaves qui eut lieu à Trois-Rivières, en Guadeloupe, en 1793. Il fournit un point d'ancrage à une histoire plus générale d'un mouvement qui conduisit de l'esclavage à la liberté à travers la Caraïbe et l'Europe. L'épisode de Trois-Rivières offre un exemple concret de la manière dont des esclaves insurgés intervinrent dans des conflits politiques sur le sens de la République pour transformer la Révolution en émancipation. Il montre qu'il y avait dans les couches complexes et parfois contradictoires de la société de plantation les fondements d'une transformation politique. Dans l'émergence de certaines revendications universelles qui sont le fondement de la pensée républicaine, les esclaves jouèrent un rôle déterminant souvent éludé. L'examen de leur contribution à l'histoire de la citoyenneté nous permet de mieux comprendre les conflits autour du racisme auxquels est confrontée la République française en cette fin du XXe siècle.

Dans la conclusion, je décris l'ordre paradoxal qui s'installe après l'émancipation sous Victor Hugues, mélange de doctrine d'égalité raciale et de nouvelles formes d'exclusion raciale.

Très vite pourtant, les gouvernements de la fin de la Révolution se sont éloignés des politiques d'égalité, au fondement de l'émancipation. En 1802, les troupes de Bonaparte réussirent à rétablir l'esclavage en Guadeloupe ; mais la vaillance et la résistance des citoyens de cette île donnèrent à leurs compatriotes de Saint-Domingue l'inspiration qui leur permit de battre les troupes métropolitaines. Ils préservèrent ainsi leur liberté et gagnèrent leur indépendance en 1804, sous le nom de Haïti.

Ainsi, des hommes et des femmes des Antilles avaient choisi de lutter et de mourir pour défendre une vision de la République que la France avait provisoirement abandonnée. Mais leur combat ne fut pas vain. Il fut à l'origine de l'émancipation en Angleterre, puis aux États-Unis, et de la seconde émancipation venue de France, en 1848. Il apporta une contribution fondamentale, souvent éludée, à l'émergence de l'universalisme qui est aujourd'hui la base de la pensée républicaine française.

Le principe de l'égalité des citoyens, sans distinction de race, le modèle républicain d'intégration sont les héritiers des actions de ces esclaves. Ces actions ont transformé l'ordre politique des sociétés coloniales et de la France entière. C'est leur histoire oubliée que je vais maintenant m'efforcer de raconter.

I

INSURRECTIONS ET LANGAGE DES DROITS

Au cours de la nuit du samedi 20 avril 1793, des centaines d'esclaves se révoltaient dans la zone du village de Trois-Rivières, en Guadeloupe. Ils tuèrent vingt-deux Blancs, mirent à sac des plantations selon un choix établi, puis, après avoir posté des sentinelles pour prévenir d'autres pillages, marchèrent vers Basse-Terre, la capitale de l'île. Entre-temps, des soldats et des citoyens blancs instruits des massacres s'étaient organisés en une troupe armée qui s'élançait hors de la ville pour mater la révolte. À l'aube, les deux groupes se firent face. Les soldats se préparaient au combat, mais les esclaves s'approchaient tranquillement, en bon ordre et sans agressivité. Quand ils furent à portée de tir, un soldat s'écria : « Qui vive ? » Ils répondirent : « Citoyens et amis ! » Six soldats s'avancèrent vers les insurgés, baïonnettes au canon. Un témoin rapporte :

> Un des esclaves prend la parole et demande si nous sommes des citoyens, des patriotes ; on répond qu'oui : en ce cas, dit-il, nous sommes amis, nous venons à votre secours & n'en voulons qu'aux aristocrates qui veulent vous faire égorger. Nous n'avons point de mauvaises intentions : nous voulons combattre pour la république, la loi, la patrie, l'ordre. (Ce sont leurs propres expressions.) Nous leur demandons à notre tour s'ils ont à leur tête quelques Blancs

*ou hommes libres ; ils nous répondent que non, & qu'ils
n'ont agi que de leur propre mouvement.*

Quatre insurgés qui discutaient de la situation avec les
officiers blancs leur rapportèrent les événements de la nuit.
Les officiers leurs expliquèrent que pour éviter la panique,
les soldats devaient escorter les esclaves à Basse-Terre, où
ils seraient mis en détention. Les insurgés donnèrent leur
accord, et les soldats entourèrent le groupe. Pendant qu'on
les escortait jusqu'à la ville, les rebelles s'écrièrent à plusieurs reprises : « Vive la République ! » Ils furent placés
sous bonne garde au fort Saint-Charles, sans être désarmés.
Durant l'interrogatoire, ils dirent qu'ils avaient reçu des
armes de leurs maîtres royalistes pour attaquer les républicains de l'île. Plutôt que d'agir contre la République envers
laquelle ils professaient leur loyauté, ils s'étaient dressés
contre leurs maîtres, et les avaient assassinés[1].
Arrivé sur les lieux plus tard dans la journée, Victor Collot, le gouverneur de l'île, fut choqué de découvrir que plusieurs fonctionnaires locaux sympathisaient avec les esclaves rebelles, au point d'affirmer qu'ils avaient sauvé la
Guadeloupe d'une conspiration ourdie par les Anglais et
les planteurs royalistes. Dans un mémoire publié quelques
années plus tard durant son exil aux États-Unis, Collot décrivait ainsi l'incident :

> *243 Noirs égorgent 22 Blancs parmi lesquels se trouvaient
> des femmes septuagénaires, des filles et des enfans, violent
> les unes, mutilent les autres de la manière la plus barbare,
> et finissent cette scène d'horreur par piller les habitations
> des victimes qui sont tombées sous leurs coups. Il est à re-
> marquer ici que ces meurtriers, loin de fuir après avoir
> commis cet assassinat, mouvement naturel à l'homme cou-
> pable, et surtout à l'affricain lorsqu'il n'est pas guidé par
> des Blancs, demandent à se rendre à la Basse-Terre auprès
> du Comité de sûreté générale.
> Informé de cette Catastrophe [...] je me rends le 22 à
> 4 heures du soir à l'arsenal où l'on me dit que les Meurtriers
> étaient détenus [...] Je demandai ce qui avait été fait depuis
> leur arrivée et pourquoi on ne les avait pas désarmé. On me
> répondit qu'on avait attendu mon arrivée, que ces hommes

ne paroîtroient pas aussi coupables lorsqu'on connoîtroit le fond de l'affaire, que d'ailleurs ils étaient 243 et que la garde n'était que de 15 hommes, ce qui n'était pas suffisant pour le cas où ils voudraient faire quelque résistance : en ce cas, répondis-je, je les désarmerai seul. Il se fit alors un mouvement de surprise dans le Comité, un membre me dit que j'allais m'exposer, je lui répondis que j'étais fait pour cela ; je sortis en même temps et j'entrai seul avec le Citoyen Artaud officier municipal et Félix officier d'artillerie, dans la Cour où ils étaient détenus.

Je trouvai ces hommes encore tout dégoûtans du sang de leurs victimes, revêtus de leurs dépouilles, armés de sabres, fusils et bayonnettes. Je leur ordonnai de déposer leurs armes ; ils parurent hésiter, mais leur ayant réitéré le Commandement avec plus de force, ils obéirent.

Après cette opération, je me rendis au Comité pour délibérer sur le parti qu'il y avait à prendre. Je proposais de mettre ces noirs au fort ou à bord d'un bâtiment, jusqu'à ce que le procès fût instruit.

Le Comité rejetta ces deux propositions, m'alléguant que ce serait préjuger, que les Commissaires Nationaux pouvaient seuls connaître une affaire de cette importance qui avait sauvé la Colonie : *qu'au surplus la police des esclaves appartenait exclusivement aux assemblées coloniales. On se borna donc à les tenir dans une maison particulière, je voulais qu'ils y fussent consignés ; le comité s'y opposa et envoya au poste qui les gardait l'ordre dont voici l'extrait : je l'ai conservé en original, il est signé* Verdelet.

Art. 2nd. Il sera loisible à tout le monde de les visiter (les assassins).

Art. 3. Jean Baptiste (leur chef) pourra sortir tous les jours et à toutes heures *afin d'instruire le comité.*

Art. 4. À la Demande de Jean Baptiste la sentinelle laissera sortir vingt nègres par jour.

On voit par là qu'ils étaient libres pourvu qu'ils ne sortissent pas plus de 20 à la fois. Le chef des assassins devait aller tous les jours conférer avec le Comité, et la garde se trouvait sous ses ordres.

La postérité ne voudra jamais croire, qu'une ville dont les habitants se sont toujours distingués par leur sagesse et leur patriotisme ait été condamnée à souffrir dans son sein pendant une année entière de pareils scélérats ; et vous ne voulez pas qu'on vous soupçonne de complicité vous, notamment Verdelet, qui avez été envoyé par le Comité pour dresser un procès verbal sur les Lieux, et qui devant moi avez fait retirer plusieurs tombereaux de meubles volés qui étaient enterrés dans les Cases de ces Affricains ! vous ignorez donc que dans une république le bonheur du peuple réside dans les vertus des Magistrats ; et si dans vos principes Robertspierriens, le Meurtre en est une, du moins conviendrez vous que nous ne connaissons encore aucune circonstance, aucun Gouvernement où le vol ait été honoré. Si vous n'eussiez pas partagé leurs crimes, vous les auriez fait juger comme voleurs. Mais au lieu de cela, que fit le Comité ! il me proposa d'en former une Légion ! un régiment d'égorgeurs dont les fonctions eussent été de mettre à exécution les arrêtés de la Commission générale extraordinaire et pour mieux dire du Comité, on devait les employer à chasser, fusiller, noyer tous ceux qui avaient des propriétés sans distinction d'opinions ; ces satellites fidèles se seraient mis à la place des proscrits, en criant, Vive la Liberté[2] !

En 1796, lorsque Collot publia son témoignage, les principaux objets de son abomination — les esclaves rebelles et les jacobins — n'existaient plus en tant que tels. Les esclaves de toutes les colonies étaient citoyens depuis 1794, et la réaction thermidorienne du mois d'août 1794 avait sapé le pouvoir des jacobins et de Robespierre. Collot avait écrit son mémoire à Philadelphie, où de nombreux émigrés de France et de la Caraïbe — y compris Moreau de Saint-Mery, qui en supervisa très probablement la publication — s'étaient réfugiés pour observer le cours des événements. En produisant son témoignage, Collot obéissait au projet explicite de se défendre des rumeurs qui l'accusaient de la perte, par incompétence ou par dessein, de la Guadeloupe, tombée aux mains des Britanniques au début de 1794. Toutefois sa narration de l'insurrection de Trois-Rivières obéissait à un projet plus général où il se présentait comme une victime de la politique meurtrière des jacobins, décrits sous les traits de « buveurs de sang ». Dans une France encore ébranlée par la Terreur de 1792-1794, ce type de plaidoyer avait une résonance particulière. En France, comme dans les différents lieux de leur exil américain, les victimes des purges révolutionnaires faisaient abondamment circuler leurs versions des faits.

L'antijacobinisme de Collot ne divergeait pas de celui qu'on peut lire dans la plupart des témoignages de l'époque, mais il émettait un point de vue particulier, partagé par de nombreux Blancs, sur les deux principaux dangers qui menaçaient les sociétés émancipées de la Guadeloupe et de Saint-Domingue : la mobilisation de fortes armées républicaines largement composées de « nouveaux citoyens », et l'émergence politique et économique des anciens esclaves et des gens de couleur. Dans le passage cité plus haut, l'accusation la plus virulente de Collot visait les jacobins coupables, selon lui, de vouloir transformer les esclaves révoltés en des légions républicaines — les assassins des Blancs seraient accueillis au sein de la nation française, et applaudis comme ses défenseurs. Sa description des méfaits dont se seraient rendus coupables les élus républicains durant la révolte de Trois-Rivières était un concentré de la critique du projet politique général qui soulevait la Caraïbe française depuis 1793 : à Saint-Domingue, des armées d'anciens esclaves sous le commandement de Toussaint Louverture combattaient pour la République contre l'Espagne et l'Angleterre ; à la Guadeloupe, Victor Hugues supervisait l'expansion militaire et politique républicaine en enrôlant des groupes armés d'anciens esclaves. Ce que Collot prenait pour un projet jacobin insensé avait pris racine : déjà, les esclaves devenus citoyens formaient des légions toutes prêtes à se retourner contre les ennemis intérieurs et extérieurs de la République. Dans sa critique du processus, Collot se faisait l'écho des témoignages de nombreux émigrés qui avaient vu leurs plantations détruites, et souvent leurs familles massacrées sous le régime de l'émancipation. Il rejoignait également les propos de ceux qui faisaient pression sur les autorités métropolitaines pour qu'elles modifient leur politique aux Antilles.

La version rétrospective de Collot contredit formellement le rapport de ses ennemis du Comité de sûreté générale[3]. Réalisé dans la foulée de l'insurrection, ce rapport s'inspire d'une série de rencontres et d'interrogatoires motivés par la crainte des conspirations royalistes. Reprenant et prolongeant les accusations des esclaves pendant leur révolte, il invoque l'innocence de ces derniers, stigmatise les conspirateurs royalistes comme les fauteurs de troubles, et qualifie les meurtres d'actions républicaines contre la prétendue conspiration. Le document tente d'introduire une cohérence dans les événements en faisant le portrait des acteurs blancs qui se cachent derrière chaque esclave — qu'il se soit révolté ou ait envisagé de le faire. Mais la masse des informations proposées ruine une telle tentative, et le document se dilue parfois dans un torrent d'allégations rarement explicitées en détail, digne reflet de la confusion et de la paralysie qui accompagnaient la révolte de Trois-Rivières, et qu'entretenait la stratégie des esclaves depuis qu'ils avaient pris parti dans le conflit entre royalistes et patriotes. Cependant, même si le Comité considérait les esclaves comme des innocents, et les conspirateurs royalistes comme les véritables criminels, ses membres ne purent prendre la décision de les libérer : les esclaves restèrent en prison près d'un an dans l'attente d'un jugement qui ne vint jamais.

Malgré son opposition politique radicale au récit de Collot, le rapport du Comité de sûreté générale s'accordait avec lui sur un point : il ne considérait pas les esclaves comme une force politique indépendante. La source de la révolte, et en conséquence son explication, résidait ailleurs — dans des conflits définis par la situation politique en métropole et transférés à la Caraïbe. La genèse de la violence était l'idéologie des jacobins ou celle des royalistes ; le pouvoir des esclaves en tant que soldats n'existait que pour que l'un ou l'autre parti politique se l'approprie. La différence entre les deux comptes rendus tenait au choix du groupe politique blanc sur lequel faire porter le blâme de l'explosion de violence noire.

Mais si l'on veut comprendre la révolte de Trois-Rivières — et plus largement le processus de l'insurrection générale qui ébranla l'édifice de l'esclavagisme durant les années de la Révolution —, il faut analyser la manière dont les esclaves entendaient, parlaient et, en définitive, transformèrent par leurs actes un langage républicain du droit alors en pleine évolution. En 1793, la France connaissait depuis quatre ans des transformations extrêmement rapides et radicales qui allaient en s'accélérant, et connaissaient leur acmé avec l'épisode jacobin. Depuis 1789, les navires colportaient jusqu'aux îles de la Caraïbe des nouvelles de plus en plus surprenantes, des lois inédites, des déclarations souvent infirmées par l'arrivée de nouveaux bateaux apportant d'autres ordres — nouvelles de la prise de la Bastille, de l'abolition des privilèges, de la confiscation des biens de l'Église, de la déclaration de guerre à l'Angleterre, et enfin de l'exécution du roi. Ces navires transportaient également les symboles de la Révolution : cocardes tricolores, nouveaux uniformes pour les soldats et les milices, étendards brodés de slogans révolutionnaires — autant de signes d'un projet profondément contesté d'édification de la nation et de production des citoyens. La définition de la nation et de la citoyenneté avait des inflexions spécifiques dans les établissements coloniaux, où les relations sociales se définissaient selon la hiérarchie raciale liée au régime du travail sur les plantations. Les innombrables histoires de changements d'idéologie et d'exercice de la nationalité et de la citoyenneté qui circulaient durant ces années d'une rive à l'autre de l'Atlantique mettent en lumière une série complexe d'influences et de ramifications inattendues. L'adaptation du projet national au projet politique propre à chacun, et sa propre insertion dans ce projet lui-même, pour contesté qu'il fût, constituaient la base d'un jeu de luttes de pouvoir de plus en plus meurtrier.

Dans les chapitres qui vont suivre, je propose de situer la révolte des esclaves de Trois-Rivières dans ce contexte, plutôt que d'y voir le résultat des décisions prises par des administrateurs français, jacobins ou autres. Cette révolte, les esclaves de Trois-Rivières, comme les insurgés de Saint-Domingue et d'ailleurs, l'avaient organisée en intervenant avec circonspection dans un paysage politique et idéologique d'une infinie complexité ; ils l'avaient puissamment articulée dans le langage républicain émergent. Ils s'étaient intégrés de force dans la nation naissante en participant aux conflits relatifs à la signification de cette nation. Comme nombre d'acteurs sur la scène révolutionnaire, ils s'étaient

organisés politiquement en utilisant un langage d'appartenance nationale à la fois fluide et conflictuel, et de ce fait
reformulable selon des perspectives diverses. Ces luttes, qui
se sont cristallisées à la Guadeloupe dans l'insurrection de
Trois-Rivières — avec des enjeux et une histoire modelés
par ces conflits qui les modelaient en retour —, indiquent
comment la rhétorique de la nation française émergente se
joua jusqu'au bout dans le débat sur les droits des esclaves.
Mon argument fondamental est le suivant : les conflits sur
le sens de la citoyenneté aux Antilles ont entraîné l'émancipation des esclaves, et dans la foulée ont élargi le champ
de l'imagination et des possibilités offertes par la culture
politique.

L'ordre social qui dominait dans la plus prospère des pos-
sessions coloniales de la France aux Amériques fut complètement renversé entre 1789 et 1794. À l'époque, la rapidité
et l'étendue des changements observés dans les Antilles
françaises avaient de quoi stupéfier les observateurs, à la
fois effrayés et fascinés. Michel-Rolph Trouillot soutient
que l'insurrection des esclaves de Saint-Domingue en 1791
fut, et reste, une « Histoire impensable » : « Les événements qui ébranlèrent Saint-Domingue entre 1791 et 1804
constituaient un épisode pour lequel l'extrême gauche, ni
en France ni en Angleterre, n'avait de cadre conceptuel de
référence. C'étaient des faits "impensables" dans le cadre
de la pensée occidentale [4]. » Les contemporains de l'insurrection de 1791 ont continûment cherché les racines de la
révolution hors des insurgés eux-mêmes — dans la propagande des abolitionnistes, dans les conspirations royalistes
ou le dessein impérial de l'Espagne ou de l'Angleterre.
Même les avocats de l'émancipation, qui plaidaient pour
une attribution progressive des droits politiques aux anciens
esclaves, n'étaient pas prêts à affronter les implications radicales de la révolte de 1791. Les événements des Antilles
dépassaient complètement la pensée abolitionniste du
début des années 90 ; la disjonction entre la vision métropolitaine du sens de la liberté et la réalité des sociétés en mutation aux Antilles continuera pendant l'administration de
la liberté et facilitera le retour à l'esclavage en 1802.

Les événements que je tente d'expliquer ici ont long-temps laissé perplexes les observateurs. En 1795 par exemple, François Polverel introduisait son pamphlet consacré aux événements des années précédentes par l'explication suivante :

> La *Révolution Française* devait rencontrer dans les colonies des obstacles plus grands, plus difficiles à vaincre que ceux qu'elle éprouvait dans la métropole. La servitude et l'abrutissement dans lesquels vivait la classe la plus nombreuse des hommes qui les habitaient, la longue habitude de leurs chaînes, leur respect pour leurs maîtres qu'ils considéraient comme une espèce supérieure à la leur, l'intérêt des colons à perpétuer un état de choses sur lesquelles étaient fondées toutes leurs jouissances, semblaient devoir arrêter pour toujours l'élan des principes éternels consacrés dans la déclarations des droits.
>
> Une secousse violente a fait ce que l'assemblée n'a pas voulu préparer : les fers des cultivateurs de Saint-Domingue, qu'on pouvait casser par degrés, ont été brisés avec fracas. Cinq cent mille hommes sont rentrés dans leurs droits, dont ils étaient privés pour l'avantage de quelques centaines d'individus. La Convention nationale a légalisé cette émancipation, et en a étendu l'effet à toutes ses colonies. La France libre ne compte plus que des hommes libres parmi ses enfants, bientôt cette révolution heureuse propagera ses bienfaits dans les possessions des autres puissances, et le jour où l'Europe verra tomber la tête du dernier tyran sera le terme de l'esclavage des Africains et des Indiens dans le Nouveau Monde.
>
> Quelles sont les causes, quels sont les faits qu'a précipités à Saint-Domingue ce grand changement ? Comment les Noirs naguère encore encombrés sous le fouet, comme des animaux, sont-ils passés subitement à l'état naturel de l'homme, et sont-ils devenus presque l'unique population, les seuls défenseurs du territoire Français ? Voilà ce que je me propose d'indiquer dans ce récit [5].

Polverel était le fils du commissaire qui, avec Sonthonax, avait proclamé l'abolition de l'esclavage dans la colonie de Saint-Domingue. Dans son pamphlet, à l'instar de ceux qui ont interprété la révolte de Trois-Rivières, il traite les évé-

nements de Saint-Domingue presque exclusivement comme
le résultat des conflits entre Blancs. En n'examinant pas le
rôle décisif joué par les esclaves insurgés dans la conquête
de l'émancipation, Polverel ne répond pas à la question
qu'il pose lui-même : « Quelles sont les causes [...] de ce
grand changement ? »

Cette question, je me propose d'y répondre par mon
propre récit des événements de 1789 à 1794. L'histoire détaillée des villes de Basse-Terre et de Trois-Rivières et
l'analyse de la révolte de 1793 me permettront de présenter
une histoire plus générale, celle de la transformation des
termes de l'appartenance nationale dans les colonies françaises. Ce faisant, je suis les traces de travaux de spécialistes
tels que C.L.R. James, Robin Blackburn et Carolyn Fick,
qui ont mis en avant le rôle essentiel des révoltes d'esclaves
à Saint-Domingue dans l'histoire de l'émancipation [6]. L'histoire que je raconte entremêle deux récits : celui, transatlantique, des transformations que la Révolution impose
aux relations sociales et à la pratique politique symbolique ;
celui de communautés inscrites dans ces relations trans-
atlantiques, avec un champ d'action défini par des histoires
locales et par un paysage social spécifique. L'histoire que
je présente ne raconte pas seulement la construction des
espaces coloniaux de la Caraïbe française, elle décrit leur
investissement et leur remodelage par des hommes libres
et par des esclaves. En imbriquant l'histoire des luttes et
des débats autour de l'esclavage et de la citoyenneté, dans
l'histoire sociale de deux communautés de la Guadeloupe,
je propose un compte rendu véritablement atlantique de la
transformation du langage des droits républicains. Ce faisant, j'entends argumenter plus largement sur l'une des
questions centrales qui continuent de hanter les récits historiques de la période — celle de l'influence des idées républicaines sur les insurrections d'esclaves au début des années 1790.

Lynn Hunt, tout en soulignant l'absence surprenante
d'études consacrées à la Caraïbe durant la Révolution, fait
observer que « cette négligence reflète le pouvoir remarquable du statu quo historiographique à façonner notre vi-

sion du passé, car il n'existe pas de base plus forte pour considérer l'impact des idées ou des pratiques révolutionnaires que les colonies de la Caraïbe ». En suggérant que de telles études présentent l'intérêt d'illustrer l'« impact » des idées, Hunt étaie l'hypothèse commune selon laquelle les idées révolutionnaires se sont répandues de France à la Caraïbe, de sorte que la « contagion » de liberté aurait encouragé les insurrections d'esclaves[7]. À contre-pied de cette théorie, David Geggus a continuellement fait observer qu'il était difficile de déterminer avec exactitude ce que les idées articulées dans la France révolutionnaire représentaient pour les esclaves qui en entendaient parler. David Geggus note que de nombreux esclaves participant à l'insurrection de Saint-Domingue professaient leur loyauté « à l'Église et au roi » d'Espagne, et il avance que « l'idéologie de la France révolutionnaire n'exerça pas une influence importante sur la révolte de 1791[8] ». Sans aucun doute, les changements politiques, militaires et juridiques mis en branle par la Révolution française avaient créé une ouverture dans laquelle s'engouffrèrent les exigences des Blancs, celles des gens de couleur et celles des esclaves de la Caraïbe. Mais la résistance à l'esclavage et aux hiérarchies raciales était un trait dominant des habitants de la Caraïbe, et il est clair que ces traditions de résistance constituaient une assise cruciale pour les révolutions de plus grande envergure qui se préparaient à ébranler la région pendant ces années critiques. Des insurrections allaient éclater au croisement de ces histoires ; en fin de compte, l'ordre social dans la Caraïbe fut renversé en même temps que s'écrivait — mais on l'a moins souvent signalé — un chapitre capital de l'histoire de la culture politique républicaine.

Dans quelle mesure les *idées* à propos des droits politiques et de la citoyenneté nationale ont-elles affecté les changements intervenus aux Antilles ? Il faut resituer cette question pour y répondre. Plutôt qu'examiner la « dispersion » ou l'« impact » des idées venues de France, j'émets l'hypothèse que la pensée politique des Lumières et sa vision de la nature humaine, de la légitimité politique et de la représentation populaire ont fait irruption dans un contexte

transatlantique où les débats soulevés par la conquête coloniale et par l'esclavage occupaient une place centrale. À la
fin du XVIIIe siècle, un ensemble de révolutions intimement
liées — Révolution américaine, Révolution française et Révolution haïtienne — émergeait de l'impérialisme, et un
groupe d'acteurs politiques inscrits dans l'ordre social de
l'empire en forgeait le cours. Des idées complexes, à la fois
cause et origine de ces révolutions, et des textes tels que la
Déclaration d'indépendance ou la Déclaration des droits de
l'homme, qui les sacralisaient, prenaient leur sens dans des
conflits portant sur les possibilités et les limites des droits
et de la citoyenneté. L'émergence de ce que les érudits de
la Révolution française ont nommé la « culture politique »
du républicanisme dépendait des luttes sur le sens de la
citoyenneté — celles-là mêmes qui ont marqué les violentes
transformations survenues en France métropolitaine entre
1789 et 1794 [9]. Si l'on a abondamment écrit sur l'histoire
des luttes sociales en métropole, on ne peut pas en dire
autant à propos des colonies, peut-être parce qu'on postule
trop souvent que ces luttes ont eu un impact minimal sur
le développement de la culture politique républicaine. Face
à l'histoire que je raconte ici, l'hypothèse est difficile à soutenir ; la culture du républicanisme, et en particulier les possibilités concrètes offertes par l'universalisme, ont été enri-
chies par le processus qui avait pris corps aux Antilles entre
1789 et 1794. Ce processus qui transforma des esclaves en
citoyens de la République permit à l'idée des droits universels, fondatrice d'un plus vaste imaginaire politique républicain, de gagner un contenu nouveau, jamais envisagé, et en
fin de compte excessivement important.

Pour raconter cette histoire, je commencerai par dresser
le portrait des complexités et des contradictions de la société esclavagiste en Guadeloupe durant les premières années de la Révolution. Utilisant des sources notariales, des
rapports militaires et des cartes, ainsi qu'une sélection de
textes littéraires, je présenterai ce que je nomme une « cartographie sociale » de l'île avant l'émancipation. Il convient
de situer la description ethnographique de la société de
plantation de la Guadeloupe, et celle des relations pro-

duites par cette société en elle-même, mais aussi contre
elle-même, dans le cadre de la compréhension des espaces
« naturels », où le sucre occupait une place centrale, les
autres cultures étant secondaires. Ces espaces délimités et
dominés par l'économie de plantation abritaient d'autres
relations, dont on peut trouver trace grâce à des documents
— histoires cachées qui méritent d'être dénichées, histoires
de strates de labeur derrière des histoires de révolte. La
résistance aux structures légales et économiques de l'esclavage se développait en arrière-fond du sentiment antiesclavagiste qui s'exprimait en métropole ; mais tandis qu'en
France on discutait de la question de l'émancipation des
esclaves, les esclaves eux-mêmes accomplissaient leur passage vers la liberté, parfois en utilisant de manière subver-
sive les structures légales qui restreignaient l'affirmation de
leurs droits en tant que personnes.

L'exploration de cette « cartographie sociale » me mène
au chapitre suivant, où j'examine l'intégration de la nouvelle culture politique de la France dans les luttes locales à
la Guadeloupe, et dans la Caraïbe en général. En décrivant
la révolte de 1791 à Saint-Domingue, mais aussi les événements de la Guadeloupe et de la Martinique, je veux illustrer le mode d'appropriation du langage républicain des
droits par les gens de couleur et par les esclaves. À ce stade,
je soulève la question de la transmission du langage des
droits sur un plan général et local par le biais des conflits
qui éclatèrent dans la région de Basse-Terre et de Trois-
Rivières. Ce chapitre retrace de complexes mouvements
d'aller et retour entre des événements qui se situaient en
France métropolitaine et dans la Caraïbe, et à l'issue des-
quels les gens de couleur ont été déclarés « nouveaux citoyens » jouissant des pleins droits politiques. En examinant l'explosion des changements à la Guadeloupe à partir
d'une insurrection d'esclaves et de rumeurs d'émancipation
imminente, j'avance que les esclaves agissaient stratégiquement dans un débat plus large portant à la fois sur la nature
des colonies et sur leur propre statut juridique. Les esclaves
invoquaient, pour justifier leur insurrection, des décisions
d'émancipation qui n'avaient pas encore été prises en mé-

tropole ; en provoquant l'intervention de plus en plus sou-
tenue des autorités métropolitaines dans le gouvernement
des colonies, ils favorisèrent la victoire des tenants de l'application identique des droits républicains en métropole et
dans les colonies.

Le dernier chapitre revient aux détails de l'insurrection
de Trois-Rivières. Mes diverses sources, dont la plus four-
nie est le rapport du Comité de sûreté générale, me permettent d'affirmer que ces documents, dans la mesure où ils
minimisent l'action des insurgés, véhiculent des accusations
qui font écho à celles qu'exprimaient les esclaves au cours
de leur révolte. Au lieu de fuir devant des soldats enragés
pour réprimer leur révolte, ce qui leur était également possible, les esclaves utilisèrent le langage de la citoyenneté
pour expliquer leurs actes, convaincus qu'il leur permettrait
d'échapper aux punitions. L'insurrection, et la présentation
des faits, reprenaient le langage du nationalisme, ce qui permit à la fois de transformer la participation des esclaves et
de paralyser le processus normal du jugement des Blancs.
J'estime que les comptes rendus disponibles de cet événement écrivent une autre histoire possible de l'émancipation
dans les Antilles — une histoire où les prophéties de libération sont les foyers des actes qui entraînèrent la réalisation
de ces prophéties. Les différents acteurs de la scène antil-
laise ont donné aux termes de « citoyenneté républicaine »
une dimension élargie qui était « impensable » en métropole ; ils ont radicalement transformé le sens de la culture
politique qui avait émergé durant la Révolution.

II

UNE CARTOGRAPHIE SOCIALE

Le roman d'Alejo Carpentier, *Dans le Royaume de ce monde*, raconte la rencontre entre Ti Noel et le chef des marrons Makandal dans sa cachette. « Sur un tronc épluché de son écorce à coups de machette gisait grand ouvert un livre d'intendance volé au comptable de la plantation, ses pages couvertes de traits épais inscrits au charbon de bois. » Entre les pages de ce document, Makandal a écrit sa « carte verbale » des plantations — une carte organisée en fonction des possibilités de révolte, et non plus de production. Cette vision fugitive d'un livre dérobé permet de lire comment, au sein d'une société profondément structurée, les révoltes s'organisaient entre les plantations, voire entre les îles, grâce à des liens qui demeuraient invisibles aux yeux des administrateurs coloniaux, et même des planteurs.

Les terres habitées par les esclaves, par les affranchis et par les maîtres formaient la trame de différents réseaux sociaux et économiques fonctionnant les uns par rapport aux autres. Alors que les exigences économiques du commerce transatlantique modifiaient et définissaient l'usage de la terre sur les îles de la Caraïbe, d'autres routes commerciales liaient entre elles les différentes colonies de la région, et ouvraient dans les interstices des plantations des réseaux économiques propres aux esclaves. Comme Dale Tomich l'a fait observer, Victor Schœlcher a décrit, dans son pamphlet antiesclavagiste *Des Colonies françaises : Abolition immédiate de l'esclavage,* la complexité de la propriété d'un bien appartenant à un esclave dans le système de plantation. Schœlcher visita une plantation où un énorme manguier se dressait au milieu d'un champ de cannes, affaiblissant tout ce qui poussait dans son ombre. Le planteur aurait voulu couper l'arbre, mais son propriétaire, un esclave, avait déjà promis de le transmettre à sa descendance. Schœlcher notait des cas identiques dans d'autres plantations[1]. Au XIXe siècle, ce type de propriété foncière était devenu une institution. En 1844, un auteur écrit dans une proposition de réforme de l'esclavage :

> *À côté de la propriété que la loi reconnaît et garantit dans les personnes libres, il s'est formé dans les mains des personnes non libres une autre sorte de propriété qui n'est pas garantie par les lois écrites, mais par les mœurs, par l'assentiment général de toutes les classes de la société coloniale : c'est le pécule, c'est-à-dire, les économies que l'esclave accumule [...] L'esclave transmet ce pécule à ses enfants, il en dispose librement [...] Aucun maître [...] n'oserait toucher au pécule de son esclave ; celui qui le ferait serait déshonoré aux yeux de la société tout entière[2].*

Sidney Mintz a fait remarquer que l'usage limité de la terre et l'existence des marchés entre esclaves ont défini la culture paysanne qui, aujourd'hui encore, caractérise la société caraïbe[3]. Les jardins cultivés par les esclaves, l'existence d'une économie de marché informelle, la présence de communautés marrons à l'extérieur de la plantation créaient des réseaux de relations entre les gens, et avec la terre, où l'on peut voir les bases de la résistance. Les insurrections qui ont secoué la Caraïbe française à la fin du XVIIIe siècle éclataient sur le terrain compliqué que je m'apprête à explorer dans ce chapitre en décrivant la « cartographie sociale » d'une zone particulière de la Guadeloupe.

Soufrières

Le petit bourg de Trois-Rivières se situe à l'est de la ville de Basse-Terre, la capitale de la Guadeloupe. Ces deux localités se trouvent à l'extrémité septentrionale de la partie montagneuse de l'île, appelée Basse-Terre ; au nord-est, au-delà d'un petit canal océanique nommé Rivière Salée, Grande-Terre étend ses espaces plus arides, avec Pointe-à-Pitre comme capitale économique de la Guadeloupe.

Depuis le XVIIIe siècle, la rivalité entre Pointe-à-Pitre et Basse-Terre est un élément essentiel de la vie politique de la Guadeloupe. Capitale coloniale traditionnelle de l'île, Basse-Terre vit son pouvoir largement supplanté, lorsque les Anglais, occupant l'île entre 1759 et 1763, décidèrent de transformer Pointe-à-Pitre en un port important. Sa position à l'embouchure de la Rivière Salée en faisait un havre idéal pour les marchands, et la ville grossit rapidement. En l'An VI (1798), alors que le Conseil des anciens du directoire décidait de déplacer le siège de la capitale administrative à Pointe-à-Pitre (rebaptisée Port Liberté par Victor Hugues dès son arrivée sur l'île), un certain M. Albert, résident de Basse-Terre, écrivit que c'était une grave erreur. Port Liberté était « une ville nuisante, établie dans un marais, malsaine, sans eau, tombeau de garnisons [...] et affligée régulièrement tous les ans de quatre mois consécutifs de fièvres ». L'humidité du sol finirait par détruire les archives. Basse-Terre, au contraire, était « une ville saine, baignée d'eaux et de rivières, où les habitants jouissaient d'un air vraiment d'Europe [...] arrosée d'eaux excellentes à boire [...] » L'auteur de la lettre vantait « l'entretien, dans la plus grande salubrité, des hôpitaux pourvus, des établissements pour les civils, les militaires et le judiciaire ». Seuls ceux qui ne connaissaient rien à la Guadeloupe pouvaient retirer à Basse-Terre l'honneur d'en être la capitale. En fin de compte, la capitale administrative revint s'installer à Basse-Terre, où elle est toujours, mais Pointe-à-Pitre est devenue la métropole insulaire, avec l'aéroport et le port de commerce[4].

Comme la plupart des villes de la Guadeloupe, Basse-Terre et sa proche voisine Trois-Rivières bordent l'océan. Dans leur dos, au nord, des pentes raides mènent à l'intérieur des terres au volcan de la Soufrière. Enveloppé de brumes une bonne part de l'année, le volcan est rarement visible ; mais si les nuages se dissipent, un spectacle prodigieux surprend le visiteur non averti. Outre la menace, voilée mais permanente du volcan, il faut compter sur celle d'ouragans potentiellement destructeurs. Le long des pentes de la Soufrière, de nombreux ruisseaux traversent les localités avant de se jeter dans la mer. En 1794, un prêtre qui accompagnait les troupes d'occupation anglaises décrit ainsi la région de Basse-Terre qui lui apparut depuis la mer : « [...] un spectacle apaisant nous accueille, et une vue magnifique s'ouvre sur la campagne alentour, avec la montée régulière des terres offrant une succession d'amphithéâtres de plantations, de bois, de collines et de vallées où se dispersent d'élégantes bâtisses de solide construction ornées de palmiers, de cocotiers et autres arbres élancés et majestueux [5]. » Dans un document de 1790, des officiers de Basse-Terre décrivent également les environs comme un « vaste amphithéâtre [6] ». Nous y situerons notre scène.

Dans les trois romans de Daniel Maximin, *L'Isolé Soleil*, *Soufrières* et *L'Île et une nuit*, l'espace entre océan et volcan forme une intersection entre passé et présent, entre histoire et nature. Dans *L'Isolé Soleil*, les personnages luttent avec le souvenir des événements historiques qui ont secoué la Soufrière au début du XIXe siècle. En 1802, les pentes du volcan furent les témoins des ultimes combats contre le rétablissement de l'esclavage ; c'est ici, à l'habitation Dangelmont, sur la paroisse Matouba, que Louis Delgrès fit exploser la plantation dans un suicide collectif qui sonnait le glas de l'émancipation à la Guadeloupe. La résonance de cette explosion et la possibilité permanente d'une éruption volcanique s'entrelacent étroitement dans les romans de Maximin. L'un de ses personnages déclare : « Sais-tu que nous aurions été un peuple libre à la même date que Haïti si la Soufrière avait explosé sur Basse-Terre en 1802, applaudie par le peuple insurgé ? Combien de cyclones faudra-t-il pour nous réconcilier avec notre paysage ? [...] nos rebelles font la concurrence au soleil[7]. »

Maximin décrit un paysage alourdi de souvenirs, où nature et histoire conspirent à assaillir l'île. L'explosion de Matouba fait écho à celle du volcan ; et l'ensevelissement de la lutte historique par cette explosion est une possibilité récurrente. Les silences s'accumulent les uns sur les autres ; dans l'accident qui ouvre *L'Isolé Soleil*, un avion transportant le père du personnage principal, Marie-Gabriel, explose au-dessus de la Soufrière, éliminant non seulement une vie, mais le journal d'une vie que son auteur avait promis de remettre à sa fille[8]. La disparition du manuscrit attendu incite Marie-Gabriel à se pencher sur l'histoire silencieuse de l'île ; les pertes s'accumulent, presque naturelles, et la menace d'une éruption au cœur du second roman, *Soufrières*, est une rumeur constante. Dans *L'Île et une nuit*, le plus récent des trois romans, l'ouragan lui-même devient un personnage : son œil survole calmement l'île dont il observe les changements depuis sa dernière visite, tandis que le déluge se fracasse sur la Guadeloupe une fois encore.

Entre océan et volcan, l'espace des histoires de Maximin — celui-là même qui occupe notre histoire — est traversé de pistes qui mènent aux autres îles, aux continents du Nord et du Sud, à l'Europe, et toujours à l'Afrique. En parcourant ces histoires et ces lieux, Maximin parle de la rencontre des continents, de la fusion des passés qui sédimentent le paysage. Ses personnages voyagent en France, rêvent de l'Afrique à travers Césaire, écoutent de la musique cubaine et s'attardent devant l'œuvre de Wilfredo Lam ; des références au jazz traversent leurs correspondances avec des amis d'Algérie. Des petites communautés nichées au pied du volcan surgit un monde où relations et voyages parlent d'une histoire de survie. Comme le suggère Maximin, cet espace condense une multiplicité de récits et de chemins ancrés dans l'écologie de l'île, et continûment reliés au reste du monde par une série de routes. L'histoire que je cherche à écrire se situe également sur ces terres ; elle parle des traversées et des connexions entre l'Europe, les Amériques et l'Afrique.

Au XVIIIe siècle, différentes couches sociales, étroitement mêlées à la société de plantation qui régnait sur le territoire de Basse-Terre, occupaient cet espace. La ville, nantie de bâtiments officiels, était un port important. Elle se flattait d'abriter plusieurs grandes plantations, tout comme sa voisine Trois-Rivières, dont l'abbé Raynal a noté le « beau sucre[9] ». Les cartes et les documents notariaux permettent de dessiner les couches antagonistes de cette société qui allait être bouleversée par les soulèvements de la Révolution, où l'insurrection de Trois-Rivières jouera un rôle essentiel. Les documents expliquent comment esclaves et affranchis habitaient le paysage particulier de ces communautés, et travaillaient à l'intérieur de l'ordre colonial, tout en œuvrant contre lui.

La Bibliothèque nationale de Paris abrite une carte de la Guadeloupe datée de 1760 ; elle se compose de seize pans qui, si on les mettait bout à bout — ce qu'on n'a probablement pas tenté de faire depuis longtemps —, représenteraient une surface d'environ 5m^2. Par l'insistance quasi obsessionnelle sur certains détails — par ce qui est présent et par ce qui est absent —, cette carte inspire l'idée d'un terrain social stratifié. Ce qu'elle révèle, comme d'autres cartes de la Guadeloupe à la même période, est une île largement développée[10], dont la majeure partie se divise en plantations identifiées par les noms des propriétaires, et qui sont reliées entre elles par un réseau de routes. Seules deux zones n'intègrent pas ce schéma de division : les « Bas-Fonds », au nord de Pointe-à-Pitre, et le centre de l'île de Basse-Terre, au nord du volcan, identifié comme le « Noyau inaccessible ». Les communautés marrons vivaient ici, réfugiées dans la topographie labyrinthique des Bas-Fonds ou dans l'épaisseur végétale des montagnes du centre de l'île[11].

Des hauteurs du volcan jusqu'au bord de l'océan, d'un site de résistance à un site d'esclavage, des régions de production du café, puis du sucre, jusqu'au site de l'autorité métropolitaine avec les bâtiments officiels de Basse-Terre, la progression est ambiguë. Tournant le dos aux régions de plantations, les sentiers « inaccessibles » aux cartographes et aux officiels n'en étaient pas moins empruntés. La présence des marrons était un contrepoint permanent au fonctionnement régulier de la plantation. On employait la maréchaussée pour leur faire la chasse ; les journaux publiaient des descriptions de marrons capturés dont on ignorait l'identité des propriétaires ; la menace de leurs raids était constante. Pour leur nourriture, comme pour leurs informations, les marrons dépendaient — souvent par leurs contacts avec les esclaves restés dans la place — des plantations qu'ils avaient fuies. On ne savait pas grand-chose de leur mode de vie, de la situation de leurs villages, des sentiers qui les menaient au « Noyau inaccessible » ; mais les pistes de la liberté sont indiquées au moins sur une carte d'époque, qui montre un relevé topographique détaillé. Cette carte fait voir tous les ravins qui montent de Basse-Terre, dépassent Matouba et s'arrêtent au volcan. Tout en haut de la carte, un sentier fait une fourche. Le trait qui se dirige vers le sommet s'interrompt net : c'est le « Chemin du Grand Marron ». L'autre trait revient en arrière et longe la pente en redescendant vers l'océan : c'est le « Chemin du Petit Marron ». Le « Grand Marronnage » représentait une rupture définitive avec la plantation, une disparition ; le « Petit Marronnage » était une fuite limitée avec intention de retour. Que ces deux choix aient été assez communs pour baptiser les chemins menant à la liberté permanente ou au retour à la plantation suggère que ces routes étaient bien établies ; elles étaient assez connues sur l'île pour qu'un cartographe français ne les ignore pas [12].

Des restes de chantiers abandonnés, des pistes improvisées, des travaux ébauchés marquaient la terre à leur manière. Les désordres ainsi survenus sur une parcelle pouvaient être repérés de façon fortuite par les fonctionnaires. En 1776, par exemple, les militaires de Basse-Terre durent traiter de sérieux problèmes de déforestation dus à des coupes d'arbres effectuées sans discrimination sur les hauteurs surplombant la ville. Selon un rapport militaire, ces déboisements compromettaient la sécurité des défenses de l'île, certains sites stratégiques en altitude requérant le couvert des arbres. On connaissait quelques-uns des coupables, des planteurs auxquels on ordonna de replanter arbres ou buissons. Mais l'essentiel des dégâts était dû à « plusieurs petits habitants dont les noms sont inconnus [...] Ces habitants défrichent non seulement la plaine entre ses montagnes, mais encore leurs penchants ; et si on ne leur défend pas de continuer, il y aura bientôt un nouveau débouché sur la grande savane et par conséquent sur la Basse-Terre, ce qui est la plus grande conséquence à empêcher ». Ce rapport ainsi qu'un règlement sur le défrichement des terres signalent le développement d'un réseau chaotique de sentiers reliant Basse-Terre, Trois-Rivières et les pentes au-dessus et entre les deux localités. Alors que l'état des routes s'améliorait, de nouveaux sentiers risquaient d'endommager les talus. De nouveaux règlements exigèrent la plantation d'arbres et de bosquets le long de certaines routes et sur les berges des rivières [13].

Cette augmentation des terres défrichées, objet de l'inquiétude des militaires, faisait partie du souci général de l'administration d'utiliser à bon escient les ressources naturelles de la colonie. Mais l'abattage des arbres et la multiplication conséquente des pistes n'étaient qu'une facette d'un conflit général portant sur l'utilisation de la terre. L'eau représentait un autre terrain de conflit. En 1788, l'ingénieur géographe Mallet inspecta le réseau d'alimentation en eau de Basse-Terre [14]. Il suivit la rivière depuis le centre-ville, près de l'océan, jusqu'à un point plus élevé où elle alimentait l'hôpital et la garnison ; puis il s'aventura le long des pentes. Ce qu'il découvrit le choqua. « Il est bien étonnant que jusqu'à ce jour, l'on n'ait pas mis sous les yeux de MM. les administrateurs de cette colonie, l'état du canal fournissant l'eau [...] Il est certain qu'un nombre considérable de personnes ont péri par la mauvaise qualité de cette eau. » La présence de pêcheurs dans le ravin, l'excès de végétation avaient rendu l'eau fétide et trouble. L'un des principaux ruisseaux traversait la « vinaigrerie » de M. Desmarais et en ressortait empoisonné ; les immondices de nombreuses latrines achevaient de souiller son cours avant qu'il atteigne l'hôpital, la garnison et la ville proprement dite.

Mallet inspectait des canaux destinés à satisfaire les besoins de la population et les exigences de l'agriculture. L'eau était vitale pour les plantations, pour les moulins à sucre en particulier, et la plupart des documents légaux attestent sa distribution. À Trois-Rivières par exemple, un certain Augustin Delignières, soucieux d'introduire la canne sur la plantation qu'il louait à sa sœur, dut certifier devant notaire que la dérivation de la rivière Carbet n'affecterait aucune plantation. Le notaire et des témoins traversèrent la plantation de Delignières jusqu'aux berges de la rivière, où ils trouvèrent le contremaître « à la tête de six nègres vigoureux, occupé à faire creuser un canal par lesdits esclaves, à commencer en haut de l'endroit au-dessous duquel endroit il ne se trouve aucune habitation, sucrerie, ni autres, ni aucune propriété à qui ce dit canal puisse nuire » ; sur la plantation, il fut noté que la canne avait été plantée [15]. Un autre accord, conclu à Trois-Rivières entre Lazare Hullière et Jean-François Doyon, témoignait des détails méticuleux d'une tractation sur l'eau. Hullière, en échange du droit qu'il accordait à Doyon de creuser sur ses terres un canal d'irrigation pour l'habitation *Belle Eau*, obtenait un droit sur un filet d'eau de trois pouces (7,5 cm) [16].

Le rapport de Mallet consignait également l'approvisionnement des fontaines le long de l'axe principal Basse-Terre-Champ de Mars. Les bâtiments officiels et les principaux commerçants se concentraient sur cet axe, véritable centre bureaucratique de l'île à quelque distance du port ; le nom même de la rue, l'architecture des immeubles et celle des fontaines rappelaient la présence économique et culturelle de la métropole. L'eau définissait la géographie de la ville, bordée par la rivière Galion et la rivière des Pères, et divisée en son centre par la rivière aux Herbes. Pour jouer son rôle de capitale administrative, Basse-Terre avait subi une transformation digne de bien d'autres villes françaises au xviiie siècle ; depuis Fort Saint-Charles, des ponts et des avenues s'élançaient vers l'est de l'agglomération. Des fontaines ponctuaient les avenues qui se prolongeaient jusqu'à Saint-François, le cœur commercial de la capitale [17]. Une partie de l'eau alimentait l'ouest de Basse-Terre, notamment un bourg plus récent où s'étaient installés de nombreux esclaves libérés, tel cet « André mulâtre libre », assez heureux d'avoir un terrain traversé par trois canaux dont le cours alimentait également ses voisins plus près de l'océan.

Des détournements d'eau illicites menaçaient ces règles d'usage acceptées et soigneusement planifiées. Les coupables étaient des esclaves travaillant leurs petits jardins, ou des Blancs pauvres anonymes, parfois signalés comme « pêcheurs ». Les rigoles qu'ils creusaient détruisaient les canaux, et la diminution du niveau de l'eau créait des mares stagnantes. L'alimentation des fontaines du Champ de Mars était réglée par une large pierre creusée d'un trou, « et souvent les nègres la bouleversent pour la détourner » pour leurs jardins ou leurs lessives. Le samedi et le dimanche, écrit Mallet, les esclaves « détournent les bras, en font de nouveaux, pour se donner de l'aisance à vider les bassins » ; le savon et la chaux polluaient le réseau général. Par endroits, Mallet pouvait difficilement identifier le tracé du canal originel, envahi par la végétation et foré de trous servant à alimenter un réseau de rigoles. Durant la décennie suivante, le gouvernement républicain corrigera certains problèmes, ce qui permettra au M. Albert mentionné plus haut d'affirmer, en 1798, que Basse-Terre était alimentée par une eau abondante et saine — mais sans doute faut-il y voir l'orgueil d'un partisan inconditionnel de la ville.

Le conflit à propos de l'eau faisait partie d'un conflit plus large sur l'utilisation de la terre et le droit au travail. La propriété officielle de ressources telles que l'eau, la terre et bien entendu les esclaves était en effet contestée à l'intérieur et à l'extérieur de la plantation. Ainsi un planteur pouvait-il revendiquer la propriété du corps des esclaves, alors qu'ils avaient fui. En louant la plantation où il lançait la culture de la canne, le planteur Auguste Delignières n'avait pas seulement signé la notification notariale de son droit sur l'eau de la rivière Carbet ; par un nouvel accord, lui et sa sœur, propriétaire effective de la plantation, considéraient que les esclaves qui avaient marronné restaient leur propriété ; ils étaient, selon les mots du notaire, « présents quoiqu'absents[18] ». Les documents légaux avaient beau revendiquer les esclaves absents comme propriété de Delignières, et Mallet invoquer le droit supérieur des plantations et des fontaines officielles à utiliser l'eau au détriment des esclaves ou des pauvres Blancs qui en avaient pourtant besoin pour l'entretien de leurs jardins, la pratique effective de l'utilisation de la terre et l'existence du marronnage trahissaient l'assurance de ces documents.

Contrebande et communautés

La Guadeloupe occupait une position centrale dans la vie économique de la nation française. Sa principale production, le sucre, joua un rôle capital dans l'expansion économique de l'Europe du XVIIIe siècle. Sidney Mintz, Eric Williams et bien d'autres ont montré que l'économie de plantation dans la Caraïbe fut le pilier de l'expansion capitaliste en Angleterre et en France ; le sucre, générateur d'énormes profits, créait de nouveaux circuits de distribution d'argent du fait de sa réexportation vers d'autres pays d'Europe. Le sucre était donc au cœur des transformations sociales et économiques qui marquèrent l'Europe durant le siècle. Faisant écho à Jean Jaurès, C.L.R. James avance l'explication suivante :

> La traite des esclaves et l'esclavagisme étaient la base économique de la Révolution française. « Triste ironie de l'histoire, a dit Jaurès. Les fortunes créées à Bordeaux, à Nantes, par la traite, ont donné à la bourgeoisie cet orgueil qui appelait la liberté et contribua à l'émancipation humaine. » À peu près toutes les industries qui se développèrent en France au XVIIIe siècle provenaient de biens et de denrées destinées soit à la côte de Guinée, soit à l'Amérique. Le capital de la traite les fertilisait ; bien que la bourgeoisie ne fît pas commerce que des esclaves, tout le reste dépendait du succès ou de l'échec de ce trafic.

James isole un fait essentiel si l'on veut comprendre le colonialisme européen au XVIIIe siècle : l'esclavage — et les denrées dont il permettait la production — transforma considérablement les modes de consommation et de commerce, stimula l'énorme expansion économique et exerça une influence capitale sur l'émergence de la bourgeoisie, qui allait jouer un rôle essentiel pendant la Révolution française [19].

Les Anglais occupèrent la Guadeloupe de 1759 à 1763 ; ils connaissaient la valeur de l'île. Un marchand britannique qui y résida durant cette période a soutenu dans un livre que si l'Angleterre avait à choisir entre la Guadeloupe et tous les territoires du Canada, elle devrait garder la Guadeloupe. Son sol fertile produisait de considérables quantités de sucre. « 15 000 hectares dans les Indes occidentales accroîtraient la valeur de l'Angleterre et de l'Amérique réunies plus que 150 000 hectares en Europe ou en Amérique. » Marie-Galante, de la taille de l'île d'Antigua, pouvait être entièrement cultivée, compte tenu de son absence de montagnes ; Basse-Terre produisait non seulement du sucre, mais d'autres produits, telle la cannelle. Le même auteur estimait que l'Angleterre garderait difficilement le contrôle de ses colonies d'Amérique du Nord, alors qu'elle pouvait aisément dominer la Guadeloupe [20]. En fin de compte, la France fit le choix qu'il préconisait : par le traité de Paris de 1763, elle échangea la totalité de ses colonies au Canada contre le retour de son autorité sur la Guadeloupe et la Martinique.

Ville portuaire et capitale insulaire, Basse-Terre abritait de multiples intérêts économiques et commerciaux qui reflétaient la double économie caractéristique de la Guadeloupe et d'autres îles de la Caraïbe. Les règles d'« exclusif » qui forçaient les planteurs à vendre leur production aux marchands métropolitains avaient beau s'être considérablement relâchées à la fin du XVIIIᵉ siècle, elles dominaient toujours la vie insulaire. À tous les niveaux — achat des plantations et des esclaves, entretien des moulins, vente et expédition du sucre et du café —, la métropole contrôlait les choix économiques des planteurs, légalement requis d'acheter et de vendre les denrées en respectant les routes commerciales et les institutions officielles qui établissaient les prix et déterminaient les quantités à acheter. Ces restrictions et l'incapacité de la métropole à subvenir aux besoins croissants des colonies finirent par créer un circuit de contrebande très profitable. On constatera, non sans ironie, que le caractère stricte des règles d'exclusivité contribua à créer entre les îles de nouveaux liens, qui permirent à la Guadeloupe de redéfinir son économie. La contrebande nourrissait une économie qui autrement aurait stagné ; en fin de compte, elle profitait à la métropole contre laquelle elle était dirigée.

La proximité des îles anglaises et hollandaises et la présence de communautés amérindiennes (Caraïbes noirs de Saint-Vincent et Caraïbes de la Dominique) permettaient le trafic illégal des denrées importées et exportées par la colonie. Le long de routes clandestines voyageaient, détaxés, le sucre, le café et le coton ; la nourriture, le vin et autres denrées périssables servaient de monnaie d'échange. On importait les esclaves des îles anglaises et hollandaises. Le commerce de la contrebande offrait une manne aux individus vivant en marge des contrôles officiels. La pratique des coureurs-des-îles, qui datait des XVIe et XVIIe siècles, se poursuivit au siècle suivant ; des marins blancs et des trafiquants, parfois rejoints par des gens de couleur libres, écumaient les côtes des îles voisines, commerçant avec les Anglais, les Hollandais, les Caraïbes [21]. De la Guadeloupe, des navires affrétés pour des missions officielles convoyaient éventuellement de la contrebande, en particulier vers l'île anglaise de la Dominique située entre la Guadeloupe et la Martinique. L'inverse était vrai pour les marchandises provenant de la Martinique ou des îles espagnoles et hollandaises ; les schooners des colonies d'Amérique du Nord, et plus tard des États-Unis, n'étaient pas en reste. Les bateaux longeaient les côtes de nuit, se signalant à leurs contacts à terre ; le transbordement des cargaisons s'effectuait entre deux embarcations ancrées dans des baies abritées.

Compte tenu de sa position à l'intérieur de la Caraïbe française, l'île de la Guadeloupe, et la ville de Basse-Terre notamment, étaient particulièrement actives dans la contrebande. Saint-Pierre, à la Martinique, administrait le commerce vers la Guadeloupe, et les marchands martiniquais en profitaient pour augmenter les prix. Le nombre de navires qui s'arrêtaient à la Guadeloupe au terme de leur traversée transatlantique était réduit, les armateurs préférant les ports plus riches de Saint-Domingue ou de la Martinique, mieux développés. En 1775, un unique navire français fit escale à la Guadeloupe contre 168 venant de la colonie hollandaise de Saint-Eustatius[22]. En 1770, on estimait que 40 à 50 p. 100 du commerce de la Guadeloupe résultait de la contrebande. S'agissant de Basse-Terre, cette estimation doit être révisée à la hausse dans la mesure où, pendant et après l'occupation britannique (de 1759 à 1763), Pointe-à-Pitre fut le plus grand port commercial de l'île, et le premier choix des navires qui y abordaient. Basse-Terre était approvisionnée par des routes commerciales côtières, et les marchandises s'y arrêtaient ou y transitaient avant d'être acheminées vers d'autres localités portuaires au sud de l'île : la capitale devint ainsi le centre d'un trafic continuel de petits bateaux appartenant à des marchands blancs ou à des gens de couleur, avec des équipages souvent composés de gens de couleur, voire d'esclaves ; une grosse partie du commerce consistait évidemment en contrebande. Basse-Terre était le centre d'un commerce illégal qui faisait vivre la ville[23].

Bien avant la Révolution, les administrateurs de la colonie avaient identifié le problème de la contrebande comme une sérieuse subversion de l'autorité métropolitaine. En 1773, la chambre d'Agriculture de la Guadeloupe, invoquant qu'il y avait urgence à contrôler et régulariser un commerce illégal devenu par trop aisé, réclama la création d'un gouvernement local pour l'île. La France, si elle voulait conserver son emprise sur le commerce de la Guadeloupe, devait augmenter ses effectifs administratifs pour éliminer les méfaits de la contrebande permanente avec les Anglais de la Dominique et des îles voisines[24]. Un *Mémoire sur la contrebande* datant de 1787 laisse entendre qu'en dépit des changements dans l'administration de l'île, la contrebande ne diminuait pas. Les crédits supplémentaires affectés à la surveillance des côtes ne stoppaient nullement le trafic illégal qui, en fait, redoublait. Les visites d'inspection au départ ou à l'arrivée des navires étaient inefficaces et superficielles ; elles avaient lieu quand les cales étaient pleines. En outre, « c'est sur les côtes, c'est dans les anses, que se fait la contrebande, soit d'importation, soit d'exportation ; personne ne l'ignore ». La seule solution était d'instaurer une politique de surveillance des eaux extraterritoriales entre la Guadeloupe et la Dominique. Sinon, les « étrangers » continueraient de naviguer « en toute sécurité et tranquillité ». « N'est-ce pas le moment de redoubler d'attention et de surveillance pour tâcher de conserver à la métropole les productions de ces mêmes îles [...] que nos voisins cherchent à attirer par tous les moyens possibles[25] ? »

À l'évidence, la contrebande menaçait le contrôle de la métropole. Les trafiquants locaux français ou anglais contournaient les règlements pour accumuler les profits. Dans un contexte plus large, le résultat était le même, puisque la métropole revendait la majorité de ces produits en Europe, et le plus souvent à des nations aussi approvisionnées par la contrebande ; la différence était que les profits n'allaient pas dans les mêmes poches. Deux ans après ce *Mémoire sur la contrebande*, lorsque la Révolution éclata, l'exclusivité fut l'une des mesures réglementaires les plus véhémentement attaquées. Les planteurs blancs subodoraient les nombreuses possibilités qui s'ouvriraient avec la fin du monopole des marchands métropolitains ; les profits de la contrebande leur étaient bien connus. Par ses ramifications entre les îles, la contrebande créait une économie parallèle qui reliait entre elles des terres tenues par les Anglais, les Hollandais, les Français, les Espagnols et les Caraïbes. Dans le contexte de la Caraïbe orientale — qui forme un ensemble de petites îles alors divisées entre des pouvoirs coloniaux —, une autre carte économique résultait d'un réseau de liens de nature à menacer l'ordre colonial. L'administration républicaine de Victor Hugues n'allait pas manquer d'exploiter ce réseau en convertissant la contrebande et la piraterie en une politique officielle de guerre

ouverte, grâce à des alliances avec les Caraïbes noirs de
Saint-Vincent.

Tous ces échanges affectaient le peuplement de la colonie, dans la mesure où de forts contingents d'esclaves
étaient achetés comme « marchandises » de contrebande.
Dernier arrêt des esclavagistes français après Saint-Domingue et la Martinique, la Guadeloupe était sous-alimen-
tée en main-d'œuvre et autres matériaux. Entre 1707 et
1763, 737 navires au départ de Nantes firent le trajet de la
traite d'Afrique aux Antilles : 12 seulement (1,6 p. 100)
abordèrent la Guadeloupe, 264 (35,8 p. 100) la Martinique,
le reste (62,6 p. 100) se rendit directement à Saint-Domingue. Après 1763 et la fin de l'occupation anglaise de la
Guadeloupe (qui avait permis d'établir l'économie du
sucre), le nombre de navires accostant Pointe-à-Pitre pro-
gressa légèrement : entre 1763 et 1793, sur 1 427 navires de
la traite au départ de Nantes, 32 (2,2 p. 100) s'arrêtèrent à
la Guadeloupe, 53 (3,7 p. 100) à la Martinique, le reste (94,1
p. 100) voguant directement vers Saint-Domingue[26]. Tout
au long du XVIIIe siècle, le nombre d'esclaves importés sur
l'île crût dans des proportions significatives grâce aux trafics
des navires anglais et hollandais, illégaux mais bien connus
et acceptés[27]. En multipliant les liens interinsulaires, la
contrebande créait pour les esclaves bien des racines ; ils
étaient nombreux à rester en contact avec les îles anglaises
ou hollandaises. Ils portaient des noms et parlaient des langages inconnus, transmettaient des pratiques religieuses
nouvelles, véhiculaient des informations et des histoires
puisées aux autres îles. Face à une politique officielle dont
l'objet était de faire de la connexion transatlantique entre
la métropole et la colonie le principal trajet de transmission
du pouvoir économique et politique, un autre réseau de
routes irriguait la Caraïbe, créant d'autres identités moins
dépendantes de la métropole et plus immergées dans la
culture créole des Petites Antilles. Tandis que l'esclavage
exerçait un contrôle social intérieur et extérieur inconce-
vable sur ceux qu'il emprisonnait dans son système, des
connexions parallèles, parfois subversives, se dévelop-

paient ; elles étaient riches d'opportunité que le pouvoir officiel tentait de supprimer en permanence.

Esclavage et contrat social

En 1790, la population totale de la Guadeloupe était de 107 228 habitants : on comptait 90 134 Noirs (environ 85 p. 100), 13 969 Blancs et seulement 3 125 gens de couleur, un pourcentage relativement faible comparé à celui de Saint-Domingue où les gens de couleur étaient à peu près aussi nombreux que les Blancs. Parmi la population adulte blanche, il y avait 500 hommes de plus que de femmes ; un peu moins du quart des femmes entrait dans la catégorie des veuves. Environ 7 000 Blancs — soit 50 p. 100 — étaient recensés comme enfants, la moitié de moins de quatorze ans. La population esclave comptait 30 p. 100 d'enfants. Il y avait 2 700 esclaves adultes masculins de plus que les esclaves féminins ; chaque année, le nombre des naissances d'esclaves était supérieur à celui des décès d'environ 200. La population était bien défendue : sur les 16 839 armes officiellement déclarées dans la colonie, un peu plus de 10 000 étaient des fusils et des pistolets. Quarante pour cent des terrains cultivés étaient plantés de canne à sucre, 15 p. 100 de café et à peu près autant de coton. Environ 20 p. 100 des terres étaient cultivées pour la consommation locale. Trois cent soixante-sept raffineries traitaient le sucre[28].

Entre 1782 et 1790, le nombre des raffineries était passé de 399 à 367, et celui des autres types de plantations de 2 272 à 1 864. Le nombre d'hectares cultivés était de 43 647 en 1781, et de 53 298 en 1788 ; cette augmentation tenait compte de cultures autres que le sucre ; entre 1781 et 1790, le nombre d'hectares cultivés sur les plantations de café avait augmenté de 7 000 à 8 607, tandis que les surfaces consacrées au sucre diminuaient (26 472 hectares en 1781 contre 22 620 en 1790). Chaque année, de 13 à 100 navires visitaient l'île, la moyenne annuelle des escales, entre 1781 et 1792, étant de 67 (comparée à une moyenne de 105 à

la Martinique à la même période). (Ces chiffres, issus de
statistiques officielles, représentent les navires marchands
— français — légaux.) Entre 1770 et 1790, les exportations
de la Guadeloupe connurent de larges variations, mais la
progression était continue : 10 342 105 livres en 1770, et
16 333 342 livres en 1790. Les exportations de sucre fluc-
tuaient largement avec une moyenne annuelle de
170 000 « mesures de Paris » (48,9 kg) expédiées en France
entre 1781 et 1792 (109 532 mesures en 1783 et 241 749 en
1791). Les exportations de café augmentaient elles aussi
(30 311 mesures en 1783 contre 77 295 en 1791). Dans
toutes ces données, l'économie de la Guadeloupe se révélait inférieure à celle de la Martinique qui, durant la même
période, exporta une moyenne de 214 000 mesures de
sucre (29 449 130 livres à l'exportation en 1770 et
23 927 612 livres en 1788)[29].

La population esclave de la Guadeloupe avait rapidement augmenté au cours du XVIIIe siècle, de 110 p. 100 entre
1753 et 1788. En d'autres termes, comme à Saint-Domingue, un nombre important d'esclaves de l'île étaient nés
en Afrique, ce qui n'était pas vrai de la Martinique. Durant
la même période, la population marron resta constante, environ 2 p. 100 du total de la population africaine[30]. Entre
1781 et 1790, la population esclave passa de 84 232 à
90 139 ; en 1790, 54 962 esclaves (61 p. 100) travaillaient
dans les champs : 26 069 (47 p. 100) sur les plantations de
sucre, 28 893 (53 p. 100) sur d'autres types de plantations,
soit 18 894 (34 p. 100) sur les plantations de café et 9 999
(18 p. 100) sur les plantations de coton. La moitié des esclaves de l'île étaient donc employés sur de petites plantations[31].

Telles étaient les données statistiques de l'île — une société de plantation centrée sur une production destinée à
la métropole, et une population majoritairement composée
d'esclaves. La vie de cette majorité était régie par des
contrats qu'elle n'avait pas signés, elle avait été bouleversée
par des ventes ordonnées et enregistrées, elle était adminis-
trée par une politique officielle. Sur les plantations, la plupart des esclaves travaillaient de longues heures aux

champs, en groupes dirigés par un « commandeur ». Pendant les récoltes, les travaux duraient jour et nuit ; une fois coupée, la canne était traitée par des travailleurs expérimentés attachés aux raffineries. D'autres esclaves servaient comme domestiques dans la maison du maître ; les femmes occupaient les fonctions de nounous, cuisinières ou lavandières. Un groupe représentant l'élite des esclaves jouissait d'une certaine liberté de mouvement, et pouvait éventuellement gagner de l'argent : ses membres étaient chasseurs, pêcheurs ou artisans — maçons, fabricants de barriques, charpentiers, maréchaux-ferrants. Le rythme et le type de travail dépendaient du produit ; les grosses plantations de sucre employaient souvent des centaines d'esclaves ; les plantations de coton et de café, plus petites, se situaient sur des terrains montagneux, et étaient supervisées par de nouveaux propriétaires, surtout des gens de couleur. À la Guadeloupe, en particulier dans la région de Basse-Terre, la majorité des plantations étaient dirigées par leurs propriétaires, et les autres par des gérants représentant des propriétaires absents [32].

Le fonctionnement des plantations individuelles dépendait d'un contexte plus large qui légalisait la privation des droits personnels des esclaves, notamment en les excluant du droit de passer un contrat. Mais la stabilité de cet ordre était contestée en permanence par les diverses communautés d'esclaves et de gens de couleur. En 1787, sous prétexte de réduire la contrebande, le pouvoir administratif proposa qu'une ordonnance royale décrète la formation de brigades chargées de la « police interne » de la Martinique, la Guadeloupe, Sainte-Lucie et Tobago : « Considérant [...] combien il est essentiel que l'agriculture des dites Isles entre les mains des esclaves soit activement protégée par un corps bien discipliné constamment entretenu et réparti dans les différents quartiers [...] », le document décrivait en détail la composition et le travail de la maréchaussée ; ce qu'il advint de ce projet n'est pas clair, mais il semble que les pouvoirs publics étaient soucieux de surveiller esclaves et affranchis [33].

Les officiers de ce corps devaient être blancs, avoir été

officiers ou soldats dans l'armée, être « bons sujets » et savoir écrire. Ce corps de police devait compter — c'était l'élément principal — des compagnies de gens de couleur libres recrutés dans les milices[34]. On préférait les volontaires, le second choix se portant sur ceux qui voulaient servir pour acquérir leur liberté. Les jeunes hommes blancs étaient admis s'ils mesuraient au minimum 1,65 m pieds nus[35]. Les gens de couleur volontaires devaient servir pendant huit ans ; les esclaves pendant douze ans. Les salaires étaient fixés par ordonnances ; les officiers recevaient une solde de cinq à seize fois supérieure à celle du simple soldat. Ceux qui servaient à la guerre ou participaient à des chasses aux marrons bénéficiaient d'un bonus. Il y avait trois officiers de police à Basse-Terre, et quatre-vingt-quatre officiers sur l'ensemble du territoire de la Guadeloupe.

En plus du maintien général de l'ordre dans les colonies, la maréchaussée avait pour mission d'« arrêter déserteurs, vagabonds, gens sans aveu et nègres marrons, et se conformeront pour les esclaves aux ordonnances de Police ». La routine impliquait la surveillance des esclaves à la campagne et sur leurs lieux de rassemblement dans les villes :

> *Police des Cabarets établis pour les Esclaves*
> *Les Cabarets pour les esclaves ne pourront être établis que dans les villes et bourgs avec la permission ordinaire, et ne seront tenus que par des gens de couleur libres qui seront obligés de faire eux mêmes le débit ; fait deffences sa Majesté, à ceux qui tiendront les dits Cabarets de souffrir que les esclaves mangent, Boivent et jouent chez eux ; leur permet seulement de vendre soit vint, eau de vie ou autres liqueurs à la porte de leur Cabaret ; leur enjoint de ne les ouvrir qu'après le Soleil Levé et de le fermer au Soleil Couchant [...] deffend en outre aux dits Cabaretiers de recevoir en Payement du Sucre, Coton, Café ou autres denrées, mais seulement de l'argent [...]*

L'auberge était un centre essentiel de la vie sociale, et son propriétaire une importante figure locale ; à Trois-Rivières, le témoin le plus utilisé pour les actes notariaux était, et de loin, l'aubergiste Louis Robert. Son nom est mentionné dans des actes concernant des ventes d'esclaves et leur émancipation, des transferts de propriété, des mariages ; dans certains cas, l'aubergiste témoignait pour les mulâtres libres qui souhaitaient acheter et émanciper des esclaves[36]. Les règlements des « Cabarets » cherchaient à empêcher la création de lieux de rassemblement parallèles pour les esclaves ; ils permettaient d'utiliser les gens de couleur comme médiateurs entre les gens « libres » et les esclaves. L'interdiction de tout paiement sous aucune autre forme que monétaire était vraisemblablement dictée par le souci de limiter l'accès économique des esclaves, qui auraient pu être tentés de troquer au marché leurs récoltes ou leurs biens. Pour surveiller les cabarets et faire respecter les règlements, la maréchaussée disposait de modes de punition variés — de l'amende à la confiscation de propriété.

L'une des fonctions explicites de la maréchaussée était de réglementer les rassemblements d'esclaves à la campagne :

> *Assemblée des Esclaves dans les Carrefours et à la Campagne*
> *Enjoint pareillement aux dits gens de Maréchaussée de faire des rondes dans les différens Carrefours des Bourgs ou à la campagne pour dissiper les assemblées d'Esclaves ; saisir ceux qu'ils trouverons à jouer et l'argent qui sera sur le jeu et de les conduire sur le champ en Prison [...] Faire deffences à toutes personnes libres de jouer avec des esclaves, sous peine d'un mois de Prison la première fois et de plus grande peine en cas de récidive[37].*

Partout dans les Antilles, on considérait les « Calandats » — les rassemblements d'esclaves — comme la pire des menaces. Non seulement ils offraient un espace où les esclaves de différentes plantations formaient une seule communauté, mais ils étaient réputés abriter des rituels religieux dont la pratique effrayait et déroutait les Blancs[38]. Depuis le XVIIe siècle, l'interdiction policière de ces rassemblements s'accompagnait de vifs encouragements à faire participer les esclaves aux cérémonies religieuses officielles. Pour appuyer cette politique et promouvoir l'éducation religieuse, l'article 6 du Code Noir de 1685 interdisait aux maîtres des plantations de faire travailler leurs esclaves les dimanches et jours fériés — un règlement qui avait toujours fait l'objet de vives critiques dans les colonies. En 1763, le Préfet apostolique des dominicains en Martinique demanda par une dispense spéciale de réduire le nombre des jours fériés dans les colonies. En 1787, Louis XVI institua de fait cette politique en obtenant du pape la permission spéciale de limiter à dix le nombre des jours fériés dans les colonies. L'édit royal stipulait qu'un trop grand nombre de fêtes religieuses « occasionnait des inconvéniences graves, soit par le scandale qui résultait [...] soit par les désordres qui sont toujours la suite de l'oisiveté ». Il apparaît clairement que l'administration coloniale, inquiète de la participation active des esclaves aux fêtes religieuses, y voyait une menace pour la régularité des travaux et la vie même de la plantation. En limitant le nombre des jours fériés, le roi espérait que « nos sujets des dites colonies se porteront avec plus de zèle à remplir les devoirs dont la religion leur fait un précepte en ces jours de solennité [39] ».

Pour faciliter les contrôles des esclaves en 1787, le règlement de la maréchaussée autorisait les officiers à pénétrer dans leurs cases en présence du maître de la plantation ou du contremaître ; les hommes de troupe n'avaient pas ce droit, sauf s'ils étaient accompagnés d'un officier ou pourvus d'un mandat écrit. S'il n'y avait pas de prison dans le voisinage, les prisonniers capturés étaient attachés à des « bars de justice » placés dans certains lieux à la campagne ; les marrons capturés étaient ramenés à leurs maîtres de poste de police en poste de police, ou jetés en prison si on ne savait pas à qui ils appartenaient.

Le projet de 1787 ne réussit pas à diminuer la résistance des esclaves ; les menaces planaient toujours sur les plantations. En 1790, un auteur de Pointe-à-Pitre réclamait plus d'actions de police, car « la désertion, l'indiscipline et le brigandage des nègres [...] sont portés au point de compromettre la sûreté publique, puisque des bandes de Noirs et nombre de déserteurs cantonnés au milieu des bois, en différents lieux de nos îles, leur présagent les mêmes révolutions qu'ont éprouvées la Jamaïque et la Dominique ».

L'auteur recommandait également de prendre des mesures énergiques pour « détruire partout et même par corvée, les plantes vénéneuses, principalement dans les lieux ordinairement fréquentés par les nègres », afin de « dérober à la main du nègre celles qui sont les instruments ordinaires de sa haine et de ses vengeances [40] ». Cette angoisse sécuritaire répondait aux tensions exercées sur la société de plantation par un maillage de communautés illicites qui cherchaient à améliorer le sort des esclaves. L'administration coloniale était consciente des tensions qui s'exerçaient sur la société esclavagiste ; elles faisaient de plus en plus l'objet de discussions en France. La résistance quotidienne des esclaves fut donc le terreau des écrits antiesclavagistes en métropole qui allaient accélérer le mouvement pour la liberté à la fin du XVIIIᵉ siècle.

Les racines de l'antiesclavagisme français

En février 1778, Jacques-Pierre Brissot créait la Société des Amis des Noirs, dont les membres incluaient Condorcet, Mirabeau et Lafayette, entre autres grands personnages politiques. Ces hommes partageaient en commun, au-delà de leur intérêt pour le problème de l'esclavage, un projet politique insistant sur le rapport nécessaire entre l'unité du territoire national, colonies comprises, et l'autorité suprême [41]. La Société des Amis des Noirs s'inspirait directement du mouvement britannique de l'abolition de la traite des esclaves, et participait d'une longue tradition de la pensée politique sur le problème. Mais, comme l'a noté Michèle Duchet, il faut replacer le discours des Lumières sur l'esclavage dans le contexte des pressions exercées par la résistance quotidienne des esclaves et des sociétés marrons sur la société esclavagiste du XVIIIᵉ siècle. Le renforcement des groupes de marrons à travers la Caraïbe et l'importance des révoltes — telle la série d'empoisonnements attribués à Makandal au milieu du XVIIIᵉ siècle à Saint-Domingue — obligeaient les pouvoirs publics à réfléchir à la brutalité de l'esclavage et aux dangers de la résistance des esclaves. La réponse ordinaire des planteurs consistait à renforcer la répression et à défendre opiniâtrement la stricte hiérarchie de la société coloniale, seuls moyens d'empêcher les esclaves et les gens de couleur d'imaginer être jamais les égaux des Blancs. Mais un certain nombre d'administrateurs coloniaux voyaient dans la résistance des esclaves le début d'une crise de la société d'esclavage — une crise qui exigeait des transformations structurelles si l'on voulait remédier au problème. Pour de nombreux réformateurs, la meilleure solution consistait à améliorer les conditions de l'esclavage — c'est-à-dire, le plus souvent, à renforcer le Code Noir, théoriquement appliqué depuis 1685 sans que ses recommandations portant sur les droits des esclaves eussent jamais été respectées par les planteurs[42].

Les projets de réforme pouvaient évidemment tourner au ridicule. Déplorer l'immoralité de l'esclavage, se déclarer choqué par les ventes d'esclaves, comme le fit en 1777 le soldat et aventurier Jean-Bertrand Bossu, était devenu un lieu commun de la littérature de voyage dans la Caraïbe. Cette indignation ne débouchait pas nécessairement sur une critique consistante de l'esclavage. Bossu fit des propositions pour « améliorer » la vie des esclaves ; il conseilla, par exemple, de remplacer le marquage de l'esclave par le port, autour du cou, d'un médaillon de cuivre gravé d'un numéro de code dont les administrateurs coloniaux tiendraient le registre afin d'identifier immédiatement son détenteur. Il suggéra également que les affranchis soient obligés d'acheter des médaillons d'argent notifiant leur statut ; des médaillons plus larges et plus ornés distingueraient les héros de guerre, ou ceux qui avaient déjoué un complot d'esclaves[43]. Ému par la brutalité de la traversée transatlantique et son cortège de décès, Bossu recommandait la présence de bons docteurs à bord des navires de la traite ; les esclaves devaient pouvoir quitter les cales des navires de temps à autre pour respirer à l'air libre et se baigner dans des zones protégées. Le nombre important des décès était dû, selon Bossu, au désespoir des Africains convaincus que les Blancs allaient boire leur sang. Des affranchis parlant « les langages de Guinée » devaient accompagner les trafiquants et expliquer aux nouveaux venus qu'ils n'allaient pas être mangés, mais amenés sur une terre où ils rejoindraient « leurs parents et leurs compatriotes ». Enfin, Bossu proposait que pour rendre la traversée transatlantique moins pénible, des musiciens affranchis, nombreux dans les régiments français, utilisent au mieux leurs talents en jouant des sérénades qui distrairaient les esclaves de leur mélancolie. Les Africains étant singulièrement sensibles à l'harmonie, la musique contribuerait à leur rendre le voyage plus supportable [44].

La question de l'esclavage suscitait des prises de position morales et politiques fondamentales autrement plus sérieuses que ces propositions superficielles d'« améliorations ». Déjà les écrits des administrateurs coloniaux avaient alerté le public ; puis le problème de l'esclavage se posa publiquement en métropole quand des esclaves attaquèrent leurs maîtres en justice. Les Noirs en métropole étaient peu nombreux, estimés à un maximum de 5 000 au XVIIIe siècle, mais une centaine d'esclaves, ayant plaidé devant le Parlement de Paris au cours de ce même siècle, y avaient gagné leur liberté en invoquant le principe qu'il ne pouvait pas y avoir d'esclaves sur le territoire français [45]. Ces procès retentissants entraînèrent une série de mesures destinées à exclure les Noirs du territoire français. Durant les années 1780, le gouvernement royal identifia explicitement les Africains comme une menace contre la nation. La police des Noirs exigeait des résidents identifiés comme « noirs » qu'ils portent sur eux des papiers d'identité prouvant leur statut et leur droit de résider dans le pays ; ils pouvaient être interpellés et interrogés dans la rue, et risquaient la déportation vers les colonies s'ils ne présentaient pas les documents nécessaires. Mais la présence d'esclaves à Paris — et notamment les procès, très connus par le public, qu'ils avaient intentés contre leurs maîtres — avait encouragé les prises de positions morales et politiques contre l'esclavage.

En outre, les travaux des encyclopédistes exprimaient cette perception négative de l'esclavage, l'œuvre de Rousseau également, ainsi que des romans et pamphlets antiesclavagistes. Il faut enfin mentionner cette grande entreprise largement écrite par Diderot sous le contrôle de l'abbé Raynal, l'*Histoire philosophique et politique des établissements et du commerce des Européens dans les deux Indes*. Cette œuvre monumentale tentait de réaliser une histoire universelle de la colonisation européenne aux Amériques et en Asie. Sa description extrêmement détaillée du commerce colonial des Européens se doublait d'une violente critique de l'institution de l'esclavage et de ses effets pervers, tant sur les Africains que sur les Européens qui l'avaient initiée. L'ouvrage dénonçait les dévastations de la traite qui dépeuplait l'Afrique, les guerres allumées par les Européens, et jusqu'à l'infertilité des esclaves et des créoles dans les colonies du Nouveau Monde : l'aventure coloniale avait apporté de grandes richesses à l'Europe ; elle pouvait aussi la détruire en profondeur[46].

L'*Histoire des deux Indes* était importante parce qu'elle analysait, notamment dans le dernier volume, les effets de l'aventure coloniale sur la culture métropolitaine. Comme l'écrit Anthony Pagden, « Diderot savait que l'une des conséquences de la colonisation moderne, et des nouvelles routes commerciales qu'elle avait contribué à ouvrir, était que la métropole ne pourrait jamais totalement s'isoler des conséquences des processus d'expansion qu'elle avait initiés outre-mer ». Pour de nombreux écrivains de la période, l'esclavage représentait « un danger moral potentiel pour la France métropolitaine ». L'*Histoire des deux Indes* alléguait que les voyages et les conquêtes qui se déroulaient depuis le XVIᵉ siècle avaient moralement affaibli l'Europe. Selon Pagden, Diderot estimait que

> [...] seule une révolution menée par un « *Spartacus noir* » pouvait espérer ouvrir les yeux de l'Europe coloniale sur les iniquités créées par elle. Plus tard, l'hommage extrêmement passionnel de Diderot à cette figure historique parut évoquer prophétiquement Toussaint Louverture. Mais le nouveau Spartacus de Diderot n'était pas seulement un vengeur, voire un instrument nécessaire de la politique de libération ; il était aussi [...] un moyen de rédemption pour les Européens[47].

D'autres penseurs antiesclavagistes étaient convaincus que la solution du problème consistait en une réforme modérée, et en une lente transformation menant à l'émancipation générale. Ils estimaient que cette réforme serait une solution à la montée de violence dans la société coloniale. Le marquis de Lafayette s'inspirait des critiques antiesclavagistes lorsqu'il décida, dans les années 1780, de tenter une expérience pour améliorer l'esclavage. Ses rencontres avec des soldats noirs durant la Révolution américaine avaient semé le doute sur les justifications traditionnelles de l'esclavage. Après son retour en France, Lafayette fréquenta assidûment des penseurs tels que Condorcet et Mirabeau. C'est alors qu'il écrivit à George Washington pour lui proposer d'acheter ensemble une plantation où ils mèneraient une expérience d'amélioration progressive et d'élimination définitive de l'esclavage. Mais Washington, bien qu'impressionné par le projet, avait d'autres soucis en tête...

Lafayette mit son idée en pratique et acheta deux plantations en Guyane ; il engagea un régisseur, Henry de Richeprey, pour superviser le travail. Toute l'expérience devait prouver les avàntages d'un traitement plus humain des esclaves. Convertis au christianisme, initiés à ses préceptes, les esclaves recevaient un salaire et étaient à l'abri des châtiments corporels ; les lois générales de l'État s'appliquaient à eux comme aux Blancs. Dans une correspondance de 1786 destinée à l'épouse de Richeprey, Mme de Lafayette mentionnait les possibilités d'éducation religieuse et d'élévation morale des esclaves ; dans une lettre de la même année, Mme de Richeprey se plaignait que malgré ses efforts, il était difficile d'éduquer les esclaves car ils ne savaient pas lire ; une vieille esclave avait été chargée de l'éducation religieuse des enfants, mais il y avait toujours des vols, et les esclaves refusaient de se marier.

Après la mort de Richeprey en 1787, Lafayette confia à un autre régisseur, Geneste, le soin de poursuivre l'expérience. Geneste lui écrivit abondamment pour lui décrire ses succès et ses échecs ; il pouvait faire travailler les esclaves sans recourir aux châtiments corporels si ses instructions étaient claires et ses ordres cohérents. Mais le système

colonial interdisait tout changement de fond ; les esclaves
se méfiaient de Geneste et ne lui parlaient pas, malgré ses
fréquentes visites chez eux en fin de journée. En 1791, lorsqu'une série de révoltes balaya la Guyane, on ne déplora
aucun incident sur la plantation, et Lafayette en conclut
que l'expérience était un succès. Mais lorsque des Blancs
affirmèrent que certains de ses esclaves avaient participé à
l'attaque de leurs plantations, Geneste prit leur défense ; il
fut mis à l'index de la communauté des planteurs. Expri-
mant le nouveau discours racial qui émergeait de la période
d'émancipation en Guadeloupe, Geneste se disait de plus
en plus « déçu » par le comportement général des esclaves
de Guyane. Les atrocités commises durant la révolte
l'avaient particulièrement choqué. En juin 1791, il écrivait :
« Ce sont des gens vraiment méchants, plus vous les
connaissez, plus vous êtes convaincu de cette malheureuse
vérité. Vous avez vu les gens de France, et savez jusqu'à
quelles extrémités ils vont ! [...] Eh bien, ces gens sont pires
encore. » En 1792, Geneste récidivait avec des propos reflé-
tant le sentiment de nombreux colons partisans de l'esclavage : « Les assassinats que les nègres ont commis ici m'ont
montré à quel point je me trompais peu dans mes observations, mais devais vivre parmi eux pour les connaître ; et
quand vous les connaissez bien, tout ce que vous pouvez
dire sur la perversité générale de cette race malheureuse
donne une faible idée de la vérité[48]. »

Les pistes de la réforme traversaient pourtant les continents, et affectaient la politique par des biais compliqués.
Si ses expériences en Amérique du Nord avaient sensibilisé
Lafayette au problème de l'esclavage, son expérience en
Guyane finit par attirer l'attention de Louis XVI. Selon
toute vraisemblance, Lafayette influa de manière non négli-
geable sur la promulgation, entre 1784 et 1786, de plusieurs
décrets royaux portant sur l'amélioration de la condition
des esclaves. Ces ordonnances royales répondaient à des
rapports faisant état de brutalités commises par des maîtres
à l'encontre de leurs esclaves ; elles réitéraient l'interdiction
de faire travailler les esclaves le dimanche, et d'employer
les femmes enceintes plus de quelques heures par jour.

Chaque esclave devait recevoir, outre des provisions de bouche, une petite parcelle de terrain et la cultiver pour son propre bénéfice. C'était une reconnaissance officielle d'une pratique observée par de nombreuses plantations, avec cette différence que l'attribution de la parcelle dédouanait les maîtres de nourrir leurs esclaves ; le message du roi était pourtant clair : l'attribution de parcelles ne dispensait pas de l'obligation de nourrir les esclaves. Quant aux châtiments corporels, ils étaient strictement définis : plus de cinquante coups de fouet entraînaient une amende, et l'exil de la colonie en cas de récidive ; les meurtres d'esclaves étaient punis de la peine capitale, comme dans les cas d'autres homicides. Ces décisions contribuèrent à la propagation de rumeurs de libération des esclaves — et ces rumeurs entraînèrent de nombreuses révoltes après 1789[49]. Pendant la fin des années 1780, l'idée d'une élimination graduelle de l'esclavage se popularisa en métropole.

Un ami du marquis — et défenseur de son projet — a raconté les avatars de l'expérience de Lafayette en Guyane pour s'attaquer à l'esclavage. Dans un livre publié en 1789, *Réflexions sur le sort des Noirs dans nos colonies*, Daniel Lescallier, ancien administrateur colonial à Grenade puis en Guyane, avance que plus les esclaves seront traités raisonnablement et généreusement, plus les propriétaires de plantations profiteront de leur travail. L'auteur va plus loin en suggérant qu'un système de travail libre serait plus profitable et plus humain que l'esclavage ne saurait jamais l'être. Conscient des dangers d'une émancipation immédiate et sans paliers et des difficultés d'adaptation des esclaves à une société libre, Lescallier ébauche un plan d'émancipation générale : la traite des esclaves sera abolie, les esclaves travaillant comme domestiques, artisans ou ouvriers spécialisés seront libérés (ainsi que les mulâtres et les métisses), et les ouvriers agricoles passeront par une période d'apprentissage de neuf ans avant de voir leur statut juridique, déterminé par le Code Noir, transformé par un nouveau Code colonial qui légiférera sur leur travail et leurs droits[50].

Également paru en 1789, *Le More-Lack*, un roman anti-esclavagiste présenté comme la biographie d'un esclave,

énonce les mêmes propos. Son auteur, Lecointe-Marsillac,
affirme : « On ne boit pas en Europe une seule tasse de café
qui ne renferme quelques gouttes du sang des Africains. »
L'écrivain décrit sa rencontre avec un ancien esclave sur
l'île de Guernesey. Les deux hommes ont engagé la conver-
sation ; Lecointe-Marsillac apprend de son interlocuteur
que sa mère était africaine, et qu'il a été émancipé dans sa
jeunesse ; au cours d'un voyage en Guinée, il a été témoin
des horreurs de la traite. Redoutant d'être à nouveau victime de l'esclavage, il est venu chercher refuge en Europe,
et s'est installé seul sur une île isolée. La discussion se pour-
suit et l'homme informe Lecointe-Marsillac qu'il a écrit le
récit de sa vie et de ses voyages. Le jour suivant, l'homme
montre son manuscrit à Lecointe-Marsillac ; celui-ci, fas-
ciné, demande à l'emprunter pour quelques jours.
L'homme refuse, mais il autorise l'auteur de *More-Lack* à
recopier des passages entiers de son récit : ils pourront l'aider à écrire son pamphlet antiesclavagiste [51].

Ce récit d'un ancien esclave anonyme installé au large
des côtes françaises forme la base de la première partie de
More-Lack ; la seconde partie est un ensemble de réflexions sur l'abolition de la traite et de l'esclavage. Reprenant les arguments de Condorcet et d'autres abolitionnistes, Lecointe-Marsillac avance : « Rendre subitement la
liberté à tous les esclaves nègres, seroit un acte d'autorité
arbitraire et ruineroit les colonies, & exciteroit une révolution dangereuse dans des cœurs ulcérés de peines et de désespoir. » Les habitants des colonies ne connaissant pas
d'autres outils que « les bras du More », une émancipation
brutale détruirait l'agriculture. Les esclaves privés de toute
subsistance deviendraient « des brigands toujours prêts à
nous dévorer ». Il est essentiel d'« éteindre insensiblement
l'esclavage par des moyens doux, faciles et peu dispendieux,
qui assurent dans tous les temps la culture des terres, l'existence des nègres, & la fortune des colons » — ainsi parvien-
drait-on à un ordre économique fondé sur le travail libre,
dont les colonies et les planteurs eux-mêmes apprécieraient
les avantages. La proposition de Lecointe-Marsillac — l'élimination progressive de l'esclavage — s'inspirait de ses

voyages dans les Amériques et de ses échanges avec des esclaves. L'auteur avançait que leur condition s'améliorerait avec la suppression progressive de la traite, et l'institution de lois limitant le nombre d'heures de travail — d'où l'amélioration de leur vie matérielle. Un esclave sur vingt devait être émancipé chaque année et recevoir une petite parcelle de terre, dont il reverserait la moitié de la production au maître qui l'avait libéré. Il fallait encourager les mariages entre esclaves, et libérer les enfants nés d'unions extra-maritales à partir de vingt-cinq ans. Pour faciliter cette transition, on assurerait la reproduction de la population après l'abolition de la traite : Lecointe-Marsillac proposait d'encourager l'importation de femmes africaines en la confiant à des sociétés philanthropiques, à charge pour elles de récompenser les trafiquants qui amèneraient le plus grand nombre de femmes dans les colonies [52] !

Lorsqu'il offrit un exemplaire de son ouvrage à l'université de Montpellier, Lecointe-Marsillac avait changé d'idée, du moins au sujet de l'importation des femmes africaines. Dans la marge de son exemplaire, il signalait qu'il retirait sa proposition : « Le moyen est injuste puisqu'il est prouvé aujourd'hui qu'il existe assez de femmes noires dans les colonies pour marier les hommes de couleur. » Peut-être Lecointe-Marsillac réagissait-il à l'état d'esprit du début de la Révolution, où la traite était soumise à un feu roulant de critiques. Son langage aussi avait changé, il utilisait les mots « femmes noires » au lieu de « négresses », et ajoutait : « Quand j'osai l'écrire, ce fut parce que je le considérai comme un moyen moins barbare que celui d'arracher vingt-cinq mille habitants tous les ans en Afrique pour les faire périr dans des traitements cruels. » Si les événements des années 1790 modifièrent certaines idées de Lecointe-Marsillac sur l'émancipation progressive des esclaves, rien n'indique que ces bouleversements aient affecté son point de vue sur les moyens de parvenir à la transformation ultime de l'esclavage. Dans son introduction, il confiait aux « sociétés philanthropiques » et aux « âmes sensibles » européennes le soin de détruire l'esclavage. Puis il en appelait aux esclaves qui lui avaient permis d'écrire son ouvrage :

« Soyez toujours fidèles à vos maîtres, & prouvez-leur par votre conduite que vous méritez notre estime. » À la fin, « le Grand Esprit qui vous protège vous rendra tous libres, lorsque les tems fixés par la sagesse seront accomplis ». Lecointe-Marsillac utilisa — ou inventa — l'histoire de l'Africain qui pouvait témoigner des horreurs de l'esclavage ; mais cet homme, même s'il était décrit, restait anonyme — exclu, en fin de compte, de l'autorité de son propre récit et de la lutte pour la liberté qu'impliquait cette autorité [53].

Écrire l'émancipation

L'émancipation des esclaves, non par le Grand Esprit mais par leurs maîtres, fut un processus complexe et de longue haleine dans la Caraïbe française. L'accession à la liberté — par le service militaire ou à condition d'une continuation, pendant une période limitée, du service sur la propriété du maître — empruntait de nombreux visages. Mais la liberté enfin accordée, si elle défaisait la relation individuelle maître-esclave, établissait un réseau social plus complexe liant le maître et l'esclave : l'affranchissement influençait les conditions mêmes de la liberté des esclaves dans une société profondément stratifiée. Qui avait le droit d'accorder la liberté, sinon le maître, dont le pouvoir se renouvelait tandis qu'il s'en dessaisissait ? Le document qui accordait la liberté établissait la continuité de la relation maître-esclave : il présentait l'émancipation comme une récompense accordée par le maître pour le prix des bons services de l'esclave. La liberté accordée à des individus exceptionnels renforçait la légitimité de l'esclavage, puisqu'elle annulait les moyens qui permettaient aux esclaves d'obtenir leur liberté. L'acte d'affranchissement présentait la relation maître-esclave sous un jour romantique de service, de récompense et de sentiment [54].

En règle générale, les esclaves se voyaient attribuer un nom sur le navire de la traite ou dès leur arrivée à la Guadeloupe. C'était un nom de saint, de personnage historique ou de figure mythologique — Charlemagne, César, Hercule, Radegonde et Vénus[55]. Cette pratique d'idéalisation des noms témoignait de l'espèce de sentimentalité qui imprégnait la relation maître-esclave. Les Blancs cherchaient à estomper la brutalité du travail par une « attention » paternaliste. L'invention de noms en rapport avec la religion et la mythologie européennes réinventait l'esclave africain, non seulement comme un travailleur, mais comme un être forgé par les maîtres du Nouveau Monde, lesquels lui conféraient des attributs.

À bien des égards, les actes d'émancipation entretenaient la relation de dépendance, et perpétuaient la fiction d'un esclave « inventé » par le maître. Ces documents dépendaient aussi d'un contexte légal plus vaste où la liberté était enregistrée et garantie. En enregistrant l'émancipation, les actes notariaux lui donnaient une réalité ; les promesses, conditions et causes de l'émancipation faisaient l'objet d'un contrat signé devant notaire et témoins. La situation précaire de l'esclave était stabilisée ; l'État, par le biais du notaire, se portait garant de sa liberté récemment acquise. Ces actes se proposaient de transformer l'esclave en sujet ; comme tels, ils symbolisaient le pouvoir légal de l'appareil d'État à superviser cette transformation.

Une série d'actes datant du début de la Révolution française montre le climat de profonde incertitude qui accompagnait l'émancipation dans un contexte où la légitimité de l'État français était considérablement diminuée. Ces actes témoignent aussi de la confusion qui régnait entre les colonies et l'État. Qui était chargé des affaires ? Qui resterait en place assez longtemps pour garantir que la liberté accordée aujourd'hui serait légitime demain ? Les notaires travaillèrent sans répit dans les premiers temps de la Révolution mais, souvent, ils restaient incertains devant les lois qui justifiaient leurs écritures. La réforme fondamentale du pouvoir politique français et l'incertitude créée par le décalage, souvent de plusieurs mois, entre la métropole et les colonies entraînaient les plus grands doutes sur l'autorité légitime responsable de l'émancipation : on enregistrait des promesses sans savoir quand ni si elles seraient tenues. Cette incertitude, révélatrice des contradictions liées à la reconnaissance du droit de la personne de l'esclave, allait être utilisée par certains d'entre eux pour obtenir leur liberté.

Le 15 juillet 1791, Pierre Gollelin, capitaine et maire de la petite localité de Terre-de-Bas, aux Saintes, enregistrait son intention de libérer la mulâtresse Christonne. Les Saintes, un groupe d'îles arides au sud de la Guadeloupe, peuplées surtout de pêcheurs, abritaient quelques plantations. L'archipel, soumis à la juridiction de la Guadeloupe, était une escale importante. Des batailles navales entre les flottes française et anglaise s'y étaient déroulées, et s'y dérouleraient. Ces îles, qui dépendaient de la Guadeloupe pour les nouvelles, et en conséquence pour les actes notariaux, étaient la limite ultime de la nation française. Le voyage à Trois-Rivières était le lien entre les Saintes et la France. Pierre Gollelin devait faire cette traversée pour déclarer l'émancipation de Christonne :

> Lequel a dit et déclaré et déclare par ces présentes, que content et satisfait de la conduite et des bons services à lui rendus par Christonne mulâtresse, son esclave et dont il n'a jamais eu qu'à se louer, il désiroit reconnaître, par le bienfait de la liberté, tous ses bons offices à son égard, et qu'en conséquence il la déclaroit authentiquement libre de ses volontés, voulant et entendant qu'à l'avenir, à compter de la date des présentes, elle jouisse de tous les privilèges de la liberté, qu'elle jouisse du fruit de son travail et de son industrie, sans que personne puisse jamais l'inquiéter en rien à ce sujet, jusqu'à ce que la nation Française, le roy des Français et la colonie ayant réglé et prescrit le mode, les formes et les lois à observer et à suivre pour donner sans retour et pour toujours, la liberté aux esclaves qui ont bien mérité de leurs maîtres ou maîtresses, époque à laquelle elle sera autorisée à se procurer et cimenter et consolider sa dite liberté en se conformant aux lois, arrêtés et décrets rendus à ce sujet, sans que personne puisse l'en empêcher, ni s'y opposer. Offrant et promettant le dit comparant, de l'inscrire sur son dénombrement, jusqu'à la dite époque et de payer toutes les impositions et capitations du domaine de sa majesté et de la colonie, et même de fournir à ses besoins, de quelque genre et nature qu'ils soient, ou qu'ils puissent être, en cas d'infirmité[56] [...]

La promesse de Gollelin supposait un futur où les diverses institutions qui auraient dû enregistrer la liberté de Christonne — la nation française, le roi et les colonies — pourraient s'accorder et en permettre clairement la réalisation. L'acte notarial affirmait une intention dans une période de flou et d'incertitude ; il tentait de se projeter dans un avenir où la liberté de la mulâtresse serait légalement assurée. Lorsque Christonne retourna avec Gollelin à Terre-de-Bas, sa situation n'avait probablement pas changé. Et pourtant, l'inscription de la promesse était assez significative pour justifier le voyage, et les frais notariaux. Gollelin n'était pas seul dans cette incertitude. Le 21 août de la même année 1791, l'un de ses voisins, Pierre Guichard, enregistrait la même intention de libérer ses esclaves mulâtres Jean-Pierre et Registre ; il promettait d'en prendre soin et de leur garantir l'exercice de la liberté « jusqu'à ce que la nation Française, le roy des Français, ou l'assemblée générale coloniale, ou quelque autre corps législatif, [ait] déterminé et réglé [...] » les mécanismes de l'émancipation formelle [57].

À Basse-Terre, dont les liens avec la France étaient pourtant beaucoup plus directs qu'entre les Saintes et la métropole, l'incertitude était tout aussi évidente. En janvier 1791, Claude Faure enregistrait son intention de libérer ses esclaves, la mulâtresse Solie et sa fille Marguerite. Faisant référence à l'époque où « sa Majesté, la Nation, ou la Colonie » auront déterminé le processus d'émancipation, l'acte stipulait qu'à cette date la famille Faure s'engagera à confirmer la liberté de Solie. Toutefois la phrase est barrée, comme si au moment d'enregistrer l'acte, Claude Faure avait changé d'avis et renoncé à s'engager. Promettre de confirmer la liberté d'un esclave dans un contexte où tout pouvait basculer était peut-être excessif. La phrase est remplacée dans une note en bas de page par une phrase qui — l'intention est intéressante — transfère la responsabilité du propriétaire sur Solie elle-même. « Elle s'oblige elle-même autant qu'il est en elle de travailler et de se prouver la liberté de la manière qu'elle le jugera à propos, en la manière et forme qui seront prescrites, soit par l'Assemblée générale coloniale, soit par l'Assemblée générale de France, soit par sa Majesté. » Pratiquement, la promesse de l'acte est rendue ineffective en même temps qu'elle est faite ; en fin de compte, la « preuve » de la liberté de Solie est laissée à sa propre capacité à la réclamer dans un avenir incertain[58].

Deux habitants de Trois-Rivières ont enregistré la même intention d'émanciper deux femmes esclaves et leurs enfants. En septembre 1791, Jacques Despointes, « content et satisfait de la conduite irréprochable et des bons services à lui rendus par la mulâtresse Marie-Angélique, par Lucie métisse, Louis-François Hamo métis, Marguerite Athalie métisse et Frédéric métis », déclare son intention de les libérer tous et de payer les droits nécessaires. Il promet de les nourrir et de les héberger jusqu'au moment venu. L'énoncé de l'acte est identique (c'est vraisemblablement la formulation personnelle du notaire Barbier) à celui signé par Pierre Gollelin lorsqu'il émancipe Christonne. Quelques mois plus tard, François Laffitte déclare son intention de libérer « la Négresse Scholastique » et ses cinq enfants mulâtres âgés de deux à quinze ans (Laffitte devait en être le père). En libérant Scholastique, là encore avec la promesse que ce sera fait quand les autorités compétentes, quelles qu'elles soient, en décideront, Lafitte lui accorde, ainsi qu'à ses enfants, un petit terrain de quatre carrés deux tiers. Lafitte déclare que ce terrain appartient à Scholastique, et qu'elle l'a acheté de ses propres deniers, « argent que la dite Scholastique avoit gagné dans un petit commerce qu'il lui avoit promis de faire à son particulier, et ce en récompense de sa bonne conduite[59] ». Toutefois, la cession de Lafitte est ambiguë : le terrain est noté comme un cadeau, alors que Scholastique l'a gagné par son travail. Sans aucun doute, les actes notariaux travestissaient les relations compliquées entre maîtres et esclaves ; la liberté était acquise par le travail de l'esclave, mais c'était toujours le maître qui l'accordait. Les gains de Scholastique — ils assuraient tant son train de vie que l'achat du terrain — nous font entrevoir de multiples relations économiques dans les villes de la Guadeloupe.

Un acte d'émancipation antérieur, écrit en 1789 comme

partie d'un testament, décrit de manière plus explicite les fondements économiques du passage de l'esclavage à la liberté. Dans ce document, Marie-Anne Lamy, veuve de Jean Bossant, envisage d'émanciper son esclave Quinette ; ce faisant, elle exprime clairement à quel point elle dépend de son esclave pour la bonne marche de ses affaires :

> [...] Satisfaite de la fidélité et attachement auprès de ma personne de ma mulâtresse nommée Quinette, âgée d'environ trente-trois ans, et en considération des services distingués qu'elle m'a rendus dans toutes les occasions, et notamment dans le commerce des marchandises sèches que je fais, où par ses soins, sa fidélité, son activité et son intelligence je me suis procuré une existence aisée. Je veux et entends que la dite Quinette soit affranchie de tout esclavage et servitude, après, toutefois, qu'elle aura fait rentrer des sommes qui pourront m'être dues, provenant du crédit qu'elle aurait fait des marchandises par elles vendues pour mon compte, et non auparavant.

Il serait facile de calculer les sommes dues selon la technique de Marie-Anne Lamy : au retour de ses tournées à la campagne, Quinette fournissait la liste de ses clients et de leurs achats. L'acte mentionne la « confiance » que Quinette mérite pour son travail ; d'ailleurs, Marie-Anne demande qu'après sa mort, Quinette récupère toutes les sommes encore dues. Quand elle aura restitué les bénéfices qui reviennent à Marie-Anne, elle sera libre. Mieux, elle recevra 1 000 livres pour lui donner « avec l'économie et les talents que je connais, les moyens de subsister, sans être à la charge de qui que ce soit[60] [...] » Marie-Anne Lamy témoigne que le travail de Quinette — ses déplacements en toute indépendance dans les campagnes et sa tenue des comptes — a établi sa prospérité. En remerciant son esclave, la maîtresse contredit l'idée générale selon laquelle la liberté est un don du maître. L'acte nous éclaire également sur l'indépendance économique et la mobilité consenties, dans certaines limites, à des esclaves.

Un acte notarial étonnant met en valeur la profusion de ce genre de « petits commerces », et celle des produits mis en circulation. L'acte concerne la vente d'un esclave appartenant à un créole blanc, Louis Cointre, à un mulâtre libre de Trois-Rivières, Jean-Baptiste Mouesse. Dans ce cas, le réseau de relations qui lie les Noirs libres aux esclaves ouvre la voie, sinon à la liberté, du moins à la fin d'un esclavage particulier. En février 1791, Mouesse achevait de payer l'achat d'un « nègre créole nommé Louis, âgé de 21 ans », d'une valeur de 2 000 livres. Le paiement durait depuis deux ans ; Mouesse s'en était acquitté non pas en argent, mais par de menus articles dont la liste remplit cinq pleines pages de l'acte notarial. Les produits incluent « 1/4 farine », « morue », « bœuf », « 4 chandelles », « 4 mouchoirs », « taffia », « tabac ». Chaque article est noté en détail avec sa valeur correspondante. Le 13 février 1791, le total atteignait le prix exigé pour l'esclave Louis [61].

Pourquoi Mouesse voulait-il acheter Louis ? Il ne semble pas, puisque l'achat lui demanda deux ans, que c'était pour l'avoir comme esclave, mais c'est une possibilité. Voulait-il le libérer ? Étaient-ils parents ? Si Mouesse souhaitait libérer Louis, il aurait pu faire de cet acte une simple vente, pour s'éviter les taxes — ou la responsabilité de son action. La vie de Louis après son rachat par Mouesse ne fait l'objet d'aucune observation, elle fait partie de ces relations que les actes notariaux passent sous silence, car ils ne pouvaient prendre en compte la différence floue entre propriété et liberté ; ces ambiguïtés allaient continuer d'avoir une grande importance. La longue liste des biens qui ont permis d'acheter Louis dessine la carte des produits qui circulaient entre les mains des esclaves et des mulâtres libres. Cette liste symbolise également l'infléchissement qu'un pouvoir économique incertain pouvait exercer sur les relations entre d'anciens esclaves et les Blancs. Elle redéfinit le sens de l'esclavage et suggère d'autres solidarités.

La prise de la liberté

Des actes notariés établissant la liberté des esclaves suivaient un cours parallèle à l'affirmation de l'émancipation républicaine, qui sera rendue officielle en 1794. Les représentants de la République faisaient de l'émancipation une action voulue par la France pour le bénéfice des esclaves. Certains actes de notaires laissent cependant entrevoir une histoire différente de l'émancipation, où l'on voit les esclaves utiliser les structures et les discours juridiques pour obtenir leurs droits. À la fin de 1793, époque marquée par une augmentation importante du nombre des émancipations dans la région de Trois-Rivières[62], deux propriétaires d'esclaves décidaient de révéler des mensonges dissimulés depuis longtemps — pour l'un d'entre eux depuis une décennie. Le 17 octobre 1792, un « nouveau citoyen Marcel, perruquier[63] », du Bourg et Paroisse Saint-François de Basse-Terre, avait acheté à la citoyenne Marette Rousseau une esclave, « la nommée Marthe dite Majou », ainsi que son enfant, Rosalie, alors âgée de neuf mois, pour 2 244 livres — une somme courante pour une esclave et un enfant en bas âge. À cette date, Marcel avait payé l'intégralité de la somme. Mais un acte notarial du 28 septembre 1793 signale :

> Que néanmoins la vérité est que la dite somme de deux mille deux cent quarante quatre livres, qui fut payée à la dite Citoyenne Marette Rousseau, lors de la dite vente, lui avait été remise par la dite Marthe dite Majou, à laquelle elle appartenait comme l'ayant ramassée par moyen de ses travaux et épargnes [...] Faisant la présente déclaration, le dit Marcel, pour rendre témoignage à la vérité, et en conséquence il a renoncé à tous droits de propriété [...] qu'il paroissoit avoir par la sus-dite vente, sur les personnes de Marthe dite Majou et de sa fille Rosalie et consent qu'elle jouisse ainsi que ses enfants et descendants de la liberté, et de tous les privilèges acquis aux personnes libres, conformément aux ordonnances et règlements. La mettant hors de la puissance et la dégage de tout esclavage et servitude ainsi que de ses services qu'il auroit pu exiger d'elle, en vertu de la dite vente, dont il la dispense, ses enfants et descendants dès maintenant et à toujours ; à la charge par elle de se procurer l'enregistrement de la liberté, ainsi et comme elle l'avisera, ayant le dit Marcel remis à la dite Marthe, en présence des dits notaires, la dite vente ci-dessus mentionnée dont elle le décharge[64].

Ce texte offre un exemple remarquable de contradiction légale. Il admet rétroactivement que Marthe dite Majou s'est achetée elle-même, ainsi que sa fille, à Marette Rousseau avec son propre argent, et que l'intervention de Marcel comme faux acheteur a rendu possible cet acte impossible. L'acte fait de Marthe dite Majou ce qu'elle semble déjà avoir été dans les faits : un sujet libre capable de passer un contrat. Au début de l'acte, elle n'est pas un sujet, puisque Marcel renonce à ses droits sur sa personne ; mais à la dernière ligne, elle libère Marcel des conditions de la vente. Dans un contexte mouvant qui empêchait d'identifier clairement le processus légal de l'émancipation, cet acte, tout en dévoilant la vérité, dissimulait sans doute d'autres opérations. D'un autre côté, l'espace ouvert par le chaos politique autorisait Marcel et Marthe dite Majou à déclarer la vérité dans un document qui libérait les deux contractants d'un mensonge. Mais la question du rapport entre Marcel et Marthe dite Majou à l'époque où elle était officiellement son « esclave » — s'agissait-il d'un couple, d'amis, d'un père et sa fille, ou essentiellement d'un accord d'affaires ? — reste ouverte.

Un autre acte notarial contourne encore plus cette question, en révélant un mensonge légal identique, mais plus ancien. Le 7 février 1794 — quelques jours après l'abolition de l'esclavage en France —, un homme de couleur (alors un « nouveau citoyen ») déclarait devant le notaire Vauchelet avoir acheté les esclaves Désiré, Jeannette et Jean-Baptiste le 8 décembre 1783, avec leur propre argent. Germain se décrivait comme un charpentier « employé au service de la République », à une époque où les nouveaux citoyens, et même les esclaves, se mobilisaient en masse pour défendre la mince emprise républicaine sur la Guadeloupe. Dans son acte, Germain réitérait une déclaration antérieure :

> [...] [L]e 18 octobre de 1787, il aurait fait acte déclaratif en l'Étude de Theiry notaire que les espèces qui ont été comptées pour le prix de trois esclaves qui seront cy après dénommés qu'il avait acquis de la citoyenne Madeleine Grange par acte au rapport de Feu Arthur Regnault et son

confrère notaire le 8 décembre 1783, appartenaient véritablement à ses dits esclaves et qu'elles provenaient du pécule qu'ils avoient ramassé par leur industrie et leur travail, et que si le comparant paraissait les avoir comptées ce n'a été que comme agissant pour les dits Esclaves qui ne pouvaient le faire par eux-mêmes ; que par suite de cette Déclaration que le comparant réitère en tant que de besoin pour ces présentes il désireroit que la nommée Désirée, négresse, Jeannette, mulâtresse, et Jean-Baptiste, mulâtre, ses enfants qui sont ceux dénommés en l'acte de Vente susdaté, qu'il n'a jamais considérés comme ses esclaves, jouissent des droits des libres et ne soient jamais inquiétés sur leur État ; en conséquence le comparant déclare qu'il s'est désisté comme dans le fait il se désiste abondamment par ces présents pur et plein de tous droits de propriété et de touts autres droits utiles qu'il paraissait avoir sur les personnes dénommées [65] *[...]*

Peut-être Germain confirmait-il la liberté accordée à ses esclaves onze ans plus tôt, pour réaffirmer cette déclaration dans le contexte des changements institutionnels. Faisant état d'une décision de la Commission générale et extraordinaire qui définissait les droits des esclaves libres, il signalait qu'il procéderait à l'enregistrement de son acte, intitulé « Acte déclaratif de l'état des personnes », auprès du gouvernement local. Germain était sans doute le père des deux enfants de Désirée, et on peut imaginer que son acte était un premier pas vers la légitimisation de leurs relations — ce que le gouvernement de l'île encourageait. Il est intéressant de noter que la déclaration de Germain énonçait en des termes fermes son escroquerie légale — il abandonnait les droits qu'il *paraissait* avoir sur ses esclaves, et agissait parce qu'ils étaient incapables d'agir eux-mêmes.

Un cas similaire impliquant une femme blanche a duré aussi longtemps que celui de Germain. Le 8 janvier 1784, Esther Marsan, de la paroisse Notre-Dame-du-Mont-Carmel, une zone de plantations au-dessus de Basse-Terre, avait acheté pour 2 000 livres, à Marie-Anne La Fontaine, une mulâtresse nommée Marie-Thérèse. Le 21 juillet 1793, Marsan déclarait :

> *La vérité est que la dite somme lui avoit été remise par la dite Marie-Thérèse et qu'elle n'avoit fait que lui prêter son nom dans la dite vente, qu'elle l'avoit même portée sur son dénombrement à la sollicitation de la dite Marie-Thérèse jusqu'à ce qu'elle auroit pu trouver le moyen de faire enregistrer sa liberté. En conséquence, la dite Marsan voulant rendre à la dite Marie-Thérèse ce qu'il lui revient de droit, a par ces présentes affranchi et fait don de sa liberté à la dite mulâtresse Marie-Thérèse, ses enfants et ses descendants de l'état et des privilèges acquis des personnes libres*[66] *[...]*

Une fois encore, la liberté était officiellement accordée, alors que le véritable agent de la vente originelle, Marie-Thérèse, ne pouvait pas surveiller l'échange ; Esther Marsan « prêtait » son nom à l'action entreprise par Marie-Thérèse, et tirait parti du chaos légal de la période et des ouvertures qui s'offraient pour dévoiler une disjonction légale vieille de près de dix ans. Dans ces deux cas, la liberté était accordée à ceux qui s'étaient achetés eux-mêmes, mais aussi à leurs enfants et descendants spécifiquement mentionnés. Comment Marsan et Marie-Thérèse avaient-elles négocié leurs relations au cours des dix années précédentes ? Où Marie-Thérèse avait-elle travaillé et vécu ? Le secret de l'affaire avait-il été gardé, et comment ?

Le document fait silence sur ces questions difficiles. Mais il est intéressant de noter la manière dont ces deux femmes esclaves, qui gagnaient de l'argent et avaient noué des liens avec des contractants potentiels, avaient réussi à acquérir leur liberté. Dans le premier cas, la création des « nouveaux citoyens », que j'aborde en détail dans le chapitre suivant, permettait à Marthe dite Majou de s'acheter grâce à l'aide d'un ami ; dans le second cas, Marsan était une Blanche propriétaire de plusieurs esclaves ; pourtant Marie-Thérèse avait réussi à la convaincre de fournir son nom et son autorité à un faux légal. À l'intérieur des limites qui leur étaient imposées par la structure légale créée pour élaborer le droit de la personne, ces esclaves se rachetaient d'abord avant de se faire inscrire sur des documents officiels qui les libéraient, eux et leurs descendants. Exclus du droit de passer des contrats, ils agissaient comme des agents légaux pour devenir des citoyens libres. Leurs actions suivaient un cours parallèle à un processus plus large où les esclaves insurgés, qui n'étaient pas des citoyens, allaient intervenir comme des citoyens républicains en prenant la défense de la nation, ce qui contraindrait les autorités nationales à inscrire la vérité officielle d'une citoyenneté qu'ils avaient déjà revendiquée pour eux-mêmes.

III

RUMEURS PROPHÉTIQUES

Dans *Babouk*, le roman de Guy Endore consacré à la révolution haïtienne, l'insurrection est attisée par un récit annonçant l'arrivée imminente d'un roi africain. Narrateur à la verve puissante, Babouk chuchote une nuit la bonne nouvelle : « Oui, le roi du Congo va construire de gros bateaux, et il viendra nous racheter et nous ramener en Guinée[1]. » La nouvelle se répand comme une traînée de poudre dans les plantations, encourageant les esclaves à s'organiser. La perspective d'une liberté imminente défait l'emprise des maîtres sur leurs esclaves ; en fin de compte, l'histoire est accomplie par ceux qui l'écoutent.

Cette scène fait écho au processus historique qui, à la fin du XVIIIe siècle, permit aux révoltes d'esclaves d'élargir le royaume du concevable, de s'emparer des idéaux républicains grâce à des rumeurs et à des insurrections stratégiques, et d'obtenir l'émancipation générale. À Saint-Domingue comme à la Guadeloupe, l'histoire de cette période raconte comment les esclaves ont entendu la « bonne nouvelle » de la Révolution, se la sont appropriée et l'ont réinterprétée pour exprimer leurs exigences. Les rumeurs d'une liberté imminente — apportée non par un souverain africain, mais par l'idée de l'applicabilité de la Déclaration des droits de l'homme et du citoyen — ont permis aux révoltes de se cristalliser. En cette période d'effervescence intense et de mutations profondes, ces révoltes ont stratégiquement permis de récupérer l'idéologie et les symboles du républicanisme. Comme les révolutionnaires français, les esclaves insurgés parlaient et agissaient — mais sans y être invités — au nom de la nation française, ce qui provoquera la déclaration qui les reconnaîtra officiellement comme partie de la nation.

Anne Pérotin-Dumont a noté que la période 1789-1794 se caractérise par l'« émergence dans la politique » des hommes de couleur libres et des esclaves de la Guadeloupe : « L'élan initial de l'émergence d'une politique populaire émanait des nouvelles de la révolution qui avait éclaté en France métropolitaine. » Et : « La révolution à la Guadeloupe faisait écho au processus métropolitain. » Les nouvelles venues de France prenaient des formes variées. « Les autorités métropolitaines expédiaient des lois, des instructions et des commissaires, et les journaux ou les lettres personnelles contenant des informations fidèles ou fantaisistes trouvaient d'avides lecteurs. » Nouvelles et informations légales prenaient une configuration inédite dans le contexte colonial. « Périodiquement injectés dans l'île [...], ces fragments du processus métropolitain orientaient la politique locale. Dans le même temps, ils s'intégraient à la dynamique révolutionnaire locale. Des groupes spécifiques les interprétaient à leur manière, et les manipulaient à leurs propres fins. » Selon Pérotin-Dumont, « le processus révolutionnaire à la Guadeloupe était vécu en symbiose avec les îles françaises voisines, et trouvait son cadre dans le contexte caraïbien de la guerre[2] ».

Le port des symboles révolutionnaires, l'assimilation du vocabulaire de la citoyenneté et du patriotisme républicains participaient des désaccords sur l'espace public et les institutions politiques qui devaient prendre un tour de plus en plus violent et radical entre 1789 et 1793. Non seulement les gens de couleur et les esclaves étaient à l'affût des nouvelles venues de France et des symboles républicains qu'ils pouvaient s'approprier, mais ils voyaient des événements d'un type nouveau éclater au sein de leurs propres communautés

— soulèvements de soldats ou conflits politiques de plus en plus ouverts entre les Blancs. Le langage des droits et les manifestations publiques de son pouvoir créaient une culture politique dont les insurgés allaient s'emparer pour réclamer l'amélioration de leur condition, l'égalité sociale, et enfin l'émancipation. Dans le chapitre précédent, j'ai décrit le terrain social d'où ont émergé ces insurrections, et j'ai insisté sur les relations qui s'entrecroisaient dans la société de plantation à la Guadeloupe. Dans ce chapitre, je décrirai comment les hommes de couleur et les esclaves ont donné une forme nouvelle aux récits, symboles politiques et idéaux républicains tout au long des années qui conduisaient à l'émancipation de 1794.

Circuits de nouvelles

Au XVIIIe siècle, la métropole avait vu son autorité menacée par la contrebande matérielle, mais d'autres « marchandises » étaient encore plus difficiles à dépister, et potentiellement plus dangereuses. Julius Scott a décrit comment le réseau d'informations tissé en Amérique du Nord et du Sud, en Europe et en Afrique reliait entre elles les îles de la Caraïbe à l'époque de la Révolution. Pendant que l'information officielle voyageait le long de routes incertaines et rigides, les communautés afro-américaines disposaient de réseaux de distribution de l'information qui facilitaient leur mobilisation politique. Les marins, souvent d'anciens esclaves, colportaient des nouvelles provenant de sources variées, et les transmettaient aux esclaves employés à décharger les navires. Si la presse de l'un ou l'autre pays européen censurait certains événements, les habitants des colonies en entendaient parler par d'autres journaux nationaux ; par exemple, les Français de Saint-Domingue étaient informés de la situation en France par la presse anglaise[3].

Au moment où des révoltes d'esclaves bouleversaient le paysage politique des Antilles, les rumeurs constituaient une menace sérieuse contre l'ordre établi dans les colonies. En cette fin du XVIIIe siècle, les nouvelles signalaient les progrès importants des mouvements abolitionnistes en France et en Angleterre. Les conflits à propos de l'abolition trahissaient les tensions dans les mécanismes économiques et politiques de l'entreprise coloniale. Les réseaux de pouvoir qui unissaient la métropole et la colonie articulaient les possibilités de réforme, voire de liberté. Les communautés de gens de couleur libres, de marrons et d'esclaves comprenaient que les autorités métropolitaines pouvaient, dans certains cas, leur être un support. Cette dynamique est un élément capital pour comprendre l'évolution de la situation dans la Caraïbe française entre 1789 et 1794. Ç'avait été une constante des conflits autour de l'esclavage depuis plusieurs décennies. Plusieurs fois, dans diverses îles, de fausses rumeurs annonçant que la métropole avait décrété l'émancipation, mais que les colons et les autorités locales refusaient d'appliquer le décret, ont entraîné des révoltes d'esclaves. Les rumeurs mobilisaient les esclaves et leur permettaient de s'insérer dans les conflits politiques entre la métropole et la colonie, et précipitaient le mouvement vers la liberté.

À la fin du XVIIIe siècle, les marrons de la Jamaïque et de Saint-Domingue et les Caraïbes noirs de Saint-Vincent formaient des communautés permanentes. La résistance des esclaves, manifeste dès les débuts de la traite au XVIe siècle, fut une constante du XVIIIe siècle. L'un de ses moments forts, caractérisé par l'émergence de plusieurs communautés de marrons en tant que force militaire, avait pris la forme, peu après 1730, d'une série de révoltes sur des îles aussi diverses que la Jamaïque, Saint-Domingue et la colonie danoise de St. John. En 1749, une révolte éclatait à Caracas, après que Juan de Cadiz, « un Noir libre récemment arrivé d'Espagne, eut fait courir la nouvelle d'un décret royal ordonnant la libération de tous les esclaves espagnols dans les Indes occidentales ». En 1768, à la Martinique, un fort contingent d'esclaves avait été puni pour avoir fait circuler une nouvelle identique à celle colportée par Babouk dans le roman d'Endore : « Un puissant roi d'Afrique était arrivé, avait acheté au gouvernement colonial tous les esclaves de l'île, et ces derniers devaient bientôt s'attendre à embarquer sur des vaisseaux pour rentrer en Afrique. » La nouvelle avait « échauffé les esprits » ; ceux qu'on avait surpris en train de la répandre avaient été jetés aux fers et punis de trente-neuf coups de fouet pendant trois jours d'affilée [4].

À Cuba, la cause des *cobreros* obéissait au même processus. Les ancêtres de cette communauté de marrons leur avaient légué une liberté provisoire. « En 1731, écrit Julius Scott, précisément à l'époque où les rebelles de la Jamaïque engageaient leur lutte armée pour l'indépendance, les esclaves des mines de cuivre près de Santiago de Cuba se révoltaient en masse et s'enfuyaient dans les montagnes à l'est de la ville. » En 1780, un millier de cobreros occupaient encore les montagnes. À cette période, « les autorités espagnoles étaient incapables de contrôler les rumeurs selon lesquelles le roi d'Espagne aurait accordé la liberté et des terres aux cobreros, et aurait vu ses souhaits contrariés par la résistance des administrateurs locaux ». Les cobreros déléguèrent Gregoria Cosme Osorio pour représenter directement leurs intérêts auprès de la cour d'Espagne. Une décennie plus tard, les lettres écrites par Osorio furent jugées responsables de la résistance des esclaves et des désertions [5].

À l'approche de la Révolution française, la rhétorique abolitionniste s'était répandue partout en Europe, accélérant rumeurs et conflits. En 1789, au Venezuela, l'arrivée de la cédule du roi d'Espagne, au contenu en principe secret, déclencha de « fortes rumeurs annonçant une libération rapide de l'esclavage ». Discutant de la cédule, les esclaves « affirmèrent — très justement — que les nouvelles règles entraînaient une journée de travail plus courte avec "des heures de repos" ». Comme le silence officiel persistait sur la substance des réformes, des affiches menaçantes firent leur apparition. Elles réclamaient la divulgation du document, et s'accompagnaient d'« un dessin sommaire représentant un homme noir agitant une machette avec l'intention évidente de couper la gorge d'un homme blanc ». Au cours d'une brève révolte, un métayer fut assassiné par des esclaves convaincus qu'ils étaient libres [6].

Des événements identiques eurent lieu dans les colonies anglaises de la Caraïbe. Les témoignages de domestiques qui avaient voyagé en Angleterre, la circulation de pamphlets antiesclavagistes et de gravures représentant les souffrances des esclaves informaient la population sur les débats sur l'abolition. Les journaux de l'époque traduisaient l'inquiétude soulevée par la propagation de ces nouvelles. Un dessin satirique publié à Kingston en 1790 montre un planteur converti à la cause de l'abolition après un voyage en Angleterre : sa décision d'émanciper ses esclaves est devancée par celle des intéressés de « prendre leur liberté eux-mêmes ». Un peu plus tard au cours de la même année, une révolte éclatait sur l'île de Tortola pour des raisons identiques ; on disait que l'abolition avait été déclarée en Angleterre, mais « annulée sur les instances des habitants ». Les nouvelles du front antiesclavagiste avaient, en effet, un pouvoir dangereux dans la Caraïbe[7].

Nouvelles de la Révolution

Dans le contexte français, le danger présenté par les rumeurs accompagnait les transformations politiques radicales qui débutèrent en 1789. Les changements institutionnels déclenchés par la Révolution, les discours sur la citoyenneté et l'identité nationale ouvraient de nouveaux espaces à la contestation. Le langage du républicanisme, la pratique du « parler pour la nation », explorée par les travaux de François Furet, jetaient les bases du pouvoir politique dans une situation de plus en plus marquée par un vide de légitimité. Lynn Hunt a avancé dans *Politics, Culture and Class in the French Revolution* l'hypothèse que l'attaque explicite contre la tradition entraîna une conjoncture où les visions radicalement « présentistes » de la Révolution développèrent des pratiques symboliques et rhétoriques uniques. « La rhétorique révolutionnaire, écrit Hunt, avait trouvé son unité textuelle dans la croyance que les Français fondaient une nouvelle nation. On citait constamment la Nation et la Révolution comme points de référence, mais elles ne provenaient d'aucune histoire[8]. »

L'effondrement des vieilles structures politiques et le souci des révolutionnaires de rompre avec le passé stimulaient l'effervescence de la période. La destruction de l'Ancien Régime produisait un vide politique et symbolique où l'identité de la nation était contestée à tous les niveaux, tandis que les conflits politiques inspiraient de nouveaux domaines d'expression. Dès 1789, la production massive de pièces de théâtre, pamphlets et livres, et la participation incessante et générale à des débats, insurrections et fêtes donnèrent de nouvelles formes aux termes d'appartenance politique et de légitimité. Les acteurs révolutionnaires, à la recherche de modèles de gouvernement et de rituels publics, tentaient de créer une unité en développant un catéchisme républicain inspiré de sources variées, des Lumières aux symboles et idéaux grecs et romains. Cette nouvelle culture politique n'en restait pas moins imprégnée par l'Ancien Régime ; en fin de compte, le nouveau vocabulaire et les pratiques de pouvoir suivaient de vieilles ornières[9].

Dans une Caraïbe française construite autour de l'esclavage dans les plantations, les grondements des changements révolutionnaires avaient une tonalité particulière ; entre l'ancien et le nouveau, conflits et compromis prenaient un cours compliqué. Compte tenu de la lente circulation des nouvelles qui apportaient des lois inédites, de nouvelles constitutions et des symboles inconnus, les débats politiques se nourrissaient la plupart du temps de conjectures — souvent fausses. Tandis qu'en France les changements intervenaient dans la précipitation et l'incertitude, les rumeurs jouaient un rôle déterminant dans les colonies. Ce contexte aiguisait les luttes locales. Les nouvelles et les rumeurs sur les réformes républicaines élargissaient le champ de la résistance des esclaves ; les symboles et idéaux républicains qui recréaient les termes d'identité politique et légale permettaient d'articuler le discours sur l'émancipation.

Le 18 septembre 1789, le premier symbole de la Révolution arrivait à la Guadeloupe à bord d'un vaisseau baptisé *Jeune-Bayonnaise*. Le gouverneur Clugny décrira l'incident dans une lettre écrite quelques semaines plus tard[10]. Les marins de ce navire marchand débarquèrent à Pointe-à-Pitre en distribuant des cocardes. La présence de ces symboles de la Révolution et de la nouvelle Assemblée nationale créa un choc immédiat quand les jeunes gens de la ville, qui s'en étaient revêtus, insistèrent pour que les autorités locales en fassent autant. Arguant qu'il attendait des ordres supérieurs, le capitaine du régiment de Pointe-à-Pitre refusa d'obtempérer, avant de réaliser qu'il valait mieux s'exécuter pour éviter l'émeute. Les jours suivants, tous ceux qui entraient dans la ville furent requis de porter la cocarde. Clugny se trouvait au Moule, et s'apprêtait à regagner Pointe-à-Pitre pour affronter la situation, lorsqu'il croisa sur la route de Sainte-Anne une foule fraîchement revêtue de la cocarde. Ce soir-là, le gouverneur refusa d'obéir à la pression populaire, mais le lendemain matin, quand le même groupe lui eût présenté plus calmement le symbole, il l'accepta ; il improvisa alors un discours pour affirmer que la cocarde n'était rien d'autre que « l'emblème de la réunion de tous les Français, et de leur fidélité à leur souverain ». La foule applaudit et s'écria : « Vive le Roy ! » La même scène se répéta à Pointe-à-Pitre. Clugny écrivait à son ministre que son geste avait calmé une situation potentiellement explosive. Mais le danger entraîné par la présence du symbole révolutionnaire dans la colonie refit bien vite surface :

> Les gens de couleur libres ont réclamé, comme sujets de Sa Majesté et citoyens français, la permission de porter la cocarde. Les blancs sont venus me la demander en leur nom. J'ai cru qu'il était la bonne politique de leur accorder cette faveur, surtout dans les circonstances où la tête des esclaves doit travailler tant d'après ce qui se passe à la Martinique[11], qu'en Europe. J'ai fait publier partout au son du tambour que les esclaves qui porteraient la cocarde seraient fouettés sur la place publique.

Ainsi, dès son apparition à la Guadeloupe, le symbole tricolore avait soulevé des problèmes — les conflits entre les différents groupes de Blancs, la question de la citoyenneté des gens de couleur et les dangers d'insurrections d'esclaves — qui allaient mettre à l'épreuve la colonie dans les années à venir.

L'année suivante, la question du commerce avec les marchands étrangers et ses répercussions sur les conflits économiques entre Pointe-à-Pitre et Basse-Terre soulevèrent des tensions politiques au sein des assemblées locales naissantes. Pour de nombreux propriétaires, la Révolution offrait l'opportunité de contester le système de l'« exclusif » ; elle laissait entrevoir un système d'échanges plus ouvert dont les avantages n'avaient pas manqué d'apparaître au long d'années de contrebande. La situation changea radicalement dès l'automne 1789, dans la foulée de la « Grande Peur » en France, quand les importations de denrées à la Guadeloupe furent presque complètement taries, et que les colonies reçurent l'autorisation de s'approvisionner auprès de marchands étrangers. Basse-Terre et Pointe-à-Pitre voulaient chacune être le port d'entrée du commerce. En décembre 1789, une assemblée générale réunie à Petit-Bourg résolvait le problème en accordant aux deux villes le droit d'accueillir les navires étrangers. L'architecte des premiers compromis était Jacques Coquille Dugommier, le représentant de Trois-Rivières, leader républicain sur l'île et futur président de l'Assemblée [12].

Dugommier possédait une plantation dans la région de Trois-Rivières depuis vingt ans ; il était également officier de la marine et vétéran de la guerre d'Indépendance américaine, ce qui lui avait valu d'être nommé chevalier de l'ordre royal de Saint-Louis. Très actif dans les assemblées locales, il fut au premier plan des insurrections de soldats qui secouèrent la ville de Basse-Terre en 1790 et 1791. Ces événements illustrent comment la célébration publique de l'allégeance politique permettait d'exprimer des exigences et des intérêts particuliers contre la hiérarchie existante. Bien que les rapports officiels mentionnent surtout l'action des soldats blancs, les insurrections impliquaient toute la région de Basse-Terre, et les gens de couleur et les esclaves en observaient soigneusement le cours. Ces événements représentaient le début du schisme entre « patriotes » et

« royalistes » qui fut au cœur de l'insurrection de Trois-Rivières en 1793.

Selon un rapport officiel du 1er avril 1791, une de ces
insurrections éclata quand Jacques Coquille Dugommier
demanda au gouverneur de l'île de fournir du vin aux soldats pour leur permettre de commémorer la fête de Saint-
Louis[13]. En tant que membre de l'ordre de Saint-Louis, Dugommier aurait pu paraître un tiède révolutionnaire ; or,
lui-même se considérait comme un ardent républicain, et
défendait avec enthousiasme la nouvelle monarchie constitutionnelle. Les autorités militaires refusèrent sa requête et
ordonnèrent aux soldats de rester en faction au fort Saint-
Charles de Basse-Terre, « de se divertir tranquillement
dans leur compagnie et de ne pas aller en procession dans
les rues ». Bien vite toutefois, la troupe quittait le fort sous
le commandement d'un sergent nommé Duprat. On rem-
plaça le tambour-major qui refusait de participer à la marche ; en ligne derrière les tambours, les soldats traversèrent
Basse-Terre jusqu'au quartier Saint-François. Dugommier
s'était joint à la troupe ; brandissant le nouveau drapeau
tricolore, il fit un discours sur leur patriotisme. Duprat demanda à l'un des colonels du régiment « s'il était patriote
dans l'âme » — une question qu'il allait réitérer à plusieurs
officiers considérés comme des aristocrates. Suivant Dugommier et son drapeau, les soldats paradèrent toute la
journée dans les rues de Basse-Terre, en particulier devant
les bâtiments officiels du Cours Nolivos, avant de s'installer
dans l'immeuble du Comité colonial pour y célébrer « un
Acte de Fédération[14] ». Les citoyens de la ville s'étaient
rassemblés pour les observer et écouter les discours. Cette
même nuit, ils se rendirent en masse au fort pour boire avec
la troupe. Quelques soldats affirmaient qu'il fallait pendre
les officiers aristocrates aux branches des tamarins.
D'autres déambulaient dans la ville, buvant dans les tavernes et dans les rues où beaucoup passèrent la nuit. Des
témoins entendirent le sergent Duprat déclarer à des soldats « qu'ils étoient tous libres, qu'ils étoient tous des sol-
dats-citoyens et des citoyens-soldats[15] ».

Bien que le rapport mentionne avec hostilité que Duprat

« est natif de Savoie, et par conséquent n'est pas français »,
il est intéressant de noter que cette procession et l'insubor-
dination générale des soldats « patriotes » contre les officiers « aristocrates » exprimaient les clivages et divisions
politiques fondateurs de la nation française naissante. La
question posée par l'« étranger » Duprat — « s'il étoit patriote dans l'âme » — laisse clairement entendre que la définition de la nation, et de ceux qui en faisaient partie, subis-
sait de grands changements. Comme l'a dit Duprat à l'un
des officiers : « Ce n'est pas tout d'assurer que l'on est patriote, encore faut-il l'être dans l'âme, c'est ce que nous
verrons. » On doutait des officiers aristocrates ; leurs préro-
gatives et leur esprit supérieur pouvaient apparaître comme
des agressions contre les idéaux républicains de citoyenneté
et d'égalité. En désobéissant aux ordres de leurs officiers,
en manifestant à travers les rues de la ville avec le drapeau
républicain, les soldats se posaient comme les vrais défenseurs de la République ; en traçant une ligne de bataille
et en s'appropriant le drapeau, ils disaient leur mépris des
ennemis de la nation. Cette démonstration patriotique symbolique exprimait les menaces qui pesaient sur la France
métropolitaine, quand partout en Europe les contre-révolutionnaires s'apprêtaient à mettre un frein aux bouleversements nés de la Révolution.

Les désordres se poursuivirent à Basse-Terre pendant
plusieurs jours. Les soldats refusèrent de prendre leur faction et de répondre à l'appel. Des hommes du rang rempla-
cèrent les officiers qui n'avaient pas voulu se joindre à eux.
Fêtée par la population de Basse-Terre, la troupe passait la
nuit dehors, dans les tavernes ou chez des particuliers. La
hiérarchie du régiment était complètement minée par cette
insurrection populaire qui contraignait les personnalités locales à prendre position et, dans certains cas, à répondre
aux accusations de manque de patriotisme [16].

Entre-temps, des soldats et des volontaires de Basse-
Terre sous les ordres de Dugommier avaient organisé deux
expéditions pour venir en aide aux patriotes « assiégés » de
la Martinique entrés en conflit en 1789 avec un groupe
royaliste. Ce conflit, qui opposait la campagne et les villes,

finit par impliquer les gens de couleur et même des esclaves qu'on avait mobilisés des deux côtés de la ligne de division. À la Guadeloupe, la scission entre « patriotes » et « royalistes » s'approfondissait aussi à toute vitesse, avec Dugommier au centre du conflit. En juin 1791, Dugommier quitta la Guadeloupe. Dans une lettre déposée chez un notaire, il déclara que des conspirateurs opposés à la nouvelle constitution française le menaçaient en permanence ; il se sentait particulièrement en danger chez lui, à Trois-Rivières, où les bois pouvaient cacher ceux qui voudraient l'abattre. Il confiait sa propriété à son gérant Dominique Cabry, et lui octroyait un an de salaire d'avance pour entretenir la plantation et veiller au rapatriement des bénéfices en France. Revenu en métropole, Dugommier devint un héros de la République ; il combattit aux côtés de Napoléon Bonaparte pendant le siège de Toulon en 1793, fut nommé général, et mourut en 1794 dans les Pyrénées. Mais son héritage guadeloupéen restait bien vivant : l'insurrection de Trois-Rivières éclata en avril 1793 sur sa plantation récemment vendue, et elle fut menée par ses anciens esclaves [17].

Les insurrections de soldats allaient se poursuivre à la Guadeloupe et partout aux Antilles, comme en métropole. Elles témoignaient qu'au sein de l'institution militaire, les discours de citoyenneté et d'égalité suscitaient diverses revendications. L'interrogatoire auquel avaient été soumis les officiers présageait les conflits beaucoup plus sérieux qui opposeraient les Républicains aux contre-révolutionnaires à la Guadeloupe. Tandis que la Révolution de plus en plus radicale divisait les Blancs de l'île, les gens de couleur, bientôt suivis des esclaves, se préparaient à utiliser le langage du républicanisme en formulant l'exigence de leurs droits, et à passer aux actes.

Droits politiques des gens de couleur

Entre 1789 et 1791, l'Assemblée nationale fut le théâtre de nombreux débats sur l'administration des colonies. Le problème de l'esclavage, même s'il n'était pas explicite, était à l'arrière-fond des discussions. La question coloniale soulevait une contradiction fondamentale. La Déclaration des droits de l'homme et du citoyen avait été reconnue universelle, mais son application paraissait inimaginable dans les colonies. Pouvait-on justifier cette transgression patente des Droits de l'homme ? Les intérêts économiques de la nation, étroitement liés au commerce colonial, étaient-ils plus importants que l'application universelle de ces droits ? Le premier article de la déclaration proclamait que « les hommes naissent et demeurent libres et égaux en droits, les distinctions sociales ne peuvent être fondées que sur l'utilité commune ». L'esclavage d'êtres humains était-il utile au bien commun ? L'article 17, qui déclare que la propriété est « un droit inviolable et sacré », posait une question cruciale : de ces droits — celui de l'esclave à l'égalité, et celui du maître sur sa propriété humaine —, lequel était le plus important ?

Les représentants de l'Assemblée nationale se confrontaient à ces questions tout en essayant de définir l'identité administrative des colonies à l'intérieur du nouvel ordre républicain. Les débats autour des colonies reflétaient un mélange compliqué d'intérêts particuliers et de positions sociales ; de nombreux représentants avaient des propriétés coloniales, et beaucoup d'autres étaient liés aux intérêts marchands des ports qui profitaient du commerce avec les colonies — parmi eux, Antoine Barnave, qui joua un rôle crucial à l'Assemblée entre 1789 et 1791. Au cours des premières années de la Révolution, la question soulevée par la Société des Amis des Noirs et, de conserve, par les gens de couleur à Paris, portait moins sur le problème de l'esclavage lui-même que sur celui, (apparemment) plus négociable, des droits des gens de couleur déjà libres. Bien que non invités, des délégués blancs de Saint-Domingue firent le voyage pour assister aux États généraux de juin 1789 et participer au serment du Jeu de Paume. Début juin, des membres de la Société des Amis des Noirs (Mirabeau en particulier) refusèrent de voir ces délégués blancs siéger à l'Assemblée nationale, sous prétexte qu'ils ne représentaient pas toute la population des colonies (comme cela avait été demandé) : on ne pouvait en aucun cas les considérer comme les représentants des gens de couleur et des esclaves. On parvint à un compromis qui garantissait six délégués à Saint-Domingue, un délégué à la Guadeloupe et un à la Martinique respectivement. Le problème de la représentation des gens de couleur n'était pas réglé pour autant, et tout au long de 1789, les membres de la Société, en particulier l'abbé Grégoire, et les représentants des gens de couleur (qui exigeaient de siéger à l'Assemblée) soulevèrent la question continûment ; Julien Raimond et Vincent Ogé, lequel dirigera en 1790 une révolte de gens de couleur à Saint-Domingue, estimaient que si les gens de couleur pouvaient payer leurs taxes de propriétaires, ils pouvaient obtenir les pleins droits politiques. Au cours des années suivantes, quand la question de la citoyenneté fut au cœur des conflits politiques, des membres de l'opposition favorables à l'élargissement du suffrage, Robespierre et Brissot notamment, prirent parti en faveur des gens de couleur pour contrecarrer la consolidation d'une classe de citoyens propriétaires « actifs »[18].

En 1789 et au début de 1790, la question resta sans réponse, car l'opposition du Club Massiac des planteurs avait ruiné les revendications des gens de couleur. Un pamphlet anonyme, prétendument écrit par des « Nègres Libres, Colons Américains », en fait publié — selon Auguste Lacour — par un groupe de planteurs, avait attaqué leurs prétentions ; le libelle affirmait qu'à la différence des « Nègres Libres », qui étaient de pure race, les mulâtres étaient un mélange ; en conséquence, comme l'or impur, leur valeur était moindre[19]. En liant le problème des gens de couleur à la question plus large de la liberté des esclaves, le pamphlet attaquait habilement les revendications des gens de couleur, et laissait entendre qu'elles en entraîneraient d'autres. En insinuant que les droits politiques accordés aux gens de couleur ouvriraient la porte à l'émancipation des esclaves, ce pamphlet contribua à enliser les débats[20].

L'argument sur lequel reposait l'opposition aux droits des gens de couleur était que les colonies, fondamentalement différentes de la métropole, requéraient des administrations et des législations différentes, et que les assemblées coloniales locales étaient les plus à même d'en déterminer la teneur. Selon M. de Cocherel, l'un des députés de Saint-Domingue, les assemblées locales devaient avoir le droit de former « un plan de constitution propre à nos mœurs, à nos usages, à nos manufactures et à notre climat » ; cette constitution devait nécessairement être différente de celle de la France. « La France n'est habitée et ne peut l'être que par un peuple libre ; les colonies, au contraire, sont habitées par des peuples mélangés d'Européens et d'Africains. Leur régime n'est, ni ne doit être le même que celui de la Métropole. » Les assemblées locales devaient bénéficier de leur « connaissance locale » pour écrire les nouvelles lois des colonies[21].

En octobre 1789, Louis de Curt, un représentant de la Guadeloupe, recommandait la formation d'une commission chargée d'écrire les constitutions particulières des colonies. Cette structure fut organisée ; le 8 mars 1790, l'Assemblée nationale adoptait une loi garantissant aux assemblées coloniales élues par les citoyens le droit d'édicter des lois particulières pour l'administration des colonies. Les représentants des gens de couleur répondirent dans un pamphlet que, tant que cette loi ne définirait pas qui était citoyen des colonies, l'exclusion des gens de couleur des élections et de la vie politique en serait prolongée d'autant. Le pamphlet arguait que même si en France, on considérait que le titre de « citoyen actif » incluait tous les hommes ayant répondu aux obligations légales en termes d'âge et de propriété, aux colonies les gens de couleur étaient exclus de cette catégorie par les Blancs. En ne les incluant pas spécifiquement parmi les citoyens — malgré la stipulation « tous les hommes sans exception » —, la loi faisait cyniquement l'économie de juger la question. Tirant parti du flou sémantique du terme « citoyen », elle répandait l'inégalité dans le langage républicain de l'égalité[22].

Fin 1790, un groupe de représentants de planteurs de la Guadeloupe à Paris proposa au Comité colonial une constitution coloniale détaillée. À nouveau, l'argument était que seuls les colons pouvaient créer des lois pour des terres, non seulement fort éloignées de la France, mais moralement et physiquement différentes de la métropole. La proposition comprenait un article stipulant que la nation devait respecter la propriété des colons, ce qui incluait à l'évidence leurs esclaves ; elle prévoyait la création d'une assemblée coloniale chargée de rédiger la législation de l'île, et détaillait la législation des cours, du commerce et des élections. L'exclusion des gens de couleur, et bien entendu des esclaves, était si évidente qu'ils n'étaient même pas mentionnés. Le seul groupe de « citoyens » cité par la constitution était celui des « colons » blancs propriétaires. Ces propositions faisaient écho aux règles qui avaient créé les assemblées municipales de Pointe-à-Pitre et Basse-Terre en mars 1790. « Pour être citoyen actif, disait la loi, il faut être français ou l'être devenu [...] » Suivaient d'autres qualifications : payer 16 livres d'impôts, avoir plus de vingt-cinq ans, ne pas être endetté. Pour être élu représentant, il fallait résider sur l'île depuis plus de trois ans et payer au moins 50 francs en tant que propriétaire. Des gens de couleur auraient probablement été éligibles sous ces conditions, mais on les éliminait tout simplement parce qu'on ne les considérait pas comme « français » ; d'autres articles les mentionnaient comme sujets soumis à la police des municipalités, mais jamais comme membres d'un corps de citoyens. La catégorie « Français » était l'indicateur racial implicite de la loi. Les représentants des gens de couleur à Paris contestaient activement cette vision qui les excluait de la nation française [23].

Entre-temps, les événements de Saint-Domingue avaient fait monter les enjeux dans la bataille sur les droits des gens de couleur. Parmi les opposants au décret du 8 mai de l'Assemblée nationale, Vincent Ogé, réalisant que l'Assemblée ignorait ses suggestions et critiques, quitta la France. Passant par l'Angleterre et les États-Unis, il gagna Saint-Domingue en octobre 1790. Sur l'île, Ogé fut rejoint par Chavannes, un vétéran de la guerre d'Indépendance américaine, et par deux cents partisans. Il essaya de fomenter une révolte dans la ville de Grande-Rivière. Poursuivis par les soldats locaux, Ogé et ses hommes s'enfuirent dans la partie espagnole de l'île d'où ils furent extradés en janvier 1791.

Arrêtés par les Français, Ogé et Chavannes subirent le supplice de la roue avant d'être exécutés ; on exposa leurs têtes fichées sur des piques à la sortie du Cap[24]. Le martyre d'Ogé et le scandale que l'événement souleva en France aboutirent finalement à un octroi extrêmement limité des droits politiques aux gens de couleur nés de deux parents libres — une mesure dont le symbolisme fit enrager les planteurs de Saint-Domingue. Mais l'immense révolte qui commencera parmi les esclaves plusieurs mois plus tard transformera complètement le paysage de la Caraïbe et relancera l'action antiesclavagiste des deux côtés de l'Atlantique.

Rumeurs et révoltes

Comme je l'ai déjà signalé, les soldats et les marins français jouaient un rôle essentiel dans la propagation des idées, du vocabulaire et des symboles du républicanisme à l'intérieur des colonies. Dans *Soirées bermudiennes*, un témoignage sur la Révolution haïtienne publié en 1802, Félix Carteau, un planteur exilé de Saint-Domingue, affirme que l'une des causes de la révolte de 1791 fut la diffusion des idéaux insurrectionnels. Selon l'auteur, la Société des Amis des Noirs avait une certaine responsabilité dans la révolte parce qu'on avait distribué « parmi les nègres de la Colonie maints livres faisant preuve de pitié pour leur sort, et maintes gravures similaires [...] ». Ces documents, estimait Carteau, avertissaient les esclaves qu'ils avaient des partisans en France, qui appuieraient éventuellement une révolte violente.

> J'ai vu dans les mains de quelques Nègres l'ouvrage d'Hiriart et celui de l'Abbé Raynal. Peu d'esclaves savaient lire, mais il suffisait d'un seul dans un attelier pour en faire la lecture aux autres, quand le complot se formait, pour leur donner des preuves combien ils étaient plaints en France, et combien on y désirait qu'ils secouassent le rude joug de leurs impitoyables maîtres. La plupart des Mulâtres et des

Nègres libres avaient appris à lire et sans doute ils servirent les Noirs dans cette occasion. Quant aux gravures, il ne fallait qu'ouvrir les yeux, et entendre l'interprétation du sujet, qui se répétait de bouche en bouche.

Les principaux coupables de la dissémination de ces documents étaient les marins, dont certains « officiers Bordelais, imbus de philanthropie à la mode, et qui la professaient ouvertement ». Julius Scott observe que pour Carteau, le danger le plus pressant était la divulgation des idées : « Étant donné que les marins français et les esclaves étaient "toujours ensemble" à charger et décharger les vaisseaux ou à faire d'autres corvées, les quais du front de mer devinrent vite un "chaudron d'insurrection" où les marins, "très au courant des slogans incendiaires des clubs [et] des amis de la constitution", partageaient l'excitation de la Révolution avec les travailleurs noirs [25]. » Même si Carteau considérait les esclaves comme les malheureuses victimes de marins insurrectionnels, sa description est pleine d'enseignements : elle nous renseigne sur les circuits qui permettaient aux esclaves d'apprendre et d'interpréter les nouvelles venues de France, puis d'imaginer et d'organiser leur propre révolution. Les nouvelles des changements politiques en France, où les débats sur les droits des gens de couleur soulevaient la question de l'inégalité raciale, faisaient de l'émancipation le sujet des plus vastes rumeurs dans les colonies. Colporter ces rumeurs était une manière de répandre des nouvelles, mais aussi d'intervenir en laissant entendre qu'une alliance entre les esclaves et le gouvernement de la République était possible. Les rumeurs d'alliances entre esclaves rebelles et autorités métropolitaines avaient précédemment déclenché des révoltes dans la Caraïbe. Cette alliance joua un rôle capital dans les luttes qui aboutirent à l'émancipation dans les Antilles françaises.

En 1789, un planteur blanc de Saint-Domingue écrivait : « Beaucoup [d'esclaves] imaginent que le roi leur a accordé la liberté et que leur maître ne veut pas y consentir [26]. » À la même période, des rumeurs identiques circulaient à la Martinique. Avant même que les nouvelles des événements

de juillet et d'août à Paris n'atteignent la colonie, une petite
révolte eut lieu dans la région de Saint-Pierre. Le 30 août,
des esclaves, « armés des outils qu'ils utilisent pour couper
la canne, refusèrent de travailler, annonçant lourdement
qu'ils étaient libres, et firent retraite dans les bois dans les
hauteurs de Saint-Pierre ». La milice captura des marrons
accusés d'avoir aidé les insurgés ; les deux chefs de la révolte furent exécutés, et le reste retourna au travail. Le gouverneur de l'île attribua l'incident à la circulation d'informations politiques « dont la discussion pose un grand
danger » ; il mettait en cause, sans la mentionner directement, l'œuvre des mouvements antiesclavagistes français, et
accusait les gens de couleur en France de faire passer des
informations auprès des gens de couleur dans les colonies :

> *C'est par là que les colonies se trouvent environnées du*
> *péril le plus effrayant : l'esclave n'ignore plus que sa révolte*
> *a trouvé des approbateurs, que l'on ne lui dispute pas même*
> *le choix des moyens ; ce sont ses pères, ses frères, qui trans-*
> *portés en France par un autre abus, l'instruisent par des*
> *correspondances dont je ne puis douter, des maximes dont*
> *toutes les sociétés retentissent, et qui ne tendent pas à moins*
> *qu'à porter le fer et le poison dans le sein de tous les habi-*
> *tants des colonies* [27].

À la fin du mois d'août 1789, les représentants locaux de
la ville de Saint-Pierre recevaient deux lettres anonymes,
l'une signée « Nous, Nègres », l'autre par « La Nation entière des Esclaves Noirs ». La première affirmait : « Nous
savons que nous sommes libres, et vous souffrez que ces
peuples rebelles résistent aux ordres du Roi [...] Nous voulons périr pour notre liberté, car nous voulons et préten-
dons de l'avoir à quelque prix que ce soit, même à la faveur
des mortiers, canons, et fusils. » La lettre dénonçait l'inhu-
manité de l'esclavage et ajoutait qu'il était inutile de faire
appel à l'humanité des lecteurs, qui n'en avaient aucune.
La missive s'achevait par ces mots : « Il en sortira avant
peu, si ce préjugé n'est pas entièrement anéanti, [...] des
torrents de sang qui couleront aussi puissants que nos ruisseaux qui coulent le long des rues. » La seconde lettre disait
entre autres :

La nation entière des Esclaves Noirs réunis ensemble ne forme qu'un même vœu, qu'un même désir pour l'indépendance, et tous les esclaves d'une voix unanime ne font qu'un cri, qu'une clameur pour réclamer une liberté qu'ils ont justement gagnée par des siècles de souffrances et de servitude ignominieuse. Ce n'est plus une Nation aveuglée par l'ignorance et qui tremblait à l'aspect des plus légers châtiments ; ses souffrances l'ont éclairée et l'ont déterminée à verser jusqu'à la dernière goutte de son sang plutôt que de supporter davantage le joug honteux de l'esclavage, joug affreux blâmé par les lois, par l'humanité, par la nature entière, par la Divinité et par notre bon Roi Louis XVI. Nous aimons à croire qu'il sera condamné par l'Illustre Gouverneur Vionénil. Votre seule réponse, Grand général, décide de notre sort et de celui de la colonie [28].

Au mois de novembre 1789, avec l'arrivée progressive des nouvelles des événements de l'été parisien, les actes de révolte se généralisèrent à la Martinique où ils prirent diverses formes : refus de travail, fuites dans les montagnes et assassinats de régisseurs de plantations. De nombreux esclaves étaient persuadés que le roi les avait libérés. Sur une plantation, un maître proposa à ses esclaves de leur accorder trois jours de travail hebdomadaire pour leur propre compte ; ils refusèrent en disant qu'ils voulaient « tout ou rien [29] ». En janvier 1790, un commandant de Saint-Pierre écrivit à son ministre que l'arrivée de la Déclaration des droits de l'homme suscitait de l'angoisse dans la colonie.

Depuis que l'on connaît ici la Déclaration des Droits de l'Homme d'où découlent naturellement les principes de la nouvelle constitution, il n'est pas un blanc qui ne prétende participer aux grands bienfaits qu'elle nous promet, mais il n'en est pas un qui ne frémisse à l'idée qu'un nègre ou même un homme de couleur libre peut dire : « Je suis homme aussi, donc j'ai aussi des droits, et ces droits sont égaux pour tous. » Cette déclaration sera certainement ce qu'il y aura de plus dangereux à promulguer dans ce pays-ci [30].

Des révoltes dues aux mêmes rumeurs éclatèrent à la même période en Guyane. Sur une plantation, « tous les nègres sont venus représenter à leur maître qu'ils savaient qu'on les avait déclarés libres en France et qu'ils voulaient jouir de cet avantage [31] ». À la Guadeloupe, les 11 et 12 avril 1790, des rassemblements d'esclaves furent dispersés dans les zones voisines de Capesterre, Goyave et Petit-Bourg, au nord de Trois-Rivières. Six gens de couleur, convaincus d'avoir poussé des esclaves à la révolte, furent pendus. Selon le gouverneur Clugny, ces exécutions mirent un frein à l'insurrection. Elle avait commencé par des insinuations faites auprès des esclaves des champs « par les domestiques, leurs camarades, qui cherchaient à les persuader que les Français ayant détrôné leur roi, ils étaient autorisés à secouer le joug et à se défendre de leurs maîtres [...] ». Les insurgés avaient noué des liens avec les communautés marrons réfugiées dans les collines au-dessus de la ville ; on arrêta un déserteur qui avait rejoint les marrons. L'organisation de la révolte était bien préparée ; des feux devaient marquer le début de l'insurrection dans toute la zone [32].

En mai 1791, quelques mois avant la révolte générale du Cap à Saint-Domingue, une nouvelle révolte fut éventée à Sainte-Anne, dans la riche région de production de canne de Grande-Terre, près de Pointe-à-Pitre. Trahi par les confessions d'un esclave le jour même où la révolte devait éclater, un petit groupe qui s'était réuni dans la nuit du 15 mai fut rapidement désarmé par une troupe de Blancs locaux. On soumit les rebelles à interrogatoire pour connaître les « racines » de la rébellion. Le gouverneur Clugny écrit dans une lettre datée du 21 mai 1791 :

> *Un Mulâtre esclave demeurant dans le bourg de St. Anne, une des plaines considérables de la Colonie, avait formé le projet de mettre à feu ce bourg, à la Pointe-à-Pitre et de brûler certaines habitations [...] Il avait engagé beaucoup de Nègres de la campagne à entrer dans son projet, en leur disant que j'avois reçu un décret de l'Assemblée nationale qui accordait la liberté aux Nègres mais que je ne voulais point proclamer, jusqu'à ce que je n'eus vendu mes biens et attendu que cela pouvait être long, il fallait puisqu'ils étaient les plus forts se la procurer eux-mêmes. Il est prouvé que ce complot était formé avant l'arrivée des troupes ; les bases*

sur lesquelles il était élevé sont trop apparentes pour qu'on ne s'aperçoive pas qu'un raisonnement aussi suivi ne peut venir d'un Nègre, mais il paraît plus qu'évident que les moteurs des troubles ont engagé ces malheureux dans le chemin de l'abîme où ils sont plongés ; c'est ce que l'on cherche à découvrir. Dix-huit Nègres sont en ce moment dans les prisons et l'on travaille à leur interrogatoire[33].

Les troupes mentionnées par Clugny étaient récemment arrivées de France et elles étaient donc potentiellement porteuses d'idées révolutionnaires. Pour Clugny, les soldats ne pouvaient pas être les auteurs de la révolte, car son organisation précédait leur présence dans la colonie. Plus important peut-être, l'assise de l'insurrection — la fausse nouvelle de l'émancipation — représentait une manière de voir qui « ne [pouvait] venir d'un Nègre ». Cette « manière de voir », dont l'origine était clairement établie, évoquait la possibilité que les changements politiques rapides qui intervenaient en France depuis la Déclaration des droits de l'homme entraînent ces droits jusqu'à leur conclusion logique — l'abolition de l'esclavage.

La révolte de Saint-Domingue

À Saint-Domingue également, quelques mois avant l'insurrection générale de 1791, des rumeurs sur les décisions prises en France avaient inspiré des mouvements parmi les esclaves. Alors que les discussions sur les droits des gens de couleur se poursuivaient à Paris, les nouvelles, toujours lentes à parvenir et toujours déformées, répandaient la crainte parmi les Blancs et l'espoir parmi les esclaves. Dans une lettre publiée en septembre 1791 dans *Le Patriote français*, Catin-Dubois, l'ancien secrétaire de l'ingénieur en chef de Saint-Domingue, écrivait qu'au moment de son départ, en mars 1791, l'île bourdonnait de rumeurs sur les droits des gens de couleur et l'émancipation possible des esclaves. « On disoit, d'après plusieurs écrits venus de France, que la liberté alloit être rendue aux esclaves, les blancs en étoient très inquiets[34]. »

Comme dans le cas de l'insurrection de Trois-Rivières, les comptes rendus sur l'insurrection du mois d'août au nord de Saint-Domingue sont chargés d'accusations contradictoires sur les « racines » de la rébellion. Divers groupes armaient les esclaves, et des influences extérieures avaient certainement permis à la révolte de se développer. Il n'est pas moins clair que les actions et la rhétorique qui permettaient aux esclaves de s'organiser, tant à Saint-Domingue qu'à la Guadeloupe, ne définissaient pas complètement l'insurrection. Celle-ci prit un cours inimaginable et inattendu pour les insurgés eux-mêmes. Comme le démontre Carolyn Fick, au départ les rebelles ne demandaient pas l'émancipation complète ; ils revendiquaient trois jours de liberté par semaine, et l'abolition de certains châtiments corporels. Un esclave capturé témoigna qu'au cours d'une réunion de préparation de la révolte, « un mulâtre ou quarteron inconnu fit lecture d'une décision prise par le roi et l'Assemblée nationale d'accorder trois jours par semaine à chaque esclave, et d'interdire le fouet [35] ». C'est seulement au cours de l'insurrection que le projet de l'émancipation totale fut envisagé et prit consistance.

Michel-Rolph Trouillot a écrit que « la révolution haïtienne se pensait politiquement et philosophiquement en même temps qu'elle se réalisait. Son projet, de plus en plus radical pendant treize années de combats, se révéla par poussées successives. Entre, et à l'intérieur de ces étapes invisibles, le discours était toujours à la traîne de la pratique : la révolution s'exprimait essentiellement à travers ses devoirs [36] ». La dimension de la révolte et son succès ne furent pas inattendus pour les seuls insurgés. À l'époque, les planteurs et le gouvernement ne s'attendaient pas à un mouvement aussi massif. L'organisation insurrectionnelle qui fit éclater le système de plantation s'inspirait du vaudou, des tactiques militaires africaines et de l'idéologie républicaine ; elle reformulait les idées de liberté et de citoyenneté sur des modes inimaginables.

Les esclaves se soulevèrent sur les plantations de la partie nord de Saint-Domingue le 22 août 1791, attaquant les demeures, tuant les maîtres, mettant le feu aux champs de

cannes et détruisant systématiquement les outils de la production de sucre. « Les esclaves prirent soin de détruire,
écrit Fick, non seulement les champs de cannes, mais aussi
les installations industrielles, moulins à sucre, outils et équi-
pements des fermes, entrepôts et quartiers des esclaves ; en
bref, toutes les manifestations matérielles de leur existence
sous l'esclavage et de ses moyens d'exploitation. » Les
terres incendiées étaient si étendues que la province nord
fut recouverte d'un nuage de fumée pendant plusieurs
jours. Les insurgés s'emparèrent de larges pans de la province. Leur nombre augmentait rapidement à mesure que
les esclaves des plantations incendiées rejoignaient les
bandes rebelles[37]. La furie, la rapidité et l'organisation de
la révolte stupéfièrent les rares Blancs qui n'en étaient pas
les victimes. En septembre 1791, un gérant de plantation
du nom de Pierre Mossut écrivait :

> Il est un moteur qui les dirige et qui les dirige encore et
> qu'on ne peut parvenir à connaître ; cette classe d'hommes
> de l'aveu de tous les colons expérimentés n'a point l'énergie,
> ni la combinaison d'idées nécessaires pour exécuter le projet
> à l'achèvement duquel ils marchent avec persévérance [...]
> On a [...] exécuté beaucoup d'esclaves parmi lesquels il s'en
> trouve dix de vos habitations ; les uns et les autres ont ob-
> servé un silence obstiné dans leurs dépositions sur l'arma-
> ture et les auteurs de cette odieuse Transe, quoique ils aient
> avoué être coupables et y avoir participé[38].

Les racines de l'insurrection plongeaient dans un long
processus qui avait précédé la nuit du 22 août. Les liens
créés par la pratique du vaudou et par l'organisation politique sur les plantations se renforçaient dans un contexte
d'incertitude et de flux idéologiques. Le mélange d'éléments qui rendit la révolte possible est peut-être le mieux
symbolisé par les objets découverts dans les poches d'un
esclave capturé, puis exécuté. On trouva, écrit l'un de ceux
qui participèrent à l'arrestation, « des pamphlets imprimés
en France [réclamant] les Droits de l'homme ; dans les
poches de son gilet une bonne quantité d'amadou, de phos-
phate et de chaux. Sur sa poitrine, un petit sac plein de

cheveux, d'herbes et de morceaux d'os qu'ils appellent fétiche [...] Et c'est sans nul doute à cause de cette amulette que notre homme avait l'intrépidité que les philosophes nomment stoïcisme [39] ».

Les nouvelles de l'insurrection parvinrent lentement en France, où l'on avait négligé des rumeurs antérieures mentionnant une « armée de 50 000 Noirs ». Le 3 novembre 1791, *Le Patriote français* publiait cette note : « Sur les Colonies : Les nouvelles reçues de Nantes, de Bordeaux, et de Rouen, ne confirment point la nouvelle sur l'armée des cinquante mille Noirs, mais elles confirment bien que les spéculateurs sur les denrées coloniales ont gagné quelque argent à cet honnête ménage. » Le jour suivant, le même journal annonçait : « Il existe enfin des nouvelles de Saint-Domingue, de date postérieure à celles déjà reçues ; elles sont entre les mains des planteurs eux-mêmes, et annoncent que cette grande révolte de cinquante mille Noirs se réduit au soulèvement de deux atteliers dans le quartier de Limbé, lequel soulèvement a été bientôt étouffé [40]. » Mais les décisions prises par le Comité colonial les jours suivants témoignent que certains savaient la crise irrémédiablement ouverte. Le 6 novembre, le Comité colonial recommandait à l'Assemblée nationale de demander au roi d'augmenter le nombre des soldats à Saint-Domingue, et d'autoriser le ministre de la Marine à faire circuler toutes les nouvelles provenant de l'île. Toutefois, l'Assemblée nationale ne devait pas suivre ces suggestions [41].

Quand l'évidence de la révolte fut irréfutable, le sérieux de l'événement fit présager un changement radical de la politique coloniale. Robin Blackburn écrit que « comme les premières secousses d'un tremblement de terre, la révolte des esclaves avait ébranlé l'ensemble de l'institution coloniale, écrasant quelques structures mais affaiblissant aussi celles qui restaient debout. La vision de la fumée s'élevant au-dessus des plantations incendiées et des champs de canne avait transformé le débat sur les droits des mulâtres ». Les gens de couleur, en faisant savoir qu'ils offraient le seul rempart contre l'insurrection des esclaves, surent se faire entendre en métropole ; en effet, le fait que des gens de couleur avaient servi pendant longtemps dans les unités de la maréchaussée chargées de combattre les marrons permet d'établir qu'ils étaient les mieux préparés pour mener une guerre contre les insurgés. Les débuts de la guerre révolutionnaire contre les Anglais avaient radicalisé le climat politique en France, et Brissot, l'un des membres fondateurs de la Société des Amis des Noirs, tout comme certains de ses alliés politiques, avait acquis le contrôle du ministère des Colonies. L'attitude de certains planteurs vis-à-vis des Anglais permit à Brissot et à quelques nouveaux instigateurs de la politique coloniale de mettre en garde la République contre les dangers de la contre-révolution des Blancs. « Une conception plus généreuse de la citoyenneté, écrit Blackburn, donnerait à Brissot les alliés dont il avait besoin pour façonner un nouvel ordre colonial. » L'octroi des droits politiques aux gens de couleur allait à la fois renforcer la réaction à l'insurrection des esclaves, et affermir la République face aux Blancs qui faisaient défection[42].

Le 4 avril 1792, la pleine égalité politique des gens de couleur était déclarée par un décret soumis à l'Assemblée nationale, et signé par le roi. Son préambule disait :

> *L'Assemblée nationale, considérant que les ennemis de la chose publique ont profité des germes de discorde qui se sont développés dans les Colonies, pour les livrer au danger d'une subversion totale, en soulevant les ateliers, en désorganisant la force publique et en divisant les citoyens, dont les efforts réunis pouvoient seuls préserver leurs propriétés des horreurs du pillage et de l'incendie, que cet odieux complot paroit lié aux projets de conspiration qu'on a formés contre la nation Françoise, et qui devoient éclater à la fois dans les deux hémisphères [...] reconnoit et déclare que les hommes de couleur et Nègres libres doivent jouir, ainsi que les colons blancs, de l'égalité des droits politiques.*

Le document énonçait une série de règles destinées à intégrer au sein de la nation les « nouveaux citoyens », comme on les appellera à la Guadeloupe. Le premier article stipulait qu'ils avaient le droit de voter dans les élections locales, et étaient éligibles à tous les postes, à condition

qu'ils aient rempli les exigences nationales de citoyenneté
« active » — toujours basées sur le paiement d'un certain
niveau d'impôts. Le décret nommait des commissaires généraux sur les différentes îles (Sonthonax et Polverel
étaient affectés à Saint-Domingue), et définissait leurs devoirs d'administrateurs des « nouveaux citoyens ». Ils
avaient le pouvoir de dissoudre les assemblées coloniales
existantes et d'en former de nouvelles en incluant les gens
de couleur comme votants et comme candidats. Enfin, ils
disposaient de troupes pour mettre un terme aux insurrections d'esclaves à Saint-Domingue et ailleurs[43].

La nouvelle loi créait deux catégories dans les colonies :
les gens libres et les esclaves. Les barrières raciales légales
qui avaient créé des distinctions parmi les gens libres
étaient, en principe, abandonnées comme moyen d'affirmer
la distinction entre l'esclave et le citoyen. La révolte des
esclaves imposait l'élimination des catégories raciales parmi
les gens libres, tout en soumettant cette catégorie à un état
de siège qui en faisait une espèce potentiellement en danger. En réclamant les droits universels, la liberté et l'égalité,
les insurgés élargissaient l'horizon politique du débat colonial. En radicalisant la situation, ils contraignaient la République à accorder les droits politiques aux gens de couleur.
Ces derniers, en tant que « nouveaux citoyens », allaient devenir les principaux alliés des commissaires de Saint-Domingue contre les planteurs contre-révolutionnaires.

Maintenant qu'il était manifeste et démontré, le dangereux potentiel de ces idéaux ne pouvait manquer de pousser
de nombreux Blancs contre la République. Déjà, dans la
foulée de l'insurrection, des planteurs de Saint-Domingue
appelaient à l'aide le gouverneur britannique de la Jamaïque ; un navire de guerre anglais arrivé au Cap en septembre 1791 y reçut un accueil enthousiaste de la population blanche. Au cours de l'année 1792, certains planteurs
firent un pas de plus en demandant directement de l'aide
auprès de Londres ; par la suite, des représentants des colonies, dont le Guadeloupéen de Curt, firent le voyage dans
la capitale anglaise pour négocier leur appui avec le gouvernement de Sa Majesté. En 1793, ils signèrent un pacte d'al-

liance qui offrait les colonies aux Britanniques[44]. Le cycle qui s'achèverait avec l'émancipation était entamé. Tandis que la République offrait la citoyenneté à ceux qui en étaient exclus pour garder le contrôle des colonies, les planteurs blancs prenaient du champ avec la République, et devenaient des « traîtres » dans un contexte de conflits politiques qui s'étendait aux deux rives de l'Atlantique.

Conflits et mobilisation en Guadeloupe

La révolte de Saint-Domingue eut un ensemble de répercussions sur la Guadeloupe. Elle stimula le commerce de l'île, qui compensait les pertes dues au chaos où sombrait la plus grande colonie française de la Caraïbe. Elle augmenta aussi les craintes de révoltes, incitant les Blancs à organiser des fédérations locales qui, dans bien des cas, furent les piliers du camp royaliste sur l'île. Arrivés à Paris en décembre 1791, les représentants de la Guadeloupe durent soutenir ces fédérations contre ceux qui y voyaient des entreprises antirépublicaines : « Le danger que courut la Guadeloupe par le complot formé à Sainte-Anne il y a quelques mois, décida les habitants à proposer des fédérations contre les ennemis à l'intérieur. C'étoit une manière de prévenir les horribles malheurs qui viennent de ruiner la plus belle partie de la plus riche colonie de la France. » À la même période, le gouverneur Clugny stigmatisait lui aussi les risques que la révolte de Saint-Domingue faisait courir à la Guadeloupe : « Il était à craindre surtout, qu'après les désastres qu'a éprouvés Saint-Domingue, les libres ne se formassent un parti parmi les esclaves, et que cette colonie ne devînt à son tour le théâtre d'un massacre. » Clugny ordonna le redoublement des patrouilles sur les plantations. Comme certains planteurs de Saint-Domingue juste avant l'insurrection, il se disait confiant : les esclaves ne se révolteraient pas. Il protestait qu'« en général les nègres sont plus doux, plus soumis et mieux traités qu'à Saint-Domingue [...] Chaque nègre regarde l'habitation de son maître comme sa propriété ; ceux-ci les traitent moins en despotes qu'en pères ». Mais son plaidoyer trahissait son manque de confiance, car il spéculait sur la peur de la répression ; les esclaves de la Guadeloupe étaient essentiellement des créoles « qui pensent et qui raisonnent, qui ont connaissance des forces universelles que la France a déployées dans la dernière guerre et qui calculent bien que s'ils avoient l'avantage dans un premier moment de révolte, ils ne tarderoient pas à s'en repentir, et qu'ils seroient bientôt submergés par les troupes qu'enverroit la France[45] ».

Pour se protéger du pouvoir potentiel des esclaves, les fédérations locales firent une importante concession politique : elles acceptèrent certaines exigences des gens de couleur, et s'allièrent avec eux. Depuis l'insurrection de 1791, un processus identique s'était déroulé dans certaines parties de Saint-Domingue : des Blancs et des gens de couleur avaient conclu des accords d'union pour lutter contre les esclaves rebelles. L'un de ces concordats, signé en octobre 1791 dans la province occidentale de l'île, projetait d'annuler les distinctions raciales, et incluait le paiement d'indemnités aux veuves des gens de couleur et la suppression des « qualifications telles que le nommé Nègre libre, mulâtre libre, quarteron libre, citoyen de couleur » : tous les citoyens devaient bénéficier des termes jusqu'alors utilisés seulement pour les Blancs. Une fois le concordat signé, un bataillon de mille cinq cents anciens citoyens de couleur devait entrer à Port-au-Prince et y recevoir les honneurs comme une partie de l'armée française ; une messe réunirait les deux groupes sociaux, qui juraient de se battre ensemble pour « la nation, la loi, et le roi[46] ».

Les conflits entre Blancs et gens de couleur étaient moins importants et moins brutaux à la Guadeloupe et à la Martinique, parce que Blancs et gens de couleur étaient dans un rapport de deux contre un. À la Martinique, les Blancs avaient mobilisé les gens de couleur dès le début du conflit entre patriotes et royalistes, et à la Guadeloupe, les gens de couleur étaient de plus en plus visibles dans la vie politique, surtout au niveau municipal. Les alliances qui se formèrent en 1792 surmontaient donc moins d'obstacles que celles, plus fragiles, qui s'étaient nouées à Saint-Domingue. Elles suivaient un cours parallèle à la loi du 4 avril 1792 de l'Assemblée nationale, à une période où cette loi, déjà votée en France, restait ignorée de la Caraïbe. Elles renforçaient la faction des planteurs opposés aux républicains les plus radicaux, qui bénéficiaient de l'appui de la majorité des soldats français stationnés sur l'île. Les lignes de bataille s'établissaient de plus en plus selon le tracé suivant : d'un côté, les républicains les plus conservateurs et les royalistes faisaient corps dans les assemblées coloniales qui prônaient et légiféraient l'administration locale de la colonie ; de l'autre, les républicains les plus radicaux — ils s'intitulaient « patriotes », et plus tard « jacobins » — se regroupaient dans des clubs politiques tels que la Société des Amis de la République à Basse-Terre. Selon Anne Pérotin-Dumon, cette association était essentiellement composée de citadins blancs, artisans, commerçants et professions libérales, qui, pour différentes raisons — entre autres, d'intérêts particuliers liés à la politique commerciale avec la France —, s'opposaient aux riches planteurs de la campagne. L'opposition des deux groupes à propos des instances de pouvoir local illustrait le schisme politique plus large qui déchirait la métropole entre différentes visions de la Révolution. Pour les planteurs royalistes, la mainmise des patriotes sur le pouvoir local était une source dangereuse de propagande égalitaire ; pour les patriotes, les planteurs représentaient la défense de l'Ancien Régime [47].

Le conflit entre planteurs et patriotes finit par exploser à Basse-Terre en avril 1792 ; et comme on devait s'y attendre, il impliqua de nombreux esclaves. Le 24 avril, l'assemblée coloniale (dominée par les planteurs) ordonnait la dissolution du gouvernement local de Basse-Terre, passé sous la coupe des patriotes, et la restitution des archives de Basse-Terre entre les mains des trois nouveaux commissaires chargés de l'administration de la ville — tous trois délégués de l'assemblée coloniale. Les fonctionnaires locaux et de nombreux habitants de Basse-Terre entendaient s'opposer à cette mesure. Le 30 avril, date où l'ordre devait être exécuté, une assemblée réunie en ville décida d'attendre les nouvelles lois sur les colonies votées par l'Assem-

blée nationale avant d'obéir aux ordres de l'assemblée coloniale, lorsqu'un groupe d'une cinquantaine de soldats —
dont des officiers et des gens de couleur — fit irruption et
dispersa la réunion. La population se rassembla sur la place
des Capucins, armée mais incapable d'empêcher les
royalistes, leurs gens de couleur et leurs esclaves de s'emparer des bâtiments administratifs. Le contrôle militaire as-
suré, les royalistes organisèrent une cérémonie de transfert
du pouvoir entre les mains des nouveaux commissaires de
la ville.

L'un des trois commissaires était le sieur Brindeau, qui
fut tué durant l'insurrection de Trois-Rivières. Ces actions
justifient les accusations selon lesquelles il armait ses esclaves pour combattre la République. Brindeau apparut à
la tête d'un fort groupe armé composé de soldats du régiment de la Guadeloupe et de fonctionnaires locaux. Trois
planteurs, parmi lesquels Éloy de Vermont et son fils, plus
tard impliqués dans l'affaire de Trois-Rivières, arrivèrent
avec leurs esclaves armés ; d'autres planteurs du camp
royaliste étaient « à la tête de la couleur » — les gens de
couleur. Pour répondre à l'attaque royaliste, les républicains recrutèrent eux aussi des esclaves ; le fort Saint-
Charles, abandonné par la troupe qui prenait part aux batailles de rues, fut laissé à la garde d'un groupe composé
d'esclaves et d'une poignée de soldats.

Pendant toute la journée, la ville fut en « effervescence » ; on arracha les cocardes républicaines des vestes de
ceux qui les exhibaient, et les gens de couleur, « fiers
d'avoir été en ligne avec les Blancs », insultèrent et attaquèrent plusieurs patriotes. Les royalistes avaient gagné la partie ; ils gardèrent le contrôle du gouvernement et empêchè-
rent les représailles, mais le conflit se poursuivit pendant
des mois. Ainsi, l'aide militaire des gens de couleur et des
esclaves avait permis l'heureuse issue de leur action. Pourquoi donc s'étaient-ils joints aux royalistes ? Élie Dupuch,
un notaire local et l'auteur du rapport officiel sur l'événement, écrit : « On assure qu'il y a eu de l'argent distribué à
la couleur, que la liberté avait été promise aux esclaves. »
Quoi qu'il en soit des conditions de l'appui des uns et des

autres — les esclaves menés par leurs maîtres n'avaient probablement pas le choix —, l'alliance royaliste avec les gens de couleur et les esclaves était importante : elle annonçait la naissance de leur force politique[48].

L'alliance entre les planteurs et des gens de couleur était toujours en place quand la loi du 4 avril assurant l'égalité aux gens de couleur arriva à la Guadeloupe vers la fin du mois de mai. Les planteurs l'acceptèrent. Mais au cours des mois suivants, les nouvelles sur le durcissement du conflit entre la Révolution radicalisée et le roi poussèrent de nombreux propriétaires dans le camp de la contre-révolution. Égarés par des rumeurs confuses, beaucoup croyaient que le roi était victorieux à une époque où l'inverse était de plus en plus vrai. Les royalistes continuaient de mobiliser les gens de couleur et les esclaves, de les armer et de les utiliser pour appuyer leur mouvement[49]. À la fin de 1792, la colonie était sous contrôle royaliste. Mais l'intégration des esclaves et des gens de couleur dans les conflits politiques de l'île avait une signification plus profonde. L'alliance entre les royalistes blancs et leurs esclaves armés pavait la route des futures insurrections. Peut-être plus important encore, les royalistes plaçaient la République dans une situation dangereuse dont les esclaves allaient la sauver. Ce qui leur permettrait d'afficher leur importance comme défenseurs de la République, et comme citoyens potentiels.

Trois guerres

En août 1792, René Marie d'Arrot, gouverneur intérim de la Guadeloupe, décrétait les nouvelles règles du système postal sur l'île. Désormais, les esclaves devaient transporter le courrier de ville en ville. Chacun « portera une fleur de lis sur son vêtement, afin qu'on puisse le reconnoitre, et que personne, de quelque qualité et condition qu'elle soit, ne puisse l'arrêter ou le détourner sous peine de punition exemplaire, et afin que chaque habitant puisse lui donner aide et assistance en cas de besoin ». Le symbole de l'autorité royale devait être imprimé sur les boîtes à courrier. On prit des mesures pour s'assurer que les esclaves ne transporteraient que des lettres, et que les routes postales ne deviendraient pas celles de la contrebande. L'hégémonie royaliste s'affirmait dans le nouveau règlement symbolique du système postal qui reliait entre elles toutes les parties de l'île [50].

Quelques mois plus tard, le 21 janvier 1793, l'exécution du roi accélérait et durcissait le conflit entre républicains et royalistes, en France et dans les Antilles. Avant même l'exécution de Louis XVI, le fragile consensus autour de la monarchie constitutionnelle avait fait place à de sérieux conflits politiques aux Antilles ; l'animosité raciale et les intérêts économiques créaient dans les colonies un réseau d'allégeances complexe et mouvant. À la fin de l'année 1792, la République était en danger dans toutes les Antilles. Après les incidents de Basse-Terre, les planteurs royalistes avaient pris le contrôle de la Guadeloupe et contraint à l'exil sur des îles voisines de nombreux républicains. À Saint-Domingue, où la communauté blanche était déchirée par des conflits identiques, l'insurrection des esclaves avait pris de l'ampleur et s'était solidement implantée.

À cette période, le maréchal de camp Ricard écrivit une série de rapports sur la situation à travers les Antilles [51]. Ces mémoires décrivent l'administration républicaine paralysée par l'insurrection retranchée à Saint-Domingue, mais aussi par les conflits entre Blancs et gens de couleur, et entre Blancs. Chaque conflit semblait interdire la résolution des autres. Par exemple, Ricard se demande, si l'on entreprenait une campagne sérieuse pour récupérer la Martinique, « qui pouvoit assurer qu'au milieu des désordres cent mille esclaves seroient contenus » ? Ces mémoires indiquent aussi à quel point la réalité des révoltes d'esclaves restait « impensable » dans l'esprit des administrateurs français. Entre la description de la menace militaire posée par l'insurrection des esclaves et l'expression d'une confiance apparente que les Blancs, une fois unifiés, l'écraseraient, ils expriment de profondes contradictions.

Dans un rapport daté d'octobre, Ricard décrit Saint-Domingue comme une société impliquée dans trois guerres à la fois : la guerre entre les gens de couleur et les Blancs, la guerre entre les Blancs de différentes obédiences politiques, et la guerre contre les rebelles insurgés dans les montagnes. Ricard détaille leurs « camps établis », les « fossés profonds » qu'ils ont creusés, les « pièges cachés » semés le long des sentiers. À l'en croire, la seule tactique militaire pour écraser les rebelles consisterait à les encercler et à les repousser vers le centre de l'île, en leur coupant toute possibilité de retraite vers la partie espagnole. Ricard se dit persuadé que de nombreux esclaves séduits par la révolte, et « qui sont maintenant plus infortunés qu'ils ne l'étoient sous les lois de leurs anciens maîtres », reprendraient le chemin du travail[52].

Un mois plus tard, un nouveau rapport décrit plus en détail les forces des esclaves. Selon Ricard, deux cent cinquante mille esclaves ont fui les plantations, « mais il n'est pas vrai que l'on ait à combattre deux cent cinquante mille Nègres ». Beaucoup ont été contraints de fuir par les rebelles, ou parce que les plantations ont brûlé. Au début de l'insurrection, les esclaves en armes étaient cinquante mille ; la maladie et la guerre ont réduit leur nombre. Une minorité est armée de fusils subtilisés ou achetés aux Espagnols ; ils ne savent souvent pas s'en servir. Toutefois, les chefs rebelles ont « montré quelque intelligence dans la distribution et le choix des postes qu'ils ont occupés » ; ils se sont établis « partout sur des mornes moins élevés et sur les penchants des hautes montagnes pour être plus à portée de leurs incursions dans les plaines » ; pour se protéger des attaques, ils ont tenu leurs arrières dans « des gorges qu'ils connoissent parfaitement, et des sommets presque inaccessibles » ; ils ont « établi des communications entre leurs postes et de manière qu'ils ont pu se replier ou se secourir mutuellement toutes les fois qu'on les a partiellement attaqués » ; ils ont « des postes de surveillance, et des points de ralliement déguisés ».

Il n'empêche, conclut Ricard, que les insurgés n'ont pas l'intelligence ou le courage de défendre ces sites. Ils sont épuisés et veulent retourner sur les plantations. Ils subissent la tyrannie de leurs chefs. Soixante chefs importants, et peut-être six cents de moindre importance, les contrôlent par la violence. « J'ai sous les yeux vingt de leurs jugements sur des chiffons de papier trouvés dans une de leurs enceintes ; j'en tracerai un. *Moy yaugau aussissierve je condamne ces deux messieur a subère la mort so le preuve ce trouvè*[53]. » L'élimination des chefs apportera la paix, affirme Ricard, mais ils sont difficiles à attraper : ils montent les meilleurs chevaux des plantations et, si on les découvre, font preuve de la plus grande adresse à gagner des cachettes inaccessibles[54].

Les mémoires de Ricard oscillent entre la confiance déclarée — les rebelles seront défaits — et des descriptions suggérant que la défaite est loin d'être imminente. Des lettres postérieures racontent les conflits exacerbés entre les Blancs qui interdisent d'envisager une guerre contre les insurgés. En particulier, Ricard raconte les révoltes déclenchées parmi les Blancs par l'arrivée de la loi du 4 avril qui déclarait l'égalité politique des mulâtres. De nombreux soldats insurgés du régiment du Cap avaient été rapatriés en métropole alors que sur place la situation empirait. La « nouvelle citoyenneté » obtenue par les révoltes des esclaves, et conçue comme un moyen de les contenir, provoquait l'effet inverse ; elle plongeait la colonie dans le chaos. Pendant ce temps, dans les camps des insurgés, les chefs en qui Ricard voyait le cœur de la révolte consolidaient leurs positions, renforçaient leurs armées, affinaient leurs tactiques. Parmi eux était un inconnu du nom de Toussaint Louverture. La défaite prévue des esclaves n'eut jamais lieu ; bien au contraire, le vieil ordre des colonies allait sombrer dans les mois à venir[55].

Nouvelle citoyenneté

Le contrôle royaliste sur la Martinique et la Guadeloupe contraignit de nombreux républicains, y compris des gens de couleur déclarés citoyens par la loi du 4 avril 1792, à prendre le chemin de l'exil. Cette situation fut finalement favorable à la participation politique des « nouveaux citoyens ». Plusieurs mois auparavant, la métropole avait demandé l'élection d'assemblées électorales dans les colonies. En octobre 1792, elles n'avaient pas encore eu lieu. Comme les îles étaient aux mains des contre-révolutionnaires, les républicains exilés décidèrent de former des assemblées électorales extérieures. Une élection de représentants eut lieu en octobre 1792 à Roseau, sur l'île de la Dominique, au sein d'un groupe de républicains exilés. Ce groupe déclara qu'en l'absence d'un système organisé capable de permettre l'élection des représentants du peuple, et compte tenu de leur fidélité à la métropole quand les autres îles se rebellaient contre la République, ils étaient « les vrais Français de la Martinique et de la Guadeloupe ». « Étant les seuls fidèles à la métropole, ils sont les seuls dont le vœu puisse légitimement être entendu à l'Assemblée Nationale. » Des gens de couleur faisaient partie de cette assemblée électorale qui leur permettait pour la première fois d'exercer leurs droits politiques. L'un d'eux, Louis Delgrès, se définit dans le document comme citoyen de couleur et propriétaire ; il sera à la tête de la résistance contre le rétablissement de l'esclavage à la Guadeloupe, en 1802.

En signant la déclaration électorale, certains s'identifiaient explicitement à côté de leur signature comme « citoyen de couleur ». Ils n'étaient pas les seuls à ajouter un repère à leur nom. De nombreux Blancs notaient leur profession et leur lieu de résidence. Les planteurs signaient « propriétaires » ; beaucoup — parmi eux un citoyen de couleur — se désignaient comme « père de famille ». Une minorité de Blancs indiquait la durée de leur vie aux colonies ; l'un d'eux signalait qu'il s'était installé à Fort Royal quarante ans plus tôt. Parmi les électeurs présents, 36 sur 209 — presque 15 p. 100 — se présentaient comme citoyens de couleur. (Selon le recensement de 1790, les gens de couleur représentaient 22 p. 100 de la population libre de la Guadeloupe, et 3 p. 100 de la population totale.) Cinq citoyens de couleur signaient d'un seul nom, « Jacob » ou « Bruno » ; les autres mentionnaient leurs nom et prénom. Les gens de couleur avaient signé en groupe sur la page, comme s'ils avaient marché d'un seul élan, par opposition aux autres électeurs dont les signatures apparaissent dispersées. En participant à cette élection républicaine, les citoyens de couleur garantissaient leur nouveau rôle dans la vie politique de la nation française. Leur contribution est une ligne de partage dans l'histoire de France ; pour la première fois, un citoyen de couleur, Jean Littée, de la Martinique, était élu comme représentant du peuple [56].

Littée représentera les Antilles à la Convention nationale avec Coquille Dugommier et Pierre-Joseph Lion. Arrivés à Paris au mois de février 1793, les trois hommes exposèrent leur situation. Le vote n'avait pas eu lieu sur le territoire français, mais ils le considéraient comme légitime : il réunissait les vrais républicains de l'île. L'élection de Littée prouvait la vertu des électeurs et leur loyauté envers la République. « Il est homme de couleur, il est notre collègue, et c'est le premier hommage que les Blancs ont rendu aux vertus de cette caste jusqu'ici injustement oubliée. » En acceptant la pétition, la Convention nationale réitéra l'importance de l'intégration raciale des représentants : « Rien ne démontre mieux le respect que les votants ont eu pour l'égalité que la nomination du citoyen Littée, homme de couleur, que les Blancs patriotes de la Martinique ont choisi pour un de leurs députés. » La Convention ajouta que cette action pourrait aider la République à récupérer les territoires perdus : « On peut même prévoir que son admission à la Convention produira le meilleur effet, non seulement parmi les gens de couleur qui lui ont donné leurs suffrages, mais même parmi ceux que les contre-révolutionnaires ont égarés, et qui ne tarderont pas à les abandonner, lorsqu'ils apprendront le bon accueil d'un de leurs frères. » Ces arguments prophétisaient le processus qui aboutirait à l'émancipation universelle de l'esclavage. « Il n'en faut peut-être pas davantage pour rétablir ces deux colonies dans la dépendance légitime dont elles ont secoué le joug [57]. »

L'arrivée de troupes et de nouveaux administrateurs de France en décembre 1793 réussit à briser le contrôle royaliste sur la Guadeloupe. Elle permit de réévaluer certaines fausses rumeurs qui avaient permis aux royalistes d'assurer leur mainmise sur la colonie. Aidés par les citoyens prorépublicains de l'île, les nouveaux administrateurs réussirent à reprendre le contrôle des assemblées coloniales. Les élections qui s'étaient tenues durant la période de l'exil avaient changé les termes de la participation politique. Désormais les gens de couleur allaient jouer un rôle de plus en plus important dans l'administration de la Guadeloupe. Lorsqu'il débarqua sur l'île le 3 mars 1793, Lacrosse, le nouveau gouverneur provisoire de la Guadeloupe, fut accueilli par un discours où les « nouveaux citoyens » de Basse-Terre proclamaient, face aux récentes trahisons de nombreux Blancs, leur attachement à la République et leur intention d'assumer leurs droits politiques :

> *Une faction odieuse, ennemie de la révolution française, nous avoit plongés dans une erreur (criminelle si elle eût été volontaire) qui nous faisoit oublier jusqu'à l'exercice de nos droits ; cette faction nous avilissoit, nous dégradoit, nous méprisoit, nous vouoit aux humiliations les plus outrageantes ; cette faction nous égaroit, nous trompoit, en nous vexant. Votre voix s'est fait entendre, vous nous avez apporté, au nom de la république française, des paroles de paix, vous nous avez éclairés sur les bienfaits que nous prodiguoit la mère patrie ; vous nous avez donné le sentiment de nos droits et de nos obligations ; nos tyrans ont fui, et nous nous sommes livrés avec sécurité aux travaux que nous avions délaissés. Quelle satisfaction pour nous de pouvoir manifester notre joie et participer à la gloire de nos aînés, leur bonheur paroit complet, mais le nôtre l'emporte. Nous avons sur eux l'avantage de pouvoir transmettre aux générations futures, un événement aussi mémorable qu'avantageux pour les colonies ; nous aurons soin d'en immortaliser le souvenir à nos fils ; nous deviendrons pères et nos épouses deviendront mères, nos enfants instruits d'une époque dont ils se glorifieront, seront flattés de devoir leur existence politique aux sages législateurs qui ont régénéré la France.*
>
> *Recevez, citoyen gouverneur, l'hommage de notre gratitude pour tant de bienfaits, et ajoutez-y, nous vous en conjurons, en faisant connoître à la république française et à son conseil exécutif, notre parfaite connaissance, et la ferme résolution où nous sommes et où nous voulons nous maintenir constamment, de verser, s'il le faut, jusqu'à la dernière*

*goutte de notre sang, pour faire respecter les lois d'égalité et
de liberté, qui sont la base de notre existence politique*[58].

Une liste de cent quarante-sept signatures suivait cette
proclamation. Tous les signataires résidaient à Basse-Terre.
Quelques-uns avaient signé d'un seul nom, « Coco » ou
« Dieudonné ». Certains ajoutaient à leur nom une description, « Claude aîné », ou la mention de la profession, « Sil-
vestre maçon ». D'autres signaient de leurs nom et prénom ;
de nombreux noms étaient ceux de familles blanches locales. Il y avait par exemple un « Noël Lesueur », dont le
nom était le même que celui d'une famille blanche installée
sur l'île depuis le xviie siècle[59]. Deux des signataires, les
frères Louis et François Gripon, étaient tailleurs et vivaient
dans le quartier Saint-François de Basse-Terre. Leur mère
Françoise dite Gripon, décrite dans un acte notarial comme
une Négresse libre, habitait une petite parcelle de terre le
long du couvent des Capucins à la limite nord de la ville[60].
Ils n'étaient pas les seuls tailleurs à signer la déclaration.
Jean-Georges pratiquait à Basse-Terre et vivait avec sa
femme Isabelle et leurs trois enfants. Ses affaires fructifiè-
rent durant la décennie suivante ; en 1799 il loua sa boutique à un joaillier blanc, Michel Dupont ; il afferma aussi
une terre à une certaine Perrine Latout. François Hamel,
autre nouveau citoyen, était tailleur à Basse-Terre, où il
vivait avec sa femme Magdeleine Pierrot[61]. Raimond Isaac,
témoin d'un mariage en 1801, était noté comme « fabricant
de chaussures[62] ». Un autre signataire était Marcel, le perruquier, qui avait aidé Marthe dite Majou à acheter sa liberté en 1792. Un mois après la signature de la déclaration
des « nouveaux citoyens », Marcel propagera les rumeurs
de libération imminente qui déclenchèrent l'insurrection de
Trois-Rivières. En septembre 1793, il dévoilera la malfaçon
légale qui lui avait permis de libérer Marthe dite Majou.
Autre signataire, le charpentier Germain avait participé en
1787 à une opération équivalente qu'il révélera en 1794 ;
elle lui avait permis de libérer Désirée et ses enfants Jeannette et Jean-Baptiste[63]. Joachim Boudet, qui travaillait aux
postes à Basse-Terre, possédait trois canots et trois esclaves

employés comme pêcheurs. Il avait une maison, située sur une terre louée en ville, et était le père de deux jeunes filles ; au cours de l'été 1794, il épousa leur mère, la « citoyenne » Judith. Son ami Joachim Bouis, témoin du mariage, était l'un des cosignataires, ainsi qu'un certain Charlemagne Bouis, peut-être son frère. Canut Robinson, qui jouera un rôle politique important l'année suivante, était aussi l'un des témoins du mariage de Joachim Boudet[64]. Boromé habitait la ville voisine de Baillif où, en 1796, lui et sa femme Nicole vivaient sur une petite parcelle de terrain travaillée par un certain Thélémaque, leur ancien esclave[65].

Ces signatures présentaient un groupe social disparate, uni comme une force politique grâce à la nouvelle loi des colonies. Le langage du républicanisme qui condamnait les royalistes assumait le lien entre les nouveaux citoyens et la République. Ce lien ouvrait des possibilités de participation et de pouvoir politique dans un contexte qui avait jusqu'alors exclu les nouveaux citoyens. Ces signatures représentaient la charte d'une nouvelle force politique. De nombreux « nouveaux citoyens » joueront l'année suivante un rôle important dans les divers comités, commissions et sociétés qui organiseront le programme politique de l'île dans la foulée de l'insurrection de Trois-Rivières. Leur exemple était peut-être présent à l'esprit des esclaves qui allaient se proclamer citoyens et défenseurs de la République d'une manière beaucoup plus radicale, et beaucoup plus violente.

IV

L'INSURRECTION DE TROIS-RIVIÈRES

En 1993, Carloman Bassett, professeur et historien de la ville de Trois-Rivières, organisait une série de conférences et de visites des sites où s'est déroulée l'insurrection de 1793. Suivre les sentiers que les esclaves empruntèrent cette nuit-là est relativement aisé, tant la topographie des lieux est restée identique à ce qu'elle était au XVIIIe siècle. La plantation Brindeau, où éclata l'insurrection, se situe le long d'une route qui serpente dans des collines pentues, dépasse une série de cascades et mène plus au sud à Basse-Terre. De la maison où Brindeau fut assassiné, seul le premier étage subsiste. Cette demeure est également connue parce que Coquille Dugommier, le chef républicain de la Guadeloupe, y vécut de nombreuses années avant son exil en 1792. Une plaque apposée en 1994 commémore sa disparition, au cours de la campagne des Pyrénées de 1794, ainsi que son lieu de naissance, Trois-Rivières. À la fin des années 1980, Carloman a créé un complexe immobilier sur une parcelle du terrain de la plantation ; il l'a baptisé « Quartier Dugommier ».

En dessous de la plantation, un canal coule vers l'endroit où se dressait la raffinerie de sucre. Plus loin sur la route, après les collines, s'étend le site de la plantation Fougas — la seconde touchée par l'insurrection ; il n'en reste rien. Le

seul écho de l'événement est une croix de métal juchée sur
un rocher affleurant au milieu des bananiers. Bassett affirme que les gens du lieu l'ont dressée quelque temps avant
sa naissance, pour éloigner les esprits nocturnes — les esprits tourmentés des victimes de Fougas. Enfin, la route
entre dans le « Faubourg » de Trois-Rivières et atteint le
site de la plantation Jarre dont le bâtiment, rénové sur le
modèle de la vieille demeure, appartient à la municipalité.

Entre la plantation Dugommier et le centre-ville, s'étend
une autre plantation que les insurgés ont laissée complètement intacte — c'était la demeure de Pautrizel, un ami
proche de Dugommier, l'un des rares républicains de l'agglomération. Après la traversée de la ville, la piste des esclaves mène aux plantations Vermont et Gondrecourt. Un
descendant de la famille Lauriol, implantée à Trois-Rivières depuis le XVIᵉ siècle, est l'actuel propriétaire de la
plantation Gondrecourt ; la maison, bâtie au XVIIIᵉ siècle, a
été transformée en hôtel. Selon Carloman, la cour pavée
dans le jardin, près de l'entrée, abrite les tombes des
membres de la famille Gondrecourt tués lors de l'insurrection. Gondrecourt se cachait tout près, au lieu-dit Bambou,
lorsqu'il entendit la tuerie. Durant son enfance, Carloman
évitait scrupuleusement cet endroit dès la tombée de la
nuit : comme l'ancienne plantation Fougas, le lieu est réputé hanté.

Malgré tous les efforts de Carloman, l'insurrection reste
peu connue à Trois-Rivières, et l'ensemble des habitants de
la Guadeloupe continue de l'ignorer. Depuis Lacour, qui a
écrit au milieu du XIXᵉ siècle, aucun historien ne lui a accordé beaucoup d'attention. Quant aux principaux historiens de la période, ils lui consacrent une note en bas de
page, dans le cadre du conflit général entre royalistes et
républicains[1]. Pourtant, la présence de ce conflit sanglant
qui a dressé des esclaves contre leurs maîtres, et des Noirs
contre des Blancs, traîne encore dans la ville. Mais que peuvent représenter pour la Guadeloupe la commémoration et
la « monumentalisation » de cet événement, quand l'île vit
dans le souci culturel et politique constant de son assimilation et de son exclusion de la nation française ? À quelles

fins, ce retour à des histoires de morts complètement oubliés, à une histoire surprenante d'allégeances et d'insurrections politiques ?

Bassett estime que le souvenir de l'événement est vital pour l'avenir de la Guadeloupe. Il a commencé de construire près de la plantation Jarre un monument dédié à l'insurrection. C'est une large pierre posée sur un piédestal, où est gravé un fragment d'un poème de Bassett : « 1793-1993 : Chaque événement, tragique, épique, héroïque, est sève de la mémoire. » Bassett espère ajouter à la base du monument la liste des noms des victimes et des participants. Cette liste comprendra nécessairement les noms des Blancs tués pendant la révolte, qui sont bien connus. Mais quels sont les noms des insurgés ? Dans son histoire de la Guadeloupe, publiée au milieu du XIXe siècle, Auguste Lacour donne les noms des quelques esclaves qui ont défendu leur maître au péril de leur vie. Un seul parmi les insurgés est familier, c'est celui de Jean-Baptiste, le meneur de la révolte, et le gérant de la plantation Brindeau ; quand cette plantation appartenait à Coquille Dugommier, Jean-Baptiste était le « commandeur » des esclaves. Dugommier est connu en France comme héros militaire grâce à une station du métro parisien, et à un important boulevard marseillais, qui portent son nom. Mais son esclave Jean-Baptiste, qui mobilisa le langage de la citoyenneté en luttant pour les droits des esclaves, reste sur la frange de la mémoire historique, y compris à la Guadeloupe. Pour l'instant, la base du monument de Bassett est vide de noms ; et le mur voisin, supposé accueillir la fresque d'un artiste local, est toujours vierge. Un jour peut-être, le nom de Jean-Baptiste, et celui des quatorze insurgés inscrits dans un acte notarial, seront gravés sur le monument à côté des noms de leurs victimes. En effet, cette révolte illustre de manière fondamentale la manière dont se sont forgées les idées de citoyenneté républicaine et d'assimilation politique qui tiennent aujourd'hui une place si importante à la Guadeloupe.

Histoire de l'insurrection

Le 24 avril 1793, le *Journal républicain de la Guadeloupe*, une feuille patriote, publiait ce compte rendu de l'insurrection de Trois-Rivières.

> *Les bruits de guerre avec les Anglais & l'apparition de quelques pirates sur nos côtes avoient ranimé l'espoir des ennemis de la patrie. La trame la plus affreuse s'ourdissoit dans les ténèbres, & dans une même nuit tous les amis de l'égalité devoient tomber sous le fer d'assassins soudoyés. Comme tous les moyens sont propres à ces hommes de sang pour parvenir à leur but, ils viennent d'employer le plus dangereux qu'il soit possible d'imaginer. C'est en soulevant les atteliers contre les patriotes, c'est en distribuant de l'argent et des armes aux esclaves, qu'ils espéroient mettre à exécution leur infâme projet. Mais, par un effet de providence, les poignards qu'ils ont aiguisés ont été tournés contre eux-mêmes.*

L'article raconte comment, dans la nuit du samedi, trois soldats faisant leur ronde à Basse-Terre rencontrèrent « des Nègres armés de fusils et de pistolets », qui prirent la fuite après avoir blessé l'un des leurs. Un détachement d'infanterie et quelques cavaliers se regroupaient pour poursuivre la troupe armée quand, au moment de leur départ, « le citoyen Cardonnet arrive du Dos-d'Âne et annonce qu'un grand rassemblement de Nègres se fait aux Trois-Rivières. Aussitôt on fait battre la générale ; tous les citoyens courent aux armes, et dans quelques minutes les treize compagnies de la ville sont prêtes à marcher ».

> *En l'absence du gouverneur, le citoyen Aubert, adjudant général, donne ordre à plusieurs compagnies de se porter de suite au lieu de rassemblement des esclaves. Celle de Charlvet part pour la première & arrive à la pointe du jour au Valcanard. Là, on apprend que les nègres sont en marche pour se rendre à la Basse-Terre ; on envoie de suite un détachement à la découverte, qui, bientôt après, les aperçoit et en donne avis au capitaine. La compagnie se range aussi-*

tôt en bataille près d'une pièce de canon qui étoit chargée de mitraille. Peu après on découvre une colonne d'environ 200 hommes armés de fusils, de pistolets, de sabres et de haches. Cette colonne s'avançoit en silence et en assez bon ordre ; ses mouvements ne paroissoient pas hostiles ; on la laisse approcher jusqu'à portée de fusil. Alors, la sentinelle avancée crie qui vive ; les nègres répondent citoyens & amis *; on leur fait faire halte. Six hommes de la compagnie se détachent pour aller reconnoître ; on s'approche le fusil bandé et la bayonnette presque sur la poitrine. Un des esclaves prend la parole et demande si nous sommes des citoyens, des patriotes ; on répond qu'oui ; en ce cas, dit-il, nous sommes amis, nous venons à votre secours, & n'en voulons qu'aux aristocrates qui veulent vous faire égorger. Nous n'avons point de mauvaises intentions ; nous voulons combattre pour la république, la loi, la patrie, l'ordre. (Ce sont leurs propres expressions.) Nous leur demandons à notre tour s'ils ont à leur tête quelques hommes blancs ou hommes libres ; ils nous répondent que non, & qu'ils n'ont agi que de leur propre mouvement. Sur notre invitation, les quatre principaux chefs se détachent pour venir parler au capitaine & recommandent à leurs gens d'attendre leur retour avec tranquillité. Rendus au poste, ces quatre esclaves nous firent le récit du massacre qui avoit eu lieu aux Trois-Rivières. Brindeau, Roussel, & leurs familles, Damarre et Fougas ont tombé sous leurs coups ; les femmes et les enfans n'ont point été épargnés ; on porte le nombre des morts à une vingtaine de personnes. Vermond & Gondrecourt ont eu le bonheur de s'échapper.*

« Pendant que ces Nègres nous racontoient ces scènes d'horreur », un émissaire était dépêché à Basse-Terre avec la nouvelle du drame. « On avoit fait entendre à ces esclaves que pour prévenir toute allarme il falloit donner connoissance du désir qu'ils avoient de se rendre à la ville. » D'autres troupes arrivèrent pour escorter les esclaves jusqu'à Basse-Terre.

Ils consentirent à tout, & attendirent paisiblement l'arrivée de l'adjudant général, qui vint accompagné de quelques dragons et suivi de la compagnie Belvue, qui, par une manœuvre bien entendue, se trouva à la suite des 200 nègres tandis que celle de Charlvet étoit à leur tête. On se mit ainsi

en marche pour la Basse-Terre. Dans la route, les cris de
vive la république *furent répétés plusieurs fois par les es-*
claves. Arrivés devant l'arsenal, l'adjudant général les fit ou-
vrir les portes, et toute la troupe entra dans la cour. Les
gardes citoyennes s'emparèrent aussi-tôt de toutes les ave-
nues, avec la consigne de ne laisser entrer ni sortir aucun
esclave. Tous les insurgés furent désarmés quelque tems
après, sans aucune observation ni la moindre résistance de
leur part.

L'enquête établira qu'un groupe d'esclaves venant du
lieu-dit Le Parc, aux abords de Basse-Terre, envoya une
délégation au Fort pour offrir son assistance aux fonctionnaires locaux. Avaient-ils des liens avec les insurgés de
Trois-Rivières ? Avaient-ils entendu parler de l'insurrection ? Avaient-ils eu des témoignages occultes de la procession qui traversait Basse-Terre ? On leur répondit que la
loi interdisait aux esclaves de circuler et la délégation se
retira pacifiquement ; « la tranquillité de ce parti fut notée
par les blancs eux-mêmes[2] ».

Le *Journal républicain de la Guadeloupe* achevait son
récit de l'insurrection en signalant la nomination de quatre
commissaires chargés d'interroger les chefs de la révolte, et
de faire connaître diligemment les résultats de leur enquête.
À ce stade, on avait compris que les esclaves avaient déjoué
une importante conspiration royaliste. « [...] Il est certain
qu'il y avoit un grand complot de formé pour livrer la colonie aux Anglais, & qu'un des principaux chefs était Brindeau chez lequel les esclaves ont trouvé six barils de
poudre, & plusieurs boîtes remplies de balles coupées en
plusieurs morceaux enveloppés dans un papier plié en
forme de papillotes. »

La conduite qu'ont tenue ces esclaves dans cette insurrec-
tion est étonnante & presque incroyable. Après avoir em-
ployé leurs armes contre ceux qui les leur avoient données
pour immoler les patriotes, ils n'ont commis aucun vol ;
avant de se mettre en marche pour la Basse-Terre, ils ont
barricadé les portes qu'ils avoient enfoncées, posé des senti-
nelles & fait défense, sous peine de mort, de toucher à la
moindre chose. Il est vrai cependant qu'ils se sont emparés

*de trois cassettes et un sac remplis d'espèces ; mais ils les ont
remis, à leur arrivée, entre les mains des commissaires de la
commission qui, dans ce moment, s'occupe sans relâche des
moyens d'arrêter le mouvement qui paroit avoir été donné
dans toute la colonie*[3].

Vingt-trois Blancs furent tués à Trois-Rivières cette nuit-
là. Un prêtre local a établi comme suit la liste des victimes :
Pierre Brindeau, sa femme et son beau-frère ; Julie-Marie
Fougas ; Jean Gabriel Marre ; la veuve Catherine Roussel
(âgée de soixante ans), son fils Duroc et son fils Désir, la
femme et l'enfant de ce dernier ; la femme et les trois enfants de Hurault de Gondrecourt ; et enfin la femme, la
mère et les deux sœurs d'Éloy de Vermont, dont les dates
de naissance et prénoms étaient inconnus au moment de
l'enterrement parce que les documents de la plantation
avaient disparu pendant l'insurrection. Éloy de Vermont et
Hurault de Gondrecourt se trouvaient sur une plantation
voisine durant la révolte ; ils entendirent les bruits de la
tuerie et, par peur, et parce qu'ils n'étaient pas armés, ils
se réfugièrent dans les bois. Le lendemain, ils apprenaient
l'assassinat de leurs familles. Ils savaient qu'on les soupçon-
nait de tramer un complot antirépublicain, et ils s'enfuirent.
Lorsqu'on les découvrit au mois de mai, le gouverneur ordonna leur arrestation. Ils réussirent à émigrer peu après[4].

Les insurgés identifiables venaient de la plantation Gondrecourt, dont la plupart des esclaves masculins participèrent à la révolte. Ils étaient âgés de quinze à soixante-cinq
ans. Leurs noms et âges sont : Mars, 40, Pierre Ibo, 60,
Étienne, 15, Charles Boriqui, 50, Grec, 42, Gabriel, 46, Thélémaque, 54, Antoine (mulâtre), 45, Hillarion, 65, Girau,
16, Léveillé, 57, Apollon, 16, Bouqi, 19, Laurent, 16, Aura
Saint Francisque, 18, et Ouanoua, 20. Les membres de la
famille Hurault de Gondrecourt furent probablement tués
par leurs propres esclaves. Il semble que des esclaves extérieurs attaquèrent la plantation de Catherine Roussel, car
aucun esclave de cette plantation ne se trouvait dans le
groupe qui s'est présenté aux soldats blancs de Basse-
Terre[5].

L'insurrection est le plus grand massacre de Blancs qui ait eu lieu sur l'île au XVIIIe siècle. Pourtant, aucun esclave ne fut puni. Mieux, leurs propos déclenchèrent une enquête approfondie sur la conspiration qu'ils prétendaient avoir déjouée. Comme le font ressortir les documents, ils apportaient la preuve de leur innocence avec celle de la culpabilité de leurs victimes. Les autorités républicaines privilégient la version des insurgés : poussés par leurs maîtres à massacrer les républicains, ils se seraient dressés contre les royalistes pour protéger la République, et lui témoigner leur attachement.

Un examen de la révolte doit prendre en considération le cheminement complexe des preuves — depuis les témoignages des esclaves jusqu'aux comptes rendus et mémoires, seules sources aujourd'hui disponibles. La paranoïa des Blancs a sans aucun doute exagéré l'importance de la conspiration des esclaves. Brutalisés, craignant pour leur vie, ceux-ci ont dû produire des témoignages dictés par les questions des Blancs plutôt que par le souci de la véracité. Les témoignages dissimulaient aussi certains aspects de la révolte. Cependant, une analyse des documents permet de cerner les causes et la signification de chaque révolte particulière. Dans le cas de Trois-Rivières, la situation était singulière en ce sens que, pour les républicains de la Guadeloupe, l'idée d'une conspiration des royalistes faisait aussi peur que celle d'une conspiration d'esclaves. La crainte d'un complot antirépublicain était vraisemblable, compte tenu des événements des années précédentes. Cette crainte faisait partie du contexte dans lequel la révolte des esclaves s'est déroulée, et elle a aussi fourni le cadre d'interprétation des républicains qui devaient juger les esclaves insurgés[6].

Le compte rendu le plus détaillé sur l'insurrection est le « Rapport du Comité de sûreté générale à la Commission générale et extraordinaire de la Guadeloupe ». Remis le 8 mai 1793, ce document est le résultat d'une recherche et d'un travail extensifs réalisés par l'ensemble du comité. Il décrit en détail les événements qui ont conduit au « Massacre de Trois-Rivières », et conclut que le nœud du drame est le projet des « scélérats » royalistes. La révolte du

21 avril serait le résultat d'une conspiration générale impliquant la totalité de l'île. À l'instar de la déclaration des nouveaux citoyens de Basse-Terre, le rapport loue l'intervention de Lacrosse, qui a sauvé la colonie d'un précédent soulèvement royaliste, mais il émet une mise en garde : malgré leur défaite, les royalistes, « ces cannibales qui ne respirent que sang et carnage », sont restés sur l'île où ils poursuivent leurs tractations avec l'ennemi. Ils « manœuvrent sourdement dans les ateliers [...] », et ils ont lancé vers quelques-uns « l'appât d'une liberté dont ils n'ont jamais eu l'idée »[7].

Le Comité de sûreté générale de la Guadeloupe s'inspirait du comité jacobin du même nom qui exerçait en France, avec le Comité de sûreté publique, une pression toujours plus forte. En métropole comme dans les colonies, la défense de la nation s'accompagnait d'accusations de trahison où la rhétorique l'emportait de plus en plus sur la consistance des preuves juridiques. Le Comité de sûreté générale de la Guadeloupe comptait parmi ses membres Verdelet, que Collot accusait de sympathie pour les insurgés, et Jean-Baptiste Pautrizel, un gros propriétaire terrien dont les terres comprenaient « 50 carrés dans le quartier des zombis », une zone boisée sur les hauteurs dominant la ville de Trois-Rivières. Avant la Révolution, Pautrizel avait obtenu (comme son ami Coquille Dugommier) l'ordre de Saint-Louis. Il avait rallié le camp des jacobins au début de la Révolution, puis il avait été élu maire de Trois-Rivières ; le drame renforçait sa stature politique et celle du groupe social dont il faisait partie. Ce groupe avait eu peu de contacts avec les victimes de l'attaque[8].

La position antiroyaliste et jacobine des membres du Comité se doublait d'une certaine paranoïa, mais la réalité des projets politiques antirépublicains et ce qui se tramait à la Guadeloupe justifiaient leurs propos alarmistes. Divers groupes politiques prenaient activement part aux conflits, comme en témoignent la mainmise des royalistes sur la colonie avant l'insurrection de 1793, puis la domination anglaise, en 1794, et l'une des possibilités d'action consistait à armer les esclaves. Quelques mois avant l'insurrection, les royalistes assiégés avaient fourni des armes à des centaines, voire des milliers d'esclaves pour les faire intervenir dans le conflit, comme ils avaient déjà brièvement tenté de le faire à Basse-Terre en 1792. Le génie des insurgés fut d'intervenir dans ce conflit d'une manière inattendue qui allait paralyser le bras juridique et punitif d'une population blanche scindée en deux. Dans un contexte où le témoignage de l'esclave n'avait aucun poids, les esclaves, en tant que groupe, accusèrent leurs maîtres de trahison et exécutèrent la punition, avant de présenter le fait accompli aux autorités locales. Ils intentèrent leur propre procès, développèrent leurs propres accusations et appliquèrent leur propre sentence. Leur révolte détermina la tenue de l'enquête, qui pour l'essentiel accuserait ceux que les esclaves avaient déjà accusés, et punis comme traîtres à la République. Après avoir interrogé les insurgés, les membres du Comité de sûreté générale surent tirer les conclusions qui s'imposaient. Les républicains savaient peut-être que les royalistes s'organisaient contre eux, mais la révolte des esclaves avait dévoilé leurs plans, et elle autorisa leur contre-attaque. L'action des esclaves définissait le récit des républicains à mesure que ces derniers refaisaient l'histoire à rebours pour expliquer la révolte. Les accusateurs bénéficiaient de la disparition de la plupart des accusés pour crier à la conjuration royaliste.

Malgré ses sources, le rapport considère les esclaves comme s'ils n'étaient que le prolongement armé des Blancs ; sans jamais approfondir le fait que les esclaves ont indéniablement choisi leur camp, et sans s'interroger sur la signification de leur initiative, il s'inquiète surtout des idées dangereuses que l'insurrection va semer dans la population esclave de l'île. Les patriotes étaient impressionnés par l'action des insurgés, et ils les protégeaient. Mais ils ne pouvaient pas se résoudre, tout au moins au début, à les exonérer de leurs actes, et moins encore à en faire des soldats de la République. Cette incertitude sur l'attitude à observer face à l'insurrection imprègne le rapport. Elle se prolongera pendant une année, témoignant de l'ambiguïté profonde des Blancs, y compris des républicains radicaux, face à l'idée que les Noirs représentaient désormais une force politique. Pour la plupart des Blancs exposés de près à l'insurrection de Trois-Rivières, la participation des esclaves à la vie politique française, pourtant clairement exprimée comme un élément déterminant par les événements de Saint-Domingue l'année suivante, restait une chose « impensable [9] ».

« Faits et Circonstances »

La révolte commença sur la plantation de Pierre Brindeau, le premier tué de l'insurrection. Les jours précédents, Brindeau avait essayé de vendre ses terres ; il voulait émigrer. La transaction impliquait deux autres personnes, Catherine Roussel et Hurault de Gondrecourt, elles aussi victimes de l'insurrection. Selon Lacour, la vente fut le détonateur de la révolte. Le chef et porte-parole des insurgés, Jean-Baptiste, était le commandeur de la plantation Brindeau. Lacour affirme que Brindeau avait toute confiance en son domestique. Il l'avait fait acquitter d'un larcin et l'avait pratiquement libéré. Lacour s'indigne que Jean-Baptiste ait abattu Brindeau avant d'assassiner sa femme et son jeune frère [10].

Dans sa version des événements, l'historien néglige un aspect capital de la relation entre Brindeau, Jean-Baptiste et les esclaves de la plantation qu'il avait achetée depuis moins d'un an. Cette propriété avait appartenu à Coquille Dugommier. Le processus compliqué qui permit à Brindeau d'acquérir les biens de Dugommier après sa fuite est un élément parmi d'autres des conflits politiques qui éclatèrent entre royalistes et républicains en 1792. Brindeau, sympathisant royaliste, avait acheté la plantation d'un républicain notoire, contraint à l'exil par les royalistes à une époque où les républicains perdaient du terrain. Après l'acquisition de la propriété, Brindeau avait participé à la prise de contrôle de Basse-Terre par les royalistes ; en avril 1792, un an avant la révolte, il avait été nommé commissaire de la ville [11].

Le sieur Brindeau était avocat au Conseil souverain de
l'île. À ce titre, il représentait Marie Lauriol, un membre
de la famille à laquelle Dugommier avait acheté sa propriété dix-sept ans plus tôt. Dugommier avait fui la Guadeloupe en laissant derrière lui de grosses dettes, notamment
auprès de la famille Lauriol, et la cour de Basse-Terre avait
donné tout pouvoir à Brindeau pour inventorier sa propriété. Lorsqu'il s'exécuta le 27 février 1792, trois personnes l'accompagnaient pour l'inventaire : Charles de
Gondrecourt, Joseph Mondésir Roussel et Julie Fougas ;
leurs plantations furent attaquées en avril 1793. Était également présent Jean-Baptiste Larriveau, que Dugommier
avait nommé procureur général de ses affaires avant sa
fuite précipitée. Quelques mois après l'inventaire, peut-être
pour se soulager de ses soucis, Larriveau concluait un
marché avec Brindeau : en échange du sucre et du café de
la plantation, le nouvel acquéreur s'engageait à honorer le
paiement d'une partie des dettes de l'ancien propriétaire.
En 1802, lorsque la veuve de Dugommier revint à la Guadeloupe pour réclamer la propriété de son époux, elle protesta que l'acte de vente contenait des absurdités et des
irrégularités. Larriveau avait notamment fait l'erreur de
rattacher à la plantation de café un certain nombre d'esclaves qui avaient toujours travaillé sur la plantation de
sucre [12].

Les esclaves de Dugommier ne pouvaient évidemment
pas rester indifférents à ces transactions ; ils appréhen-
daient la mainmise de Brindeau sur la propriété et sur leur
personne. Le jour de l'inventaire, ils abandonnèrent la
plantation en emmenant avec eux les quatre meilleures
mules du domaine. M. Decostaing, le représentant de la
plantation, déclara devant notaire que « tous les esclaves
grands et petits se sont absentés de l'habitation depuis ce
matin dès l'aube du jour, et qu'il ne peut par conséquent
les représenter ». On dressa un inventaire des esclaves en
utilisant une liste ancienne, dans laquelle M. Decostaing
corrigea les erreurs. Il fut noté que les experts « connoissant
d'ailleurs la majeure partie des dits esclaves », on pouvait
en dresser une liste précise malgré leur absence. Elle n'af-

fectait pas, consignait le notaire, le droit à la propriété de Brindeau [13].

La propriété comptait 170 esclaves : 70 hommes, 66 femmes et 34 enfants de moins de quatorze ans. À la date de l'inventaire, 13 esclaves avaient été confiés au sieur Jouvet, marchand à Basse-Terre, comme garants d'une dette de Dugommier. Sept d'entre eux étaient déclarés travailleurs expérimentés. Lorsque Brindeau acheta la plantation, tous ces esclaves étaient inclus dans la vente, à l'exception d'une mulâtresse, Luce, et de ses quatre jeunes métis — vraisemblablement les enfants de Dugommier. Un autre esclave avait une relation particulière avec Dugommier, du moins par son nom : Jean-Baptiste Gommier, âgé de trente-huit ans, valait un prix élevé dans l'inventaire, bien que moins élevé que Pierre, le commandeur de la plantation. Mais son nom laisse imaginer qu'il avait joué un rôle d'organisateur parmi les esclaves. Ainsi Jean-Baptiste, le meneur de la révolte et, d'après Lacour, l'assassin de Brindeau, était le second républicain important de l'île à porter le nom de « Gommier [14] ».

Ces esclaves — peut-être Jean-Baptiste, peut-être d'autres — racontèrent au Comité l'attitude de Brindeau avant l'insurrection. Selon le rapport, Brindeau « avoit acheté des sabres pour armer ses nègres et leur disoit mille horreurs des patriotes ; il annonçoit que leur triomphe ne seroit pas long, qu'ils ne s'attendoient pas au coup qu'on alloit leur porter, que les factieux avoient 800 nègres prêts [...] avec lesquels ils devoient attaquer la Basse-Terre du côté du Dos-d'Âne ». Le rapport accusait également la famille Vermont, dont la plantation avait été mise à sac ; Vermont père, qui vivait à Basse-Terre, « vouloit faire mourir à petit feu un nouveau citoyen, excitoit ses nègres contre les patriotes, leur ordonnoit de leur tomber dessus, et avoit chez lui quantité d'armes et de munitions, et même des canons de campagne [15] ».

Le rapport nommait d'autres royalistes qui, bien qu'épargnés par la révolte, faisaient partie de la conspiration déjouée par les esclaves. Plusieurs avaient prêté main forte à la prise de Basse-Terre en 1792. Le sieur Beauvalon, par exemple, avait ordonné à ses esclaves d'attaquer Basse-Terre pour permettre la fuite des candidats à l'émigration ; Romain Lacaze, de Pointe-Noire, avait organisé une troupe d'esclaves et reçu des armes des Anglais ; des émigrés s'étaient récemment exilés à Saint-Eustache ou sur d'autres îles anglaises, voire en Angleterre, d'où ils organisaient la contre-Révolution dans les Antilles. On accusait Cézaire Billery d'avoir fomenté un plan pour regrouper les royalistes de la Guadeloupe avec l'appui de leurs esclaves armés et des gens de couleur, le concours des émigrés de Grenade et celui des forces anglaises. Un nouveau citoyen affirmait que Billery lui avait demandé d'aider les royalistes à s'emparer du Fort Saint-Charles en se faisant porter malade quand il serait de faction, pour les laisser entrer dans la place. On accusait Billery d'avoir tiré sur une patrouille de la ville ; Billery prétendait qu'il avait seulement ouvert le feu sur des esclaves et des gens de couleur qui le menaçaient[16].

Le rapport note qu'avant l'insurrection, des rumeurs de libération imminente avaient circulé : « Un inconnu [...] répandoit que l'arbre de liberté[17] étant planté, il ne devoit plus y avoir d'esclaves. » On recherchait l'origine de ces rumeurs dans « la demande que veulent faire les nègres, au général, *des droits qui leur étoient arrivés.* » Comme je l'ai expliqué, les rumeurs résultaient d'un brassage général de déclarations extérieures, qui les catalysait en actions. Le Comité avait beau essayer de localiser leur source, il ne fournissait qu'une liste de noms : « Louis dit Papa à Blin, Jean à Huré, Joseph à veuve Heurtaut. » Selon une autre rumeur, extérieure à l'île, un esclave portugais appartenant à Courtez avait déclaré « qu'un pays lui a parlé d'un rassemblement de six cents nègres armés ». Cette rumeur, doublée de la mobilisation massive des esclaves par les Blancs, aurait pu déclencher la révolte. Or, répétons-le, les différentes mesures prises par les esclaves dès le début de leur action — la protection des maisons après leur mise à sac, la marche vers Basse-Terre à la rencontre des forces armées — indiquent qu'il y avait derrière leur révolte plus qu'une rumeur de liberté imminente : leur compréhension du fonctionnement de la culture politique républicaine, et des conflits qu'elle engendrait, était très complexe[18].

De fait, le rapport n'est dans son ensemble qu'un tissu d'accusations peu claires sur les actes de différents individus. Et lorsqu'il retrace des actes individuels, il sombre dans la confusion :

> [...] *Un jeune nègre inconnu a cherché à acheter des armes [...] Les ateliers de Petit Moustier sont débandés. Un autre complot se découvre et compromet Joseph à Angeron, Jean-Baptiste et Jean-Charles à Pithion, Augustin et Pierre à Natoire, et Paul à veuve Baronnet. Une autre chaîne lie Thomas à Leborgne, Lafeuillade et Marcel à Deidie. Une autre trame complique Siméon à Dourneaux, Tapage à Angeron, Toussaint à Angeron, précédemment évadé de la geôle, Hyppolyte aux héritiers Guyonneau, aussi évadé de la geôle, Yoyo à Pédémont*[19]...

La conspiration se résumait en fin de compte à une liste de noms soutirés aux insurgés après interrogatoire, et cette liste livrait peu d'informations sur les événements. Le Comité avait par ailleurs élargi la définition de ce qui constituait un danger, et une preuve pouvait prendre une multiplicité de formes : par exemple, la « négresse Anne » déclarait que, peu avant l'insurrection, Jean-François lui avait donné une canne avec un couteau dissimulé à l'intérieur ; la canne fut déposée comme preuve[20].

La description de certains « complots » donne une idée du type de contacts qui ont pu se tramer durant l'organisation de l'insurrection : « Un jeune mulâtre au sieur Désilets dénonce un mulâtre inconnu comme l'ayant engagé à ouvrir la nuit la porte de la maison de son maître. » Un certain « Jean mulâtre à Épinard » est accusé de trafiquer des armes et d'avoir tenu des propos séditieux à d'autres esclaves. Deux marrons — l'un s'est enfui dix mois plus tôt et s'est réfugié quelque temps sur la plantation d'une royaliste suspecte, Dame LeBlond — ont été capturés dans la zone de l'insurrection et jetés en prison. Un esclave, « Étienne à Jouve », est accusé d'avoir dit à un autre esclave dans la soirée du samedi : « *Si je ne viens pas à minuit, dites que je serai mort*[21]. »

Dans certains cas, le rapport révèle l'état d'esprit compliqué, mélange d'accusation et d'autoprotection, qui semble dominer l'enquête. Par exemple, un marron capturé en dénonce un autre, coupable d'avoir incité les esclaves à l'insurrection. Souvent aussi, le rapport délivre un flot d'accusations complexes et peu concluantes. « Paul Daleyrac dénonce le mulâtre Josille à Capbert fils, et déclare que celui-ci a fait une dénonciation contre Pierre Angeron, ce qui est démenti par Josille, qui charge Étienne Merlo de lui avoir offert de l'argent. » Dans un autre registre, un planteur accuse le nouveau citoyen Benoît de l'avoir calomnié ; en échange, Benoît accuse le planteur d'avoir tenté de désorganiser la garde nationale, et répandu de fausses rumeurs de troubles parmi les esclaves d'une autre plantation pour semer le désordre dans la colonie. Les accusations pouvaient être assez sérieuses pour entraîner d'autres morts. Le 23 avril, un certain Brouchier, gérant de plantation, accusé de faire partie des royalistes qui avaient armé les esclaves, mettait ses papiers en ordre et se jetait dans un ravin — ce qui, selon le rapport, confirmait sa culpabilité. L'un des esclaves qui remontaient le corps trouva dans les poches du mort des papiers adressés à son ami Butel, qu'on accusa de les avoir dissimulés pour se protéger[22]. Le lendemain du massacre, dans les zones voisines de Baillif et d'Habitant, un esclave domestique du nom de Jean avertissait le gérant de sa plantation que deux esclaves, les frères Maximin et Denis, avaient prévu « d'égorger et assassiner tous les blancs, d'obtenir leur liberté et de se former un camp dans les bois pour se défendre envers et contre tous ». Maximin et Denis furent emprisonnés à Basse-Terre en même temps que deux autres meneurs identifiés ; Maximin protesta de son innocence ; il avait agi parce qu'un « nègre libre » nommé Julien lui avait affirmé « que l'on demandoit 5 000 nègres et qu'il y avoit 5 000 libertés de signées pour donner aux nègres qui viendroient se battre contre les Anglais[23] ».

Ces faits apportent peu de preuves concluantes sur l'organisation de la révolte, mais ils soulignent les grandes lignes de sa préparation. Le centre de l'insurrection était la plantation Brindeau et les plantations des autres victimes ; leurs esclaves avaient déjà été mobilisés pour des actions armées et, si l'on en croit leurs témoignages, la situation était sur le point de se répéter ; dans ce contexte, Jean-Baptiste dut exercer une influence déterminante en organisant la révolte sur la plantation Brindeau ; cette action s'inscrivait dans une appréciation générale de la situation qui permettait aux insurgés d'estimer qu'en attaquant Brindeau et d'autres royalistes, ils recevraient un bon accueil des patriotes. Leur croyance devait être très forte ; s'ils l'avaient voulu, ils auraient pu s'enfuir dans les montagnes, et se réfugier dans les communautés marrons. Au contraire, ils avaient décidé de se rendre et de s'en remettre aux républicains en témoignant de leur action et de leur désir de servir la République. Ils avaient prévu l'accueil qu'ils recevraient à partir de leur observation des conflits politiques de la région — et ce calcul était correct.

Les événements de Trois-Rivières avaient été organisés au niveau local, mais ils participaient d'un contexte plus général qui impliquait les nouveaux citoyens, les esclaves des plantations et les marrons en contact avec les esclaves. Ces liens, dont j'ai décrit plus haut les réseaux entre les plantations, et entre les esclaves et les gens libres, délimitaient le terrain où se bousculaient projets, idées et rumeurs. Bien que le rapport ne mentionne pas les autres causes profondes de l'insurrection, des liens communautaires fondés sur les traditions religieuses et les langages d'Afrique jouèrent indéniablement un rôle, comme à Saint-Domingue. Mais l'origine des documents — et de la révolte même — positionne la question de l'aide à la République au cœur de l'insurrection. L'intervention des esclaves leur permit à la fois de refuser l'esclavage et de s'opposer aux ennemis de la République ; ce faisant, ils faisaient allégeance à une nation qui les excluait encore.

Après avoir décrit les incidents, le Comité concluait que, les informations étant insuffisantes pour engager des poursuites, il fallait poursuivre l'enquête. Le rapport final se distingue par son absence notable de conclusions. Le document ordonne de s'en remettre au pouvoir judiciaire de la ville pour juger les esclaves ; il statue explicitement qu'on ne décidera rien sans une « parfaite et entière instruction » au cas par cas. Il recommande d'arrêter tout individu convaincu d'avoir conspiré pour livrer la colonie aux Anglais, ou pour pousser les esclaves à la révolte[24]. Malgré ses préventions personnelles contre plusieurs membres du Comité, le gouverneur Victor Collot approuva les décisions du rapport ; au cours des mois suivants, il ordonna l'arrestation de nombreux royalistes. Le rapport dressait un portrait de la Guadeloupe emportée dans un conflit politique général générant un climat d'accusation et de suspicion qui rendait possibles les « preuves ». Il se fixait la tâche de découvrir les racines de l'insurrection et de restaurer l'ordre dans la colonie, mais se révélait incapable de comprendre le processus politique au cœur de l'insurrection. S'il paraissait évident que les royalistes avaient armé les esclaves pour leur faire jouer un rôle dans leurs conflits, le retournement des esclaves contre les royalistes créait un sentiment de confusion et de célébration, du moins chez les patriotes. Au-delà, ce retournement représentait quelque chose de plus profond.

Quelques jours après l'insurrection, selon le *Journal républicain de la Guadeloupe,* des esclaves venus de tous les coins de l'île se présentèrent aux autorités locales comme les représentants des esclaves des plantations. Ils venaient « offrir leurs bras à la République. Ils se sont plaints en même temps de ce que leurs maîtres ne leur donnoient pas une nourriture suffisante ». En réponse, la Commission générale et extraordinaire décrétait, le 22 avril, que les esclaves devaient rester sur les plantations et ne les quitter sous aucun prétexte[25]. Le succès des insurgés, qui avaient réussi non seulement à éviter les punitions en s'expliquant sur leur action, mais à créer une ouverture, avait dû surprendre les esclaves ; en envoyant à leur tour des représentants exprimer leurs doléances et assurer les fonctionnaires républicains de leur appui, ils exprimaient leur pouvoir politique. Les insurgés avaient paralysé le pouvoir juridique en intervenant dans un conflit entre Blancs républicains et royalistes. Ils l'avaient sérieusement aggravé, car jamais autant de Blancs n'avaient été tués en même temps à la Guadeloupe. Ils lui avaient aussi donné une nouvelle définition tout en définissant leur propre rôle à l'intérieur de ce conflit.

Remous de l'insurrection

Le 22 mai 1793, à la requête de Saint-Germain Roussel, unique héritier de Catherine Roussel sa mère, on procédait à un inventaire de la plantation laissée par la défunte. Le document signale les décès familiaux « dans le malheureux événement de la nuit du 20 au 21 avril dernier », et se propose de procéder à une estimation complète de la plantation avant sa remise en fonctionnement. Un notaire et plusieurs fonctionnaires locaux accompagnaient Saint-Germain. La maison était restée close depuis l'insurrection.

> *Après avoir visité ses différents appartements, nous avons trouvé une partie des meubles tous fracassés et des papiers dans le plus grand désordre, lesquels papiers nous avons mis ensemble dans un grand panier Caraïbe qui est resté dans la salle, nous avons fait ramasser tous les linges qui sont dans un état effrayant et que nous avons mis en tas sur le billard de la dite salle, ainsi que beaucoup d'ustensiles de ménage afin qu'ils ne soient pas susceptibles d'être soustraits [...] Et à la réquisition du citoyen Saint-Germain Boutreau Roussel, la municipalité fait apposer de nouveau les scellés sur toutes les portes et fenêtres du dit bâtiment.*

Dans d'autres pièces, le groupe découvrit un miroir brisé, trois armoires défoncées et une petite commode en pièces. Ailleurs, il y avait peu de désordre ; un lit était toujours entouré de sa moustiquaire, et les produits pharmaceutiques étaient restés intacts sur les étagères. Ni le moulin ni les champs n'avaient subi de dommages. L'inventaire notait la présence de deux cents esclaves sur la plantation — il n'est indiqué nulle part qu'aucun ait été emprisonné, à l'exception d'Isidor et de Louis, qui sont signalés en prison. L'inventaire terminé, le groupe se rendit à l'hôtel de ville de Trois-Rivières, où Saint-Germain récupéra un coffre rempli d'objets de valeur. Les insurgés s'en étaient saisis durant l'insurrection avant de le remettre au Comité général et extraordinaire. Il contenait des bijoux, des assiettes en argent et en or, une théière, des cuillères en argent, deux montres en or et de l'argent en espèces[26].

Le 14 juin 1793, le même groupe procédait à l'inventaire de la plantation Gondrecourt. Son propriétaire avait quitté l'île quelques jours plus tôt sans laisser de parent vivant. Selon la loi républicaine sur la propriété des émigrés, la plantation revenait à l'État. Cette loi votée en France en août 1792 était appliquée à la Guadeloupe depuis le début d'avril 1793. Comme beaucoup d'autres plantations, celle de Gondrecourt devenait propriété de l'État avec un administrateur chargé de la gérer au nom du gouvernement. En moins d'un an, sous la supervision de Victor Hugues, la moitié des plantations de la Guadeloupe avaient fait l'objet des mêmes mesures. Jean-Baptiste Pautrizel, le maire de Trois-Rivières et l'un des piliers du Comité de sûreté générale qui avait libéré les esclaves responsables de la fuite de Gondrecourt, faisait partie de l'équipe chargée de superviser les transferts[27].

L'acte notarial du 17 juin 1793 dressait un inventaire détaillé de la propriété de Gondrecourt après l'insurrection. La plantation était restée inhabitée pendant deux mois. Les chambres des femmes étaient en désordre. La plupart des objets étaient restés intacts. La liste des esclaves comprenait les dix-sept hommes emprisonnés depuis l'insurrection. Ils étaient toujours propriété de Gondrecourt, de même que cinq esclaves marrons, et appartenaient désormais à l'État[28].

Une décennie plus tard, Gondrecourt décrira comment, pendant la révolte, ayant appris la nouvelle de la mort de sa famille et « croyant que c'était un massacre général dans la colonie », il s'échappa dans les bois et y resta caché plusieurs jours. Il se sentait en danger. Avec l'aide d'un ami, il quitta l'île en pleine nuit et gagna Saint-Christophe et Saint-Eustache. Un an plus tard, en avril 1794, ayant entendu dire que les Anglais s'étaient emparés de la Guadeloupe, il était revenu prendre possession de sa plantation. Elle était complètement dévastée. Trente-huit pour cent des Noirs étaient morts ou avaient quitté les lieux. Quarante vaches avaient disparu, ainsi que 27 des 32 mules. Il ne restait plus de meubles, et « tous les bâtiments étaient dégradés, détériorés et dans le plus mauvais état ». Les bâtiments de traitement de la canne étaient « entièrement écrasés ». Gondrecourt entreprit de reconstruire la plantation, mais les républicains avaient entamé la reconquête de l'île et, craignant des représailles, il abandonna l'île pour gagner l'Angleterre. Il emmenait avec lui quelques domestiques et cultivateurs. Il était de retour une décennie plus tard, alors que l'esclavage venait d'être rétabli, mais il ne réussit pas à remettre à flot sa plantation et décida de quitter l'île pour toujours[29].

Gondrecourt avait survécu à l'insurrection, mais il ne réussit jamais à récupérer ses biens. En fait, l'insurrection de Trois-Rivières avait complètement remodelé la topographie de la ville. Au cours des dix années suivantes, la population des plantations connut un changement radical ; parmi les esclaves libérés, les hommes en particulier émigraient vers les agglomérations ou choisissaient le service militaire. Trois-Rivières était désormais presque entièrement entre les mains d'une nouvelle classe d'administrateurs dont le recours à des méthodes coercitives pour l'exécution des travaux transformait le principal acquis de la révolte — la citoyenneté des esclaves — en une victoire douce-amère. Même après la période d'émancipation, l'effet de la révolte restait profond, structurant la composition sociale et la mémoire du bourg de Trois-Rivières.

La révolte de Sainte-Anne

Dans l'immédiat, l'insurrection suscita d'autres révoltes ; elle avait créé une configuration nouvelle où les citoyens de couleur se préparaient à jouer leur rôle dans la vie publique insulaire. Les esclaves insurgés restaient prisonniers, mais les relations de pouvoir entre les gens de couleur, les Blancs et les esclaves avaient été profondément altérées.

Quelques semaines avant la révolte de Trois-Rivières, à l'issue d'une tournée sur Grande-Terre, le gouverneur Collot faisait confidentiellement part de sa conviction : la paix régnait sur l'île. Ses interlocuteurs, soucieux d'en finir avec les conflits des factions, souhaitaient s'unir pour protéger la Guadeloupe. La détermination des gens de couleur à « verser tout leur sang pour conserver cette colonie à la République », leur esprit de réconciliation avaient particulièrement impressionné le gouverneur. Dans la commune du Moule, on lui avait demandé de pardonner les agissements antigouvernementaux du planteur royaliste Clugny, qui était en fuite. Tirant parti de cette proposition, Collot organisa un rituel de réconciliation. Il se rendit à la plantation de Clugny accompagné de soldats portant le drapeau tricolore, et déclara à la femme du fugitif que les « vrais républicains » ne souhaitaient pas se venger, mais pardonner les erreurs de leurs adversaires. Un peu plus tard toutefois, Collot nota la présence dans la colonie d'« un germe invisible qui tend à l'indépendance ». La révolte de Trois-Rivières et ses ondes de choc vinrent très vite anéantir le mythe de la réconciliation[30].

L'agitation des esclaves ne se limitait pas au secteur de Trois-Rivières. Elle était devenue un phénomène aux dimensions de l'île ; son mouvement s'accéléra pendant des mois après l'insurrection. En août, Sainte-Anne — l'une des communes dont Collot avait noté la tranquillité — était frappée de plein fouet par un important soulèvement. Sainte-Anne, l'un des principaux centres de production du sucre à la Guadeloupe, bénéficiait d'un climat plus sec et d'un relief plat propice aux grandes plantations. L'une des premières insurrections d'esclaves à la Guadeloupe avait eu lieu sur cette commune en 1791. Comme sur Basse-Terre, la région mitoyenne des Bas-Fonds, une zone peu peuplée couverte de petites collines, servait de refuge aux communautés marrons. L'insurrection de Sainte-Anne éclata le 26 août 1793 dans un contexte de conflits aigus tandis que partout dans la colonie la Commission générale et extraordinaire arrêtait les royalistes accusés d'activités subversives.

Victor Collot décrivait l'insurrection de Sainte-Anne dans le même rapport de 1796 où il commentait la révolte de Trois-Rivières. Selon l'ancien gouverneur, ses instigateurs étaient les jacobins, ses ennemis politiques. Les troubles commencèrent avec l'arrivée d'une délégation de gens de couleur de Sainte-Anne à Pointe-à-Pitre. Menée par un certain Auguste, elle réclamait la fin des arrestations et la libération de certains prisonniers. Les membres du Comité de sûreté publique profitèrent de l'occasion pour retourner la délégation contre Collot. À les entendre, le gouverneur avait reçu de la métropole une loi accordant aux enfants illégitimes les mêmes droits sur l'héritage qu'aux enfants légitimes. Il la gardait secrète pour en retarder l'application. Interpellé par Auguste, Collot affirma n'avoir reçu aucune loi de ce type ; qui plus est, aucune instruction ne lui était parvenue de la métropole depuis des mois. Mais la rumeur était très favorable aux gens de couleur, et elle ne tarda pas à se répandre dans Sainte-Anne. Collot affirmait que son instigateur, un certain André Mane, qui avait pris ses quartiers avec Auguste et un autre homme de couleur, était un membre du Comité.

Cette rumeur évoquait les précédentes, qui avaient déclenché d'autres insurrections, notamment celle de Sainte-Anne, deux ans plus tôt. Là encore, un gouverneur local refusait de divulguer de prétendus ordres venus de la métropole, dont l'exécution était censée apporter plus d'égalité sociale sur l'île. Là encore, une révolte éclatait pour exiger l'extension des droits conformément à la rumeur. En 1793, les revendications des insurgés allaient rapidement dépasser le stade initial, et porter sur la cessation de l'esclavage et un droit égal à l'héritage paternel, pour les esclaves libres comme pour les esclaves qui ne l'étaient pas. Collot rapporte que lorsqu'on demanda aux insurgés ce qu'ils voulaient, ils s'écrièrent d'une seule voix : « La loi ! La loi ! » Il décrit comment « 1 000 à 1 200 Africains de cette commune se rassemblent, pillent plusieurs maisons, s'emparent des armes et des munitions qu'ils y peuvent trouver ».

Sans attendre les instructions, la garde nationale chargeait les insurgés, en tuait une poignée, dispersait les autres dans les bois. Le lendemain, Collot arrivait avec de nouvelles troupes et attaquait le reste des émeutiers. Beaucoup furent tués, les autres se dispersèrent. L'ordre était rétabli sur les plantations. Pour défendre son action, Collot observait que l'esclavage n'ayant pas encore été aboli, il ne pouvait s'opposer aux lois de la nation. Sans une violente répression, « tous les atteliers de la Grande-Terre étaient soulevés », suivis de ceux du reste de l'île, et « la destruction de la colonie eût été la conséquence »[31].

La rapidité avec laquelle la révolte fut réprimée s'explique en partie par le fait que, depuis les incidents de Trois-Rivières, la politique à l'égard des esclaves s'était durcie. La surveillance du territoire, beaucoup plus rigoureuse depuis le mois d'avril, facilita l'action décisive de la garde nationale de Sainte-Anne. De leur côté, les Comités locaux et la Commission générale et extraordinaire avaient repéré les fauteurs de troubles potentiels dans différentes communes. La surveillance était une priorité absolue, et les ordres de Collot autorisaient arrestations et détentions préventives[32]. Non seulement la répression fut foudroyante, et plus rigoureuse à Sainte-Anne qu'à Trois-Rivières, mais les insurgés en subirent beaucoup plus durement les effets. Tandis que les insurgés se débandaient, les soldats poursuivaient les esclaves dans différentes parties de la commune, en particulier sur les hauteurs où ils s'étaient rassemblés. Les trois meneurs identifiés de l'insurrection avaient été exécutés par les Blancs de Sainte-Anne sans autre forme de procès. Entre la fin août et la mi-septembre, 79 esclaves passèrent en jugement pour leur participation à l'insurrection : 29 furent exécutés, 10 jetés en prison, 5 fouettés et 35 innocentés[33].

À la différence de celle de Trois-Rivières, la révolte de Sainte-Anne était dirigée par des citoyens de couleur. D'après le compte rendu de la municipalité, les meneurs — Baulieu, André Mane et Auguste dit Bonretour (celui qui était allé voir Collot à Pointe-à-Pitre avant l'insurrection) — avaient mobilisé les esclaves en leur disant : « Marchez avec nous. Tous les nègres sont libres. » Les trois hommes se proposèrent ensuite comme négociateurs entre les Blancs et les esclaves. Au matin du 26 août, après les tout premiers combats, Auguste dit Bonretour entra dans la ville et rencontra son maire : « Tout est perdu, lui dit-il, ces gens ne veulent plus entendre raison. *Je n'en suis plus le maître.* Leur nombre grossit à chaque instant ; ils sont supérieurement armés et bien fournis de munitions. Ils veulent la liberté et se rendent à leurs camps. En conséquence, avant peu ils seront plus de trois mille. » Auguste recommandait d'offrir leur liberté à certains insurgés, et « nous ferions rentrer les autres dans le devoir ». Les Blancs considéraient cette offre de négociation comme « insidieuse et détestable » ; ils choisirent de combattre immédiatement les insurgés. Auguste fut tué par la foule.

L'action entreprise par Auguste fait entrevoir une éventualité : les citoyens de couleur avaient perdu le contrôle des esclaves qu'ils avaient mobilisés ; leurs craintes et leur désir de rester maîtres des événements étaient peut-être sincères. De fait, quand les Blancs de Sainte-Anne eurent été rejoints par la troupe stationnée dans la proche localité d'Abymes, et qu'ils battirent la campagne pour attaquer les insurgés, ce n'est pas dans leurs camps qu'ils les découvrirent, mais sur les grandes plantations de sucre de la plaine, où ils invitaient les autres esclaves à les rejoindre. Les engagements militaires mirent en fuite les esclaves, sonnant le glas de l'insurrection. Au cours des mois suivants, les exécutions mirent un frein brutal à l'agitation. Mais le conflit sur les droits des esclaves était loin d'être réglé, et au moins un participant à cet événement semble l'avoir compris. Comme des soldats se vantaient de leur victoire en criant : « Nous leur ferons danser la carmagnole » (la danse révolutionnaire), un citoyen blanc s'adressa à eux d'un ton moqueur : « Oui, mais ce n'est qu'une amorce, et bientôt, messieurs, vous danserez tous la grande carmagnole[34]. »

Entre l'insurrection de Sainte-Anne et celle de Trois-Rivières, le contraste est saisissant. À Sainte-Anne, où aucun Blanc ne fut tué, la répression, brutale, fit 32 morts. À la différence de ceux de Trois-Rivières, les insurgés de Sainte-

Anne n'ont pas réussi à paralyser les structures juridiques et militaires des Blancs. Le conflit entre citoyens de couleur et esclaves, insurgés ensemble, avait sans doute contribué à affaiblir la force de la rébellion. L'échec de cette alliance éclaire *a contrario* le remarquable processus politique qui se déroula à Basse-Terre après la révolte de Trois-Rivières. En effet, l'action des esclaves, seuls insurgés, permit dans cette ville l'accession au pouvoir des citoyens de couleur. Ces derniers s'allièrent aux demandes des insurgés en s'opposant à leur châtiment, et recommandèrent qu'ils deviennent des soldats républicains.

Assimilation politique des nouveaux citoyens

À partir d'avril 1793, et pendant les premiers mois de 1794, le sort des insurgés de Trois-Rivières fut incertain. Ils restèrent enfermés au fort Saint-Charles sans être condamnés. Mais tandis que se précisait la menace d'une intervention anglaise à la Guadeloupe, Victor Collot, en politique modéré, cherchait à renforcer la République par un jeu d'alliances avec les clubs jacobins, telle la Société des Amis de la République de Basse-Terre. Ces clubs avaient investi l'administration locale dans la foulée de l'insurrection de Trois-Rivières ; ils remplaçaient l'assemblée coloniale, discréditée après sa participation au complot royaliste. L'activité politique y était effervescente, tant les nouveaux citoyens, intégrés d'en haut et selon certaines modalités par les proclamations de Victor Collot, cherchaient à radicaliser les termes de leur appartenance politique.

Ces clubs regroupaient des patriotes blancs et des gens de couleur, dont l'intégration politique était le principal propos des débats, et l'objet dominant des discours du gouverneur. Les débats présentaient le problème de l'assimilation politique des gens de couleur en des termes identiques à ceux utilisés des années plus tard, quand l'assimilation de la totalité de la population esclave fut à l'ordre du jour. La citoyenneté nouvellement acquise symbolisait l'application glorieuse des Droits de l'homme. Un discours prononcé en juillet 1793 par un certain citoyen Segouny-Fortemaison devant la Société des Amis de la République à Basse-Terre célébrait l'égalité de tous les hommes libres de la colonie devant la loi, « la patrie [qui] est notre mère commune », et le fait « que la plus légère nuance de démarcation cesse donc pour toujours entre nous ». Maintenant qu'ils étaient citoyens, les gens de couleur devaient apprendre à respecter les lois et à prendre des responsabilités de gouvernement, car « la souveraineté réside en leur personne ». Le problème de l'esclavage restait en arrière-fond des débats politiques, mais il faisait rarement l'objet explicite des discussions. Le citoyen Segouny-Fortemaison terminait son discours en annonçant qu'il était urgent de voir si l'on pouvait améliorer le sort des esclaves. À cette fin, il préconisait d'examiner les lois des colonies anglaises dont il assurait qu'elles avaient amélioré leur condition[35].

Un courant d'idées plus radical sur le problème de l'esclavage prenait naissance à l'extérieur de ces clubs. Ceux qui plaidaient le plus activement pour la libération des esclaves et leur intégration dans les armées de la République étaient moins les Blancs jacobins que les nouveaux citoyens — sans doute renforcés par leurs contacts avec les insurgés. À la Guadeloupe, les gens de couleur et les esclaves républicains étaient parvenus à des conclusions politiques et militaires identiques à celles que Sonthonax utilisait avec succès à Saint-Domingue durant la même époque. À Basse-Terre, plus de deux cents esclaves restaient emprisonnés au fort, avec la possibilité de le quitter régulièrement pour aller en ville. Un an après l'insurrection, la présence politique et symbolique des insurgés pesait de tout son poids sur la population locale. Et les nouveaux citoyens avaient tellement investi l'espace politique républicain que Jean-Baptiste, le meneur (en principe interné) de la révolte de Trois-Rivières, faisait partie des signataires d'un appel pour la formation d'un bataillon d'esclaves en mars 1794 et avait pris sa place parmi les acteurs politiques de la ville.

Bien avant l'insurrection d'avril 1793, l'intégration politique des gens de couleur avait créé des ramifications complexes qui avaient été la source de rumeurs. En février 1793, une rumeur inquiétante circula : les nouveaux citoyens voulaient marquer au fer le visage des esclaves. Cette nouvelle provoqua un mouvement de révolte parmi les esclaves de Trois-Rivières. On dut employer la force. À Baillif, une ville à l'est de Basse-Terre, les nouveaux citoyens firent une déclaration publique pour calmer les esprits échauffés par une rumeur identique. La loi du 4 avril avait en principe éliminé le signe distinctif de la couleur de peau pour les esclaves libres. L'angoisse des esclaves à la perspective d'être marqués au visage soulevait la question de savoir comment une société de plantation bâtie sur des distinctions raciales pourrait subsister sans un signe de statut distinctif. Les nouveaux citoyens libres pouvaient en effet vouloir marquer les esclaves pour s'en distinguer immédiatement, ce marquage corporel contribuant à l'intégration du nouveau citoyen — idéalement vierge de marques — dans le corps politique. Ces rumeurs exacerbaient les contradictions d'une politique coloniale qui entendait abolir les distinctions raciales sans supprimer l'esclavage. Des connexions existaient depuis trop longtemps entre gens libres et esclaves pour faciliter la pratique quotidienne du nouvel ordre[36].

Les Blancs non plus n'étaient pas en reste pour inventer des rumeurs génératrices de conflits entre esclaves et gens de couleur. Pourtant, au moins dans quelques cas, ces deux groupes firent preuve de solidarité. Le rapport sur l'insurrection de Trois-Rivières citait par exemple les propos d'« un jeune mulâtre apprenti-perruquier » qui affirmait que s'il était à la place des esclaves, « il prendroit les houes et les serpes et couperoit le cou à tous les Blancs ». Selon toutes probabilités, cet « apprenti-perruquier » était le « nouveau citoyen » Marcel, signataire de l'« Adresse des nouveaux citoyens de Basse-Terre » — celui-là même qui, en prêtant son nom, avait permis à « la nommée Marthe dite Majou » de s'acheter elle-même. Dans ce cas, un nouveau citoyen avait pris des mesures pour lier sa propre liberté à celle de gens qui étaient encore en esclavage[37]. Marcel faisait partie des nouveaux citoyens dont le rôle devint de plus en plus important au sein des sociétés et comités républicains qui contrôlaient la Guadeloupe juste avant l'invasion des Anglais, en mars 1794.

Depuis l'application du décret de l'Assemblée nationale du 4 avril 1792 qui les déclarait libres, et depuis leur participation à l'élection (en exil, à la Dominique) de septembre 1792, les nouveaux citoyens bénéficiaient, dans la foulée de l'insurrection de Trois-Rivières, d'une série de mesures gouvernementales destinées à favoriser leur intégration dans les rangs de l'administration insulaire. En août 1793, par exemple, la Commission générale et extraordinaire contrôlée par le gouverneur Collot leur accordait de faire exception à la règle de politique générale, qui exigeait de tous les fonctionnaires un « certificat de civisme » prouvant leur patriotisme et leur loyauté envers la République. Cette loi fut modifiée pour « les citoyens nouveaux frères », dont beaucoup avaient été « méchamment excités » par des informations mensongères qui conspiraient à les faire se retourner contre la République durant la période de pouvoir royaliste. Depuis la reconquête de l'île par les républicains, la Commission notait que « leurs yeux ont été dessillés et en général leur marche dans le sentier de la loi a été constante, ferme et digne de républicains Français ». En conséquence, à la différence d'autres citoyens, les « nouveaux citoyens » étaient exemptés de « certificats de civisme » portant sur leur conduite entre septembre et décembre 1792 [38].

Un mois après ce décret, Victor Collot rédigeait une loi explicitement motivée par les problèmes complexes de terminologie raciale et d'appartenance sociale soulevés par la naissance de la nouvelle classe politique. Cette loi traitait des problèmes de langage et de noms. En préambule de la loi du 4 avril, Collot notait que « le préjugé de couleur a été détruit, tous les hommes libres ont été réunis sous la qualité de citoyen ». Le gouverneur déplorait que dans un contexte de changements aussi rapides, le langage politique ne fasse pas toujours justice à ce fait ; la nécessité contraignait parfois les autorités à traiter les nouveaux citoyens comme un groupe à part. Il fallait éliminer cette distinction

des discours publics et des lois, et la remplacer par la déno-
mination unique de citoyen : tout discours indiquant
« quelque nuance ou quelque distinction parmi les citoyens
est nécessairement contraire à l'esprit de la loi ». Des nouveaux citoyens s'étaient peut-être plaints à Collot de cette
distinction dont ils se sentaient victimes [39].

Toutefois, la déclaration de Collot se poursuivait par l'assertion de la différence des nouveaux citoyens, que le reste
de la population était sommé d'intégrer dans leur nouveau
rôle public :

> *La loi du 4 avril vous a laissé un autre engagement à*
> *remplir. Elle a bien appelé tous les hommes libres à exercer*
> *les mêmes droits ; mais dans quel état a-t-elle trouvé ceux*
> *qui en étoient privés jusqu'alors ! Avilis par un préjugé in-*
> *juste, ils n'avoient que l'ombre de la liberté et non les effets.*
> *Cet avilissement produisoit le découragement et l'inertie*
> *parmi des personnes qui étoient nulles dans l'ordre social.*
> *Ils étoient privés de tous droits politiques, et même des droits*
> *civils. Ils ne pouvoient aspirer à aucun emploi ; et que leur*
> *importoit de procurer de l'éducation et des lumières à leurs*
> *enfants, puisque toutes les places et tous les avantages de la*
> *société leur étoient interdits !*
>
> *De là vient l'indifférence de chaque individu, la rareté des*
> *mariages, le démembrement des familles, l'insouciance des*
> *mœurs de l'un et de l'autre sexe, et la modicité des fortunes ;*
> *l'homme libre se bornoit à l'existence physique, et s'inquié-*
> *toit peu d'un avenir qui ne promettoit rien.*
>
> *La loi du 4 avril n'a donc trouvé qu'un cahos informe, à*
> *peine existe-t-il quelques traits d'existence civile ; le nom*
> *même est presque ignoré. Peu importoit celui que l'on avoit,*
> *puisqu'il ne devoit pas s'étendre au-delà de l'individu. Il est*
> *donc nécessaire de former l'organisation civile de cette*
> *classe de citoyens, c'est-à-dire de leur assigner les caractères*
> *qui doivent les placer dans la société et établir les rapports*
> *particuliers qui rapprochent et unissent les individus* [40].

Collot envisageait un avenir où, la carrière publique étant
ouverte à chacun, « l'émulation des vertus et des mœurs
succédera à l'abattement des temps passés » ; l'individu tra-
vaillera durement à créer sa propre fortune familiale, et les
liens de parenté rapprocheront les membres des familles,

responsables les uns des autres. « La femme, autrefois indifférente sur l'opinion publique, nulle pour elle, aujourd'hui citoyenne et soumise à cette opinion », agira contre le vice et contribuera à créer une famille et une société morales. Ces changements s'accéléreront une fois que les écoles primaires seront ouvertes — ce qui allait être le cas en métropole —, quand les enfants de toutes les couleurs s'uniront pour apprendre « les leçons de l'esprit du cœur et de l'âme qui doivent former un jour de vrais et bons citoyens. C'est alors que l'égalité aura acquis son dernier terme de perfection [41] ».

La loi Collot, en proposant que le nom devienne l'expression de la participation sociale et politique, était un premier pas vers l'avenir. Le premier article interdisait les expressions « citoyen nouveau » et « citoyen de couleur », « et autres qui peuvent marquer quelque distinction parmi les hommes libres ». Le reste de la loi recommandait la création de patronymes au sein de ce groupe qui n'était plus nommable, et leur enregistrement dans des documents légaux. La loi se préoccupait en particulier des femmes, porteuses d'une illégitimité potentielle que l'acquisition d'un nom de famille pouvait seule contrer. Dans le second article, le passage du masculin au féminin est révélateur du véritable projet de son auteur : « À l'effet de donner aux individus et aux familles libres une existence civile et semblable à celle de tous les citoyens, toute personne libre, de quelque sexe qu'elle soit, affranchie récemment ou depuis longtemps, prendra, si fait n'a été, un nom propre qui puisse la caractériser, elle et les enfants qui pourront naître d'elle, si elle vient à se marier [42]. »

La loi notait que les noms donnés par les maîtres à l'époque de l'émancipation, de même que les noms des maîtres et les noms de baptême, n'étaient ni propres ni caractéristiques — une assertion qui cherchait à nier les liens de parenté entre communautés blanches et communautés de couleur. Les familles pourvues d'une nombreuse parentèle de frères et de sœurs devaient se réunir avec les anciens — hommes ou femmes — pour déterminer leur nom et « établir la division des branches qui sortent de la même tige libre ». En assumant les « liens du sang », une famille créerait les catégories sociales nécessaires pour régler les affaires de succession et d'héritage. Les enfants d'une femme libre pouvaient se rassembler, et choisir selon le même principe un nom commun pour assurer leurs droits d'héritiers de la propriété maternelle. Si deux générations ou plus séparaient les enfants vivants de leur mère commune, ces prescriptions ne s'appliquaient pas, « à cause de l'incertitude et de la confusion des rapports, lorsqu'ils ne procèdent pas d'une tige légitime ». Dans tous les cas, une fois le nom déterminé, un notaire devait établir un acte de famille [43].

Une déclaration officielle faite dans la municipalité devait permettre l'enregistrement officiel des membres de la famille nouvellement nommée. Cette déclaration suivait la procédure décidée le 20 septembre 1792 par l'Assemblée nationale, qui exigeait la déclaration de l'état civil de tous les citoyens. Outre le nouveau nom de famille, la déclaration devait contenir « exactement le nom de chacun des individus qui composent la famille, le degré de parenté, et les rapports entre eux depuis la tige jusqu'aux dernières branches [...] ainsi que les surnoms assignés aux diverses branches pour les distinguer ». L'acte de famille devait être affiché dans les bâtiments municipaux, et sa copie envoyée aux membres de la famille pour qu'ils la placardent sur la porte de leur maison afin qu'elle soit vue de tous. Si la famille comptait des citoyens actifs, leurs noms devaient s'ajouter à la liste des citoyens actifs de la paroisse [44]. Selon la loi Collot, l'assimilation des nouveaux citoyens dans la vie politique relevait de la responsabilité des institutions de la Guadeloupe. La création de structures familiales légitimes devenait l'élément clé de l'assimilation politique ; la parenté, le mariage, la descendance et toute la batterie des relations intimes créaient le terrain propice à l'amendement des nouveaux citoyens réduits par l'injustice et marqués par cette réduction qui les avait empêchés de participer à la vie politique. Ce document donne un aperçu du glissement de la rhétorique antiesclavagiste au discours racial de l'exclusion qui allait définir l'administration de la liberté après l'abolition de l'esclavage.

Au début de 1794, grâce aux encouragements de Collot, ou à cause de la pression de la base, beaucoup de gens de couleur participaient aux forums politiques de Basse-Terre. De nombreux nouveaux citoyens parmi les signataires de la déclaration de Lacrosse, en 1793, étaient devenus membres de la Commission générale et extraordinaire en octobre 1793[45]. Le 15 mai 1793, le nouveau citoyen Canut Robinson était membre de la Commission générale et extraordinaire ; en octobre, il intégrait le Comité de sûreté publique. Robinson poursuivra une carrière politique et se présentera aux élections à la Guadeloupe en l'an VII[46]. En octobre, le tailleur François Gripon, de Basse-Terre, était membre de la Commission, tout comme les nouveaux citoyens Saint-Priest et Jean Charles[47], ou encore le perruquier Pierre Laurent à la même période[48]. J.-B. Maillard, autre nouveau citoyen, lui aussi membre de la Commission, semble avoir été particulièrement zélé dans ses activités politiques ; en janvier 1794, plusieurs citoyens blancs de la ville l'accusèrent de les avoir obligés à signer une déclaration dont il leur avait caché la véritable teneur[49]. Joseph Icard était membre de la Commission générale et extraordinaire en mai 1793 ; devenu, la même année, un membre actif de la très jacobine Société des Amis de la République, il publia le discours qu'il lui adressait[50]. En mars 1794, de nombreux nouveaux citoyens étaient membres ou participants aux débats de la Société des Amis de la République, qui revendiquait l'intégration des esclaves dans les régiments de la République.

D'esclaves en soldats

La présence des insurgés de Trois-Rivières et le défi qu'ils avaient lancé à la société rendaient difficiles les débats sur l'intégration complète des nouveaux citoyens dans la vie politique. L'héroïsme des esclaves face aux ennemis de la République, par ailleurs vigoureusement attaqués par les jacobins et par le gouverneur Collot, révélait les contradictions et la fragilité de l'ordre esclavagiste. Fin 1793 et début 1794, tandis que les forces royalistes se regroupaient, et que se précisait la menace d'une alliance des antirépublicains avec les Britanniques, personne ne pouvait plus ignorer que les esclaves pouvaient aider la République. L'ambiguïté de la politique générale de Collot envers les esclaves répondait à l'ambiguïté qui présidait au jugement des rebelles de Trois-Rivières.

La répression de la moindre tentative d'organisation chez les esclaves n'en restait pas moins à l'ordre du jour. Le 25 avril, juste après l'insurrection, Collot envoya des instructions spéciales à son second LaFolie, pour exiger une enquête sur des dénonciations. À Saint-François et au Moule, sur Grande-Terre, des esclaves auraient été armés. Le commandant en second devait s'assurer que les citoyens libres disposaient d'une seule arme sur les plantations, confisquer toutes les armes entre les mains des esclaves et punir ceux qui les leur avaient fournies[51].

Mais, à la période même (février 1794) où l'abolition de l'esclavage soulevait un débat national en métropole, Collot prit des décisions qui démentaient ce dont il se défendait véhémentement dans son mémoire de 1796 : son refus de laisser armer les esclaves. En janvier 1794, confronté à un besoin massif de main-d'œuvre pour les préparatifs militaires contre le débarquement anglais, Collot, constatant qu'il avait perdu le soutien de nombreux Blancs de l'île, ordonna la réquisition des esclaves pour des travaux d'intérêt public. On en affecta un petit nombre au fort Fleur-d'Épée, pièce centrale du dispositif de défense de Pointe-à-Pitre. Dans la ville voisine d'Anse-Bertrand, les fonctionnaires en utilisèrent un plus grand nombre pour construire des dépôts de munitions[52]. Comme certains propriétaires s'opposaient à cette réquisition, en février, pour répondre à plusieurs cas de refus dans la ville de Sainte-Rose, Collot adressa un ordre à l'ensemble des colons : « Dans ce moment où la colonie menacée par nos ennemis est déclarée en état de siège, tous les citoyens sont obligés de venir au secours de la chose publique. » Le nombre d'esclaves réquisitionnés devait être proportionnel au nombre total d'esclaves de chaque plantation. Les colons qui ne fourniraient pas le nombre requis recevraient une amende par jour et par esclave, et seraient considérés comme de « mauvais citoyens [53] ».

Quelques jours plus tôt, Collot avait édicté un ordre plus radical, en s'y prenant d'une manière timide qui lui permettait d'éviter la responsabilité de ses actes. Mais indubitablement, le gouverneur qui s'indignera si fort dans son mémoire de la proposition des jacobins d'armer les esclaves rebelles de Trois-Rivières était contraint d'accepter exactement la même chose. Le 13 pluviôse an II, il annonçait que « la levée du corps de chasseurs, composé de cinq cents esclaves destinés à former un bataillon déjà commencé, est l'objet le plus important qui puisse être agité dans la colonie », et il encourageait les localités à souscrire à ce projet.

> *Citoyens délégués,*
> *J'ai reconnu dans votre arrêté de hier, relatif à la formation du bataillon de chasseurs, la prudence & la sagesse qui devroient toujours être les bases des opérations générales ; je ne puis qu'applaudir au parti que vous avez pris de déférer cet objet à l'assentiment des paroisses,* & *c'est bien là le cas où il peut être nécessaire* & *indispensable de le faire, puisqu'il s'agit tout à la fois des moyens de sauver la colonie* & *d'une disposition très délicate qui touche aux propriétés ; en conséquence je vous envoie le nombre d'exemplaires de ma proclamation qui vous est nécessaire pour accompagner votre arrêté dans toutes les paroisses,* & *vous invite à y joindre la présente, afin de répondre d'avance aux dénigreurs de cette opération, qui n'en connoissent ni la nécessité ni l'urgence,* & *qui feindroient d'ignorer que cette mesure a été provoquée par le peuple en masse de la Basse-Terre, comme le seul moyen d'éviter le plus grand mal, celui d'un armement qui seroit fait indistinctement* & *forcément, dans le moment du dernier danger [54].*

Poursuivant ce que certains avaient proposé dans la foulée de Trois-Rivières, le « peuple » de Basse-Terre exigeait qu'on organise une force combattante des esclaves. Collot, conscient de la controverse et des dangers de la situation, déclara que la décision finale revenait aux administrateurs locaux. Mais il ne faisait aucun doute que les esclaves seraient armés et combattraient dès l'ouverture du conflit, et il se sentait obligé de soutenir la mesure. Les esclaves représentaient déjà un potentiel militaire incontournable. En ces temps de crise, la seule solution était de s'approprier cette force pour la contrôler quand s'abattrait la tourmente. Collot supprima cette opinion dans son compte rendu des événements. Son désaveu postérieur, dans son mémoire de 1796, marque la mesure de la pression que les circonstances imposaient à ses choix.

Les jours suivants, les jacobins de Basse-Terre (beaucoup d'entre eux étaient les nouveaux citoyens qui avaient accueilli Lacrosse en 1793) défendirent passionnément l'idée d'armer les esclaves. Parmi les signataires d'un « Éveil » adressé aux « Français des Antilles fidèles à la République », vingt-quatre noms apparaissaient déjà dans la déclaration de 1793. Il s'agit des membres de la Commission générale et extraordinaire tels Joseph Hays, François Gripon, Jean-Baptiste Icard, Pierre Laurent et Canut Robinson. Le perruquier Marcel faisait partie des signataires, ainsi que Joachim Boudet, qui allait bientôt se marier, et Joachim Bouis. Certains des signataires — J. B. Canon, Étienne Mechin, Jean-Pierre Gérard, Benoît dit Choco, Jean Salvador, Jean-Baptiste dit Esprit, et d'autres — n'avaient pris aucune part à la vie politique depuis leur participation à la déclaration des nouveaux citoyens, un an plus tôt. Au milieu de l'année 1794, les rangs des nouveaux citoyens entrés en politique étaient plus fournis que jamais[55].

Le 17 pluviôse an II (5 février 1794) — par coïncidence, un jour après l'abolition de l'esclavage en France métropolitaine, mais bien avant que la nouvelle ne soit parvenue en Guadeloupe —, le citoyen Lacharrière-Larery montait sur le podium de la Société des Amis de la République pour faire valoir que le seul moyen de sauver la République était d'armer les esclaves : « Créons des nouveaux défenseurs à la liberté », s'exclama-t-il dans son discours. Il vilipendait ceux qui redoutaient « qu'à peine sortis de l'esclavage », ces hommes armés attaquent leurs compagnons, et accusait l'avarice des propriétaires : s'ils offraient leurs meilleurs esclaves, « ceux qui par leurs services ont bien mérité de leur récompense », le combat pour la République, « loin de troubler l'ordre intérieur, en augmentant un jour la classe et la force des hommes libres, ne fera[it] que la consolider ».

> *On ne peut donner la liberté politique, dira-t-on, à des gens qui n'ont rien fait pour l'obtenir ; non sans doute, mais on peut leur en montrer l'expectative et leur faciliter les moyens d'y arriver. Que celui qui pourra montrer trois blessures soit libre à l'instant, que celui qui aura fait tomber trois ennemis soit libre, que celui qui aura sauvé la vie d'un citoyen soit réputé sur-le-champ citoyen lui-même ; enfin, la récompense de telles actions et des vertus en tout genre, vous offrira les moyens d'éveiller l'honneur dans l'âme de ces hommes nouveaux, et de les préparer à être admis dans la grande classe des hommes libres [...] Pour faire utilement la guerre, il faut deux choses, des hommes et de l'argent, des hommes nous pouvons en faire [...]*

Répondant au discours abolitionniste qui privilégiait l'émancipation progressive, Lacharière-Larery proposait que le service national transforme les esclaves en citoyens [56].

Joseph Hays, un nouveau citoyen, se fit l'avocat des mêmes arguments quatre jours plus tard devant la même Société, en réclamant l'union générale derrière la République pour appuyer l'armement des esclaves. Après avoir remercié la nation du cadeau qu'elle lui avait fait, à lui et à ses compagnons « nouveaux citoyens », Hays mit en garde son auditoire : si l'ennemi s'emparait de l'île, les nouveaux citoyens retourneraient « à l'état d'avilissement de l'esclavage ». « Que d'un bout de l'île à l'autre, la voix du vrai républicain soutienne cette levée ; qu'une attitude ferme et imposante leur apprenne que notre dernière résolution est de sauver la colonie, ou de nous ensevelir sous ses ruines. » Après avoir entendu ce discours, les membres du Comité décidèrent de ne pas spécifier qu'il avait été fait par et pour des citoyens de couleur :

> *Cette lecture est vivement applaudie, et après diverses ob-*
> *servations, toutes tendances à la suppression du mot citoyen*
> *de couleur, fondées sur ce que cette dénomination déjà pros-*
> *crite par la société sembleroit maintenir une ligne de démar-*
> *cation insultante pour l'égalité, qu'il ne doit exister entre les*
> *républicains pas même l'ombre de distinction ; en consé-*
> *quence, la société arrête qu'elle prend en son nom l'adresse*
> *lue par Hays, qu'elle sera non seulement signée par les so-*
> *ciétaires, mais encore par les citoyens des galeries, pour être*
> *imprimée au nombre de cinq cents exemplaires.*

Ce geste symbolique par lequel une assemblée racialement mixte décidait de cosigner les arguments républicains de l'un de ses membres marquait un moment politique important. Des Blancs apposaient leurs noms sous la déclaration d'un citoyen de couleur dont l'argument était qu'aucune distinction ne devait exister entre les citoyens. Parmi les signataires, vingt nouveaux citoyens avaient déjà paraphé la déclaration de mars 1793, et pris position comme membres de la Commission générale et extraordinaire ou en signant l'« Éveil » de la Société des Amis de la République. Quelques nouveaux venus n'étaient inscrits sur aucun document public depuis mars 1793 : Maurice, le tailleur Jean Georges et le charpentier Hyppolyte Debort. Un autre nom apparaissait, qui signalait une plus grande rupture avec les distinctions sociales et politiques, celui de Jean-Baptiste, le meneur de l'insurrection de Trois-Rivières, l'homme qui avait ouvert la voie à l'idée d'une légion républicaine d'esclaves. Emprisonné en principe à Basse-Terre, Jean-Baptiste avait écouté le discours ; peut-être en avait-il discuté avec Hays ou d'autres membres de la Société. Il signait de son nom comme un citoyen libre[57].

Collot réussit à mettre sur pied un bataillon de trois cents esclaves des plantations, avec la promesse d'une « liberté indéfinie » pour leur service[58]. Isolés de Saint-Domingue, et loin de la France métropolitaine, les républicains de la Guadeloupe étaient parvenus à la même conclusion politique que d'autres républicains partout ailleurs. Mais leur politique allait se révéler insuffisante et tardive. Les Anglais s'emparèrent de l'île en 1794. Entre-temps, les lois de la République avaient consacré le principe de la citoyenneté des esclaves. Le décret d'abolition de l'esclavage voyageait avec Victor Hugues, qui arriverait bientôt à la Guadeloupe pour libérer l'île des Anglais. Collot, qui se présentera plus tard comme le principal ennemi de cette politique, en avait été l'exécutaire précoce dans l'une de ses dernières décisions.

Le destin des insurgés

Qu'est-il arrivé aux insurgés de Trois-Rivières ? Ils étaient enfermés depuis près d'une année quand les Anglais débarquèrent. Avec un peu plus de temps, le désir de certains d'entre eux aurait été exaucé ; ils seraient devenus des soldats de la République. En fin de compte, leur sort reste obscur. Lacour nous dit qu'après le débarquement des Anglais à la Martinique, qui laissa le camp des patriotes affaibli et désorienté, un régiment de soldats vint chercher les esclaves dans la maison où ils étaient détenus pour les transférer au fort Saint-Charles. Lacour n'explique pas la raison de ce transfert ; compte tenu de l'imminence de l'attaque des Anglais, c'était peut-être une tentative désespérée de défendre le principal site militaire de la ville.

Selon Lacour, les esclaves redoutaient d'être punis et s'étaient barricadés. Certains sautèrent par les fenêtres et furent abattus dans la confusion ; on en retrouva deux pendus à l'intérieur de la maison. Les autres acceptèrent de se rendre ; on les conduisit à marche forcée au fort, où les troupes d'occupation les découvrirent probablement après l'occupation de l'île, le 24 mars. Lacour laisse entendre qu'ils furent pris comme prisonniers de guerre et vendus sur d'autres îles, esclaves à nouveau. Peut-être ont-ils été tués en représailles par les amis des victimes de Trois-Rivières qui avaient repris le contrôle de la colonie [59]. Plus récemment, un historien militaire, Jean Barreau, a émis l'hypothèse que durant l'invasion, Collot fit enfermer les « assassins de Trois-Rivières » qui vagabondaient dans la ville. Plus tard, tandis qu'ils reculaient devant les troupes anglaises, les Français auraient encouragé les « chasseurs noirs » à se replier plutôt qu'à combattre. Puis ils auraient essayé de libérer les insurgés du fort de Basse-Terre, et d'exécuter les prisonniers royalistes, mais en vain[60].

Aucune source anglaise ne mentionne les insurgés. En décrivant le débarquement sur l'île, le révérend Cooper Williams raconte la reddition de Collot et la prise du fort Saint-Charles, rebaptisé fort Mathilda, mais il ne fait état de la présence d'aucun esclave insurgé à Basse-Terre. Lorsqu'il raconte la reconquête de l'île par les troupes de Hugues, le pasteur évoque le royaliste Vermont, dont la propriété à Trois-Rivières a fait l'objet de la « vengeance républicaine ». Il décrit comment la femme, la mère et la sœur de Vermont ont été tuées, mais loin d'attribuer ces meurtres à une révolte d'esclaves, il en fait un exemple supplémentaire de la barbarie des républicains français. Il note que Vermont, libéré du fort Saint-Charles par les Anglais, participa activement à leurs côtés à la défense de l'île contre Hugues et ses troupes[61].

Il n'est fait aucune mention des insurgés dans le rapport officiel de l'occupation. En revanche, les correspondances du War Office (le ministère de la Guerre) débattent longuement de la confiscation des propriétés par les troupes britanniques[62]. Le général Grey, dans ses rapports sur la conquête de la Martinique et de la Guadeloupe, s'interroge sur l'opportunité de confisquer les propriétés et de séquestrer les habitations, mais ne fait aucune allusion à des problèmes de discipline chez les esclaves. « L'intervention militaire, écrit-il, a occasionné sur toutes les îles capturées la découverte de nombreux individus mal disposés envers notre gouvernement, des esprits si diaboliques et dangereux qu'on ne devrait pas souffrir qu'ils restent, ayant été déjà découragés par notre succès à manifester leurs principes. » Ces « esprits dangereux » étaient vraisemblablement les nouveaux citoyens ; Grey repousse l'idée de déporter les mulâtres libres vers les « colonies de l'empereur du Maroc », mais note que certains ont été déportés en Angleterre[63].

La description la plus détaillée de la prise de Basse-Terre date du 23 avril 1794. Son auteur, l'officier Boyne, de la

Navy, commandait l'attaque. S'il ne mentionne pas les insurgés de Trois-Rivières, il note qu'après l'arrivée des navires près du port, « quelques incendiaires qui avaient mis la ville à sac y allumèrent un incendie et embarquèrent sur un schooner armé [64] ». Y avait-il des insurgés parmi eux, notamment Jean-Baptiste ? Le recensement de 1796 à Trois-Rivières ne signale l'existence d'aucun insurgé de la plantation Gondrecourt, ce qui appuie la thèse de Lacour selon laquelle la plupart furent tués par les royalistes — ou s'enfuirent de l'île pour ne jamais y revenir. Et pourtant, la même année, le « Chef d'Attelier » de l'habitation nationale Brindeau n'était autre que « Jean-Baptiste ». Sa liberté de mouvement, ses contacts à Basse-Terre lui avaient peut-être permis de fuir la vengeance qui s'abattit sur ses camarades. Dans tous les cas, non seulement il avait dirigé l'insurrection qui tua son ancien maître, mais il était resté impuni, et il était revenu sur la même plantation. Désormais connue comme l'« habitation nationale Brindeau », elle était dirigée par l'État pour le profit d'une république dotée de l'une des plus puissantes de ses armes de guerre : la déclaration qui faisait de tous les esclaves des citoyens égaux devant la loi [65].

V

LES DÉBUTS DE L'ÉMANCIPATION

Le 21 juin 1793, deux mois après l'insurrection de Trois-Rivières, Sonthonax, le commissaire civil de Saint-Domingue, annonçait qu'il accordait la liberté et la citoyenneté française à tout esclave qui combattrait pour la République. En tant que représentant de la France républicaine, Sonthonax était la cible à la fois des esclaves insurgés, des Anglais, des Espagnols et — c'était peut-être encore plus grave — des Blancs antirépublicains. Son appel aux esclaves était une tentative de la dernière heure pour vaincre Galbaud, le nouveau gouverneur royaliste. Celui-ci avait rallié à sa cause les marins et les Blancs de la ville du Cap dès son arrivée sur l'île, pour reprendre le gouvernement des mains des commissaires. Sonthonax avait recueilli le soutien des nouveaux citoyens de la ville, mais au moment où il implorait l'aide des insurgés, sa défaite semblait imminente. Et cependant, la colonie allait rester au sein de la République grâce aux esclaves insurgés recrutés comme une armée nationale.

De nombreux historiens et biographes, notamment C. L. R. James, affirment qu'en 1793, Toussaint Louverture proposa un marché aux Français : le combat pour la République en échange de l'émancipation de tous les esclaves de la colonie. Dans une lettre écrite presque un an plus tard, le

18 mars 1794 (à cette date, il s'était rallié à la République), Toussaint mettait en garde le général Laveaux : « Vous devez bien vous rappeler qu'avant les désastres du Cap, et par les démarches que j'avais faites devers vous, mon but ne tendait qu'à nous unir pour combattre les ennemis de la France [...] Malheureusement et pour tous généralement, les voies de réconciliation par moi proposées [la reconnaissance de la liberté des Noirs et une amnistie plénière] furent rejetées [...] » Après avoir attentivement examiné les documents, David Geggus a conclu que c'était « une conjecture inspirée » de prétendre que Toussaint offrait ses services en échange de l'émancipation générale. Il est difficile de dire si les commissaires s'inspiraient des propositions de Toussaint et d'autres chefs de l'insurrection, mais leur offre d'émancipation générale rallia certains des rebelles noirs à la cause de la République[1]. Leur participation a changé immédiatement les rapports de forces dans la colonie, comme le rappelle Carolyn Fick :

> *Le 21 juin [...] les commissaires civils publièrent une proclamation garantissant la liberté et les pleins droits à la citoyenneté à tous les esclaves qui se battraient pour défendre la France contre ses ennemis, étrangers ou intérieurs. Un groupe d'insurgés dont le campement était établi dans les collines autour du Cap et qui avaient à leur tête le marron Pierrot, répondit à l'appel. Forts de trois mille hommes, les esclaves se présentèrent devant les commissaires, prêtèrent le serment d'allégeance à la France et se ruèrent le lendemain sur la capitale comme une avalanche, forçant Galbaud et ses hommes à la retraite.[2]*

Le « désastre » du Cap auquel se référait Toussaint dans sa lettre de 1791 était le résultat de l'attaque de ces insurgés devenus citoyens. Durant les combats, des incendies ravagèrent une grande partie de la ville — pour les uns, ils avaient été allumés par les royalistes débordés et vindicatifs, pour les autres par les esclaves. Dans une déposition écrite en 1799, des émigrés de Saint-Domingue résidant à Charleston ont décrit les massacres commis par des esclaves auxquels « la dépouille de la ville » avait été offerte en contrepartie de leur aide :

[...] Les brigands entrèrent de toutes parts dans la ville du Cap, leurs chefs à leur tête. Les pillages, les massacres, les flammes devinrent horribles. Les hommes, les femmes, les enfants furent assassinés, massacrés, et ils endurèrent toutes les horreurs imaginables. Les infortunés de chaque sexe, de tout âge, qui essayaient de se sauver en rejoignant des embarcations, ou en nageant, étaient tués dans l'eau. Il apparaît que dans les massacres les Nègres frappaient indistinctement tous les partis, Blancs, mulâtres, et que les Blancs se défendaient contre tous avec rage, nonobstant il apparaît certain que la population blanche a été entièrement détruite et qu'il ne reste pas un seul Blanc au Cap [...] Les commissaires restèrent des spectateurs passifs durant le carnage et le massacre ; dans leur maison ils virent Sonthonax saisir et étreindre le chef des brigands, lesquels il appelait ses protecteurs et à qui il témoignait sa gratitude [3].

Au Cap, le « chef des brigands », Pierrot, fut promu général après la défaite des Blancs royalistes. Il était le premier général noir de l'armée républicaine. Après le sac du Cap, les commissaires firent tout leur possible pour conserver l'allégeance de quelque trois mille esclaves, mais la plupart retournèrent à leurs campements [4]. Pendant ce temps, des milliers de réfugiés s'enfuyaient vers d'autres îles de la Caraïbe. Beaucoup allaient achever leur périple aux États-Unis, où ils se regroupèrent dans des villes comme Charleston et Philadelphie. À Philadelphie, on les accusa — plus particulièrement leurs esclaves — d'avoir apporté la fièvre jaune. La présence des esclaves, témoins de l'insurrection de Saint-Domingue, soulevait aussi beaucoup d'inquiétudes [5].

Le plus gros appât des commissaires n'était pas la dépouille de la ville — ils l'avaient sans aucun doute offerte aux insurgés —, mais la promesse de liberté et de citoyenneté. Plus dangereuse pour la communauté des planteurs de Saint-Domingue que la ruine de leur capitale, elle en sapait les fondements mêmes. Lentement mais inexorablement, l'offre générale de citoyenneté consolidait les forces de la République sur l'île. Après le 21 juin, Sonthonax maintint les termes de son marché — la liberté et la citoyenneté à tout esclave qui combattrait pour la République. Sans grand résultat. À cette date, non seulement les royalistes, ou ce qu'il en restait, maintenaient la pression, mais les Anglais et les Espagnols guettaient avidement le moment de s'emparer de la « perle des Antilles ». Des mulâtres se retournèrent contre les commissaires, coupables à leurs yeux d'avoir fourni des munitions aux esclaves. Le 11 juillet, Sonthonax élargissait son offre de liberté aux femmes et aux enfants des combattants de la République. Cette fois, les esclaves réagirent en nombre. Sonthonax accorda la liberté à chacun d'eux, et à leur famille. Des plantations entières furent ainsi libérées. Parallèlement, un groupe d'insurgés faisait un pacte par lequel ils confiaient à trois chefs, Biassou, Jean-François et Guyambois, la direction du nouvel ordre à Saint-Domingue en échange du partage des propriétés entre les esclaves libérés. Au cours d'une réunion commune, les Blancs de la région appuyèrent le plan des insurgés. Un planteur expliquait à Sonthonax que « ses esclaves lui avaient fait clairement entendre [que] seule la liberté universelle pouvait épargner les Blancs de l'anéantissement total[6] ». Le 24 août, quinze mille Blancs réunis au Cap votaient — unanimement, selon le compte rendu de Jacques Garnier, un administrateur local — l'émancipation des esclaves de la province Nord. « Ils étaient les défenseurs du sol de la liberté ; ils allaient enfin les rendre à leurs droits naturels[7]. »

Le 29 août, Sonthonax déclarait à la fois l'abolition de l'esclavage dans la province nord, et l'application de la Déclaration des droits de l'homme et du citoyen sur l'ensemble du territoire de Saint-Domingue. Le commissaire Polverel fit de même dans les provinces sud et ouest. Il n'avait fallu que quelques mois pour que s'effondre l'édifice de l'esclavage dans la plus riche des colonies des Amériques. Comme le note Fick, « c'était une ironie de l'histoire, car si pour la métropole l'existence de la colonie avait dépendu du maintien absolu de l'esclavagisme, pour la France révolutionnaire sa sauvegarde dépendait précisément de la libération des esclaves et de leur transformation en citoyens français[8] ». Si cela s'est produit, c'est parce que les esclaves insurgés avaient créé une situation où il était nécessaire et convenable de les enrôler comme défenseurs de la République. Leur insurrection n'avait pas seulement sapé le fonctionnement des plantations, elle avait fourni une force militaire crédible — condition de la préservation de la République. Mais l'élément crucial de la révolte restait le recours opportun au langage des droits et à la culture politique du nationalisme républicain. En ce sens, l'insurrection de Trois-Rivières — par laquelle des esclaves révoltés ayant assimilé l'idéologie républicaine brisent les fondations de la société coloniale — représente le processus le plus large de la transformation des concepts révolutionnaires dans les Antilles.

Même si la déclaration de liberté permit de garder Saint-Domingue sous le contrôle républicain, tous les insurgés ne choisirent pas immédiatement le camp français. Toussaint Louverture, qui avait exigé l'émancipation générale, restait circonspect. Il attendait que la Convention nationale ratifie les décisions locales. À la fin du mois d'août 1793, Bramante Lazzary, l'un des chefs insurgés loyaux à la République, lui écrivit une lettre : Toussaint Louverture, qu'il nommait « mon frère », devait prendre le parti de la France. Écrite sur un ton sarcastique, la lettre s'adressait au « Citoyen Toussaint Louverture soi-disant Général des Armées de sa Majesté Catholique de ce jour, hier soi-disant de celles du Roy [...] perturbateur de l'ordre et de la tranquillité de tous nos frères ». Lazzary rappelait que la lutte contre l'esclavage était une cause commune à vingt-cinq millions de concitoyens français « qui ont anéanti la tyrannie et la persécution ». « Il n'existe plus d'esclaves à Saint-Domingue, tout homme de toute couleur est libre et égal en droits [...] Qu'avez-vous recueilli du temps des Rois et pendant des siècles pour prix de vos travaux et vos vertus naturelles ? La honte et le mépris [...] Vous savez comme moi ce que nous avons souffert [...] » Dans des lettres similaires adressées à d'autres camps insurgés toujours en lutte du côté des Espagnols, Lazzary associait l'idée du drapeau tricolore à celle d'une société d'égalité raciale à Saint-Domingue : « Car notre drapeau fait voir que notre liberté ne dépend que de ces trois couleurs : Blancs, mulâtres, Noirs, nous nous battons donc pour nos trois couleurs[9]. »

Cette évocation du nouvel ordre amené par les commissaires français ne réussit pas à convaincre Toussaint. Pourtant, la République reçut le renfort des généraux noirs entre la fin de l'année 1793 et le début de l'année 1794, et les insurgés, de plus en plus nombreux à se rallier à la cause de l'émancipation générale, prouvèrent leur loyauté militaire et leur détermination à résister aux divers défenseurs de l'esclavagisme. Le ralliement de Toussaint à la République était dû à un ensemble complexe de circonstances, notamment au refroidissement de ses relations avec les Espagnols depuis que la Couronne d'Espagne avait annoncé son intention de rétablir l'esclavage dans les parties de l'île qu'elle occupait. Si les raisons et les choix de Toussaint restent mystérieux à bien des égards, leur examen minutieux permet de conclure qu'il recula le moment de faire allégeance à la République tant qu'il n'eut pas la preuve que la métropole avait ratifié le décret d'émancipation local de Sonthonax. C'est alors, oubliant sa méfiance envers Sonthonax et la République française, qu'il se retourna contre ses anciens alliés espagnols et mena une série de brillantes victoires militaires qui allaient faire de lui le maître de la nouvelle Saint-Domingue, émancipée mais toujours coloniale[10].

Si les événements de Saint-Domingue justifiaient la ratification du décret de Sonthonax, c'est la radicalisation du climat politique en France qui la rendit possible. Les assemblées qui ont précédé et suivi la Convention nationale de l'an II — qui elle-même hésitait à abolir l'esclavage — avaient probablement considéré l'émancipation comme impossible et inacceptable. Mais le décret pris par Sonthonax à Saint-Domingue arrivait au bon moment. Les représentants de l'île surent convaincre la Convention nationale que l'émancipation pouvait jouer un rôle dans la grande bataille épique qui opposait la France républicaine à ses ennemis. Le 23 septembre 1793, une élection unique s'était tenue dans la province nord de Saint-Domingue. Sonthonax présidait l'assemblée des électeurs réunis pour élire leurs représentants à l'Assemblée nationale ; ils avaient été élus par des assemblées locales partout en province. Le résultat était un État « tricolore » représenté par trois Blancs, trois mulâtres et trois Noirs. Trois des élus étaient des supplétifs. Cinq des six délégués partirent bientôt pour la France. Ils voyagèrent d'abord jusqu'à Philadelphie aux États-Unis, où ils reçurent un accueil hostile de la part des colons émigrés, particulièrement choqués de voir un Noir, Jean-Baptiste Belley, revêtu de l'uniforme de député. De Philadelphie, trois représentants poursuivirent leur voyage pour gagner Paris : il s'agissait de Louis Dufay, un fonctionnaire de Saint-Domingue, Jean-Baptiste Mills, un mulâtre, et Belley, un ancien esclave qui avait été libéré avant 1789. Détenus à leur arrivée en France, ils furent enfin admis à la Convention nationale le 15 pluviôse an II (3 février 1794) [11].

Le jour suivant, Dufay prononçait un long discours. Il expliqua comment les royalistes avaient failli s'emparer de l'île, et fit l'éloge du comportement des esclaves qui avaient permis à la colonie de rester dans le giron de la République. Les esclaves, indignés de voir les commissaires de France sur le point d'être boutés hors de l'île par Galbaud et ses alliés royalistes, avaient spontanément offert leur aide aux mulâtres en guerre contre Galbaud, et ces derniers l'avaient acceptée. Plus tard, les insurgés de la campagne se rendirent armés à la ville et se présentèrent aux commissaires. « Nous sommes nègres, Français, leur dirent-ils ; nous allons combattre pour la France ; mais en récompense nous demandons la liberté. » Ils ajoutèrent même : « les Droits de l'homme ». Dufay prit la défense des commissaires : ils n'avaient pas d'autre choix, et c'était saine politique « de créer de nouveaux citoyens à la République pour les opposer à nos ennemis [...] ». Ému par ce discours, le député Levasseur prit la parole pour demander à la Convention nationale de décréter l'abolition immédiate de l'esclavage partout dans la République. La loi fut votée sur-le-champ grâce à l'appui d'autres représentants qui affirmaient que de plus amples discussions déshonoreraient la Convention :

La Convention nationale décrète que l'esclavage est aboli dans toute l'étendue du territoire de la République ; en

conséquence, tous les hommes sans distinction de couleur
jouiront des droits de citoyens français.

Après une brève discussion — l'usage du mot « esclavage » allait-il souiller la loi ? — et la riposte de l'abbé Grégoire — l'esclavage ne disparaîtra pas s'il n'est pas
nommé —, la loi fut votée à l'unanimité au cri répété de
« Vive la République ! ». Ayant reçu l'accolade des représentants, Belley et Mills exprimèrent leur gratitude « au
nom de tous leurs frères des colonies ». Une citoyenne de
couleur qui suivait régulièrement les débats de la Convention s'évanouit de joie ; l'assemblée vota pour qu'on ins-
crive l'incident dans le registre des débats [12].
L'abolition de l'esclavage fut célébrée dans le « Temple
de la Raison » — l'ancienne et future cathédrale Notre-
Dame — par des milliers de Parisiens venus écouter des
discours et chanter des chansons en l'honneur de l'arrivée
d'une ère nouvelle de libération. Les représentants de la
Convention, dont les trois « montagnards américains »
venus de Saint-Domingue, présidaient la célébration.
D'autres manifestations eurent lieu en France. À Bordeaux,
capitale de la traite au XVIIIᵉ siècle, deux cents hommes de
couleur participèrent aux cérémonies. Un Blanc et un Noir
transportaient la Déclaration des droits de l'homme et du
citoyen de 1793 ; on fit lecture de l'article 18, qui interdit la
vente d'êtres humains, devant la foule qui applaudit pendant un quart d'heure. Au Havre, dont le port avait été
également un haut lieu de la traite, une danseuse représentant la Déesse de la Liberté étreignit des hommes de couleur sous les acclamations de la foule. Dans la ville proche
de Barnay, l'arrivée d'hommes de couleur enchaînés faisait
partie de la parade ; la déesse de la Liberté écrasait leurs
chaînes. « Ces esclaves redevenus hommes manifestèrent
leur joie et leur reconnoissance par les mouvements les plus
expressifs et les danses à leur manière. L'un d'eux prit la
parole et fit une peinture touchante de ce qu'ils avaient
enduré [...] Un autre chanta des couplets inspirés par
l'ivresse que lui causait un changement si subit et inattendu » ; dans la foule, les Blancs donnaient l'accolade à leurs

« nouveaux frères ». Loin de Paris, à Bourg-sur-Rhône, des Blancs s'enchaînèrent sur une île du fleuve qui symbolisait les îles sucrières ; les habitants de la ville vinrent les libérer. Dans d'innombrables petites villes rurales, les fêtes attirèrent des foules gigantesques, ce qui révèle l'importance symbolique de l'événement dans le contexte du combat général de la République contre l'esclavage de la tyrannie[13].

Au « Temple de la Raison », Chaumette, après avoir attaqué la brutalité de la traite et applaudi l'aube nouvelle de l'émancipation, acheva son discours par un plaidoyer pour un exercice modéré de la liberté. À la Convention également, l'enthousiasme était suivi de prudence. Malgré la pression de certains représentants qui voulaient que la loi fût immédiatement expédiée vers les colonies, Danton recommandait que le Comité de salut public et le Comité des colonies traitent l'affaire, « pour combiner les moyens de rendre ce décret utile à l'humanité sans aucun danger pour elle ». Poursuivant avec son célèbre « c'est aujourd'hui que l'Anglais est mort » — en fait, la reprise d'un propos tenu par un autre député —, Danton affirmait que la loi contribuerait sans aucun doute au nouveau renom de la France défaisant les tyrans, mais il mettait en garde la République de ne pas pousser sa générosité « au-delà des bornes de la sagesse ». La Convention donna son accord, et confia la question aux comités. Ils ne devaient jamais écrire de recommandations détaillées pour l'administration de l'émancipation, qui se propagea dans les Antilles après que Polverel et Sonthonax eurent donné l'exemple à Saint-Domingue[14].

Quelques mois plus tôt, au milieu de l'année 1793, les deux commissaires s'étaient retrouvés confrontés à un pays ravagé par la guerre, et brusquement habité par des centaines de milliers d'esclaves libres. Le passage de l'esclavage à la liberté n'avait été précédé d'aucune période provisoire ; il n'y avait pas eu d'apprentissage, comme ce serait le cas des abolitions ultérieures dans les colonies anglaises[15]. Les deux commissaires étaient livrés à eux-mêmes pour gérer la liberté. L'expérience unique qu'ils ont initiée transforma les colonies de Saint-Domingue et de la Guadeloupe au cours de la décennie suivante. Les solutions préconisées par les deux hommes — plus tard, par Toussaint Louverture —, et par Victor Hugues à la Guadeloupe, étaient un mélange de libération et de formes nouvelles de coercition. Les esclaves étaient libres, mais contraints de travailler sur les plantations où ils vivaient auparavant ; une certaine forme de démocratie régnait sur les plantations, mais au bout du compte les droits des nouveaux citoyens, qui formaient désormais la majorité de la population, étaient sévèrement limités.

Les esclaves avaient gagné leur liberté parce qu'ils avaient agi, sans y être invités, comme citoyens. Ce point, Sonthonax allait continuellement le répéter à Paris où il avait été rappelé (par un ordre qui arriva par le même bateau qui apportait la nouvelle de l'émancipation à la colonie) et où il dut répondre à ceux qui l'accusaient d'avoir détruit Saint-Domingue par ses décisions[16]. Sonthonax en arriva à affirmer que les seuls vrais patriotes dans les Antilles étaient les anciens esclaves. Si la France abandonnait les colonies, « le dernier quartier où flottera le pavillon de la République sera celui qui sera défendu par une armée de Noirs. Les Noirs sont les véritables sans-culottes des colonies, ils sont le peuple, eux seuls sont capables de défendre le pays »[17].

Esclaves puis citoyens — les seuls citoyens vraiment capables de défendre la République —, les esclaves des Antilles françaises s'étaient embarqués dans un voyage impressionnant. Leurs actions avaient élargi l'idée de citoyenneté, qu'ils appliquaient à leur propre monde. La radicalisation de la Déclaration des droits de l'homme, ce moment majeur du développement de la culture politique moderne, s'enracinait dans leur organisation politique. Ces insurgés, qui avaient reformulé le sens de la citoyenneté républicaine en donnant un nouveau contenu au langage des droits, avaient transformé les possibilités de l'universalisme lui-même.

CONCLUSION

LE SENS DE LA CITOYENNETÉ

En juin 1794, lorsque la flottille des soldats républicains menés par Victor Hugues fut en vue des côtes de la Guadeloupe, l'île, hérissée de fortifications, était sous la bonne garde des troupes britanniques et des royalistes français. Et pourtant, par une action militaire qui allait être citée partout en France comme un exemple des qualités quasi surhumaines des sans-culottes, de simples hommes de troupe — et des esclaves — réussirent à dérouter les forces anglaises et à reprendre possession de Grande-Terre. Deux mois plus tard, Victor Hugues célébrait la victoire par un hommage appuyé aux « citoyens noirs qui, reconnaissant les bienfaits de la nation française, [ont] partagé nos succès en combattant pour leur liberté ». Il leur conseillait de suivre l'exemple de leurs compagnons d'armes, les sans-culottes : ils « vous montreront toujours le chemin de la victoire, et consolideront avec vous votre liberté et celle de vos enfants ». À tous, Hugues déclarait : « Vous avez bien mérité de la patrie [1]. »

La victoire républicaine dépendait de l'arme de guerre capitale qui arrivait avec le nouveau gouverneur : l'abolition de l'esclavage. Surpassés en nombre, les soldats français virent leurs rangs grossir rapidement grâce au ralliement des esclaves qu'ils avaient invités à les rejoindre.

Après la prise de Pointe-à-Pitre, pour poursuivre les combats et achever la reconquête, les commissaires rendirent la mesure d'abolition officielle en réclamant des volontaires pour combattre les Anglais « qui avoient fait de vous, sans aucune distinction, un peuple d'esclaves ». L'enrôlement était ouvert aux « citoyens de toutes les couleurs[2] ». Dans un rapport adressé quelques semaines plus tard au Comité de salut public, Hugues écrivit à propos des anciens esclaves : « Beaucoup ont pris le parti des armes et se sont montrés dignes de combattre pour la liberté. » Sa décision de créer des bataillons de sans-culottes de toutes les couleurs était couronnée de succès. « Ce mélange a produit le meilleur effet possible sur l'esprit des ci-devant esclaves. Je leur ai accordé la même paye que les troupes de France dans les colonies. Ils s'exercent deux fois par jour et sont flattés d'être traités comme nos frères les sans-culottes, et ces derniers ont pour eux tous les égards possibles, fruit de mes exhortations fraternelles. » Hugues affirmait que les « Citoyens Noirs, nos nouveaux frères », avaient montré « dans cette occasion ce que peut l'esprit de la liberté, puisque des hommes naguère abrutis par l'esclavage elle avait fait des héros. » Libérés, les esclaves étaient acceptés comme des soldats dont la République avait le plus urgent besoin dans la lutte pour la préservation et l'expansion de la Révolution. L'idée proposée par les insurgents de Trois-Rivières et mise en œuvre par Sonthonax devenait la politique officielle de la France. Mais une hiérarchie des valeurs subsistait à l'intérieur du nouvel ordre dévolu à l'égalité du traitement. Hugues se disait sceptique quant à ce qu'on pouvait attendre des soldats noirs. À la fin de son rapport, il mettait un bémol à ses louanges en affirmant que « les Noirs seuls, sans Européens, ne se battoient jamais bien[3] ».

Au cours des années suivantes, la Guadeloupe devint la base d'armées républicaines composées presque entièrement d'anciens esclaves. Elles menèrent dans les Petites Antilles une guerre d'envergure contre les Anglais. Entre l'invasion de Saint-Domingue et la défense de Sainte-Lucie, Saint-Vincent et Grenade contre les attaques françaises, les pertes britanniques furent de soixante mille hommes. Le décret d'émancipation avait changé la nature de la guerre. Les anciens esclaves formaient des alliances avec des esclaves insurgés à l'intérieur des colonies anglaises, et utilisaient des tactiques de guérilla qui stupéfiaient leurs ennemis. L'incorporation d'esclaves devenus citoyens-soldats dans les forces françaises obligea les Anglais à suivre, en enrôlant certains de leurs esclaves — auxquels était promise la liberté — dans les forces armées. Le courage au combat dont firent preuve ces esclaves devenus soldats anglais contredit certaines des justifications traditionnelles de l'esclavage, et contribua au développement du courant abolitionniste anglais, qui aboutit finalement en 1835. Mais en contraste avec les colonies françaises, l'enrôlement était limité et individualisé. Il ne se transforma jamais en une émancipation générale. L'égalité raciale fut poussée beaucoup plus loin dans les forces de la République, où de nombreux « gens de couleur » et ex-esclaves montèrent en grade ; certains furent nommés capitaines, et même généraux. Si bien que lorsque les troupes de Bonaparte tentèrent en 1802 de rétablir l'esclavage en Guadeloupe et à Saint-Domingue, elles se heurtèrent à des armées entraînées et organisées, bien décidées à résister au retour de l'ordre ancien. Les principes d'égalité raciale énoncés par l'abolition s'appliquaient dans toute leur mesure sur la scène militaire. Avant l'émancipation, l'action militaire avait permis aux esclaves d'exprimer clairement leur exigence de citoyenneté ; après l'émancipation, la guerre fut l'arène où le service national exigé des anciens esclaves se combinait sans ambiguïté avec l'avancement méritocratique prôné par les républicains[4].

Si le service militaire était une marque de loyauté envers la nation, il représentait aussi la voie de la progression sociale ; il permettait aux anciens esclaves et à leurs familles d'améliorer leur statut économique. Les soldats noirs de la République recevaient des salaires. À partir de la Guadeloupe, des corsaires armés par Hugues écumaient les mers, capturant navires ennemis et bâtiments de commerce neutres à destination des îles anglaises. Les marins de ces corsaires, souvent d'anciens esclaves, recevaient une part du butin. Ces prises permettaient d'injecter d'importantes quantités d'argent et d'objets dans le réseau social des nouveaux citoyens de la Guadeloupe. Dans les villes portuaires, Blancs et Noirs participaient ensemble à l'économie de guerre. Des nouveaux citoyens acquéraient des terres et construisaient des maisons. Même si le service militaire, clé de voûte dans la construction du sens de la citoyenneté, approfondissait l'exclusion de la population féminine, beaucoup de femmes profitaient du nouvel ordre économique et d'une activité commerciale bourgeonnante pour consolider un patrimoine qui leur permettait, dans certains cas, d'acheter des propriétés. Les avantages de la liberté étaient limités sur les plantations, tandis que les villes offraient des possibilités de changement social rapide pour la masse des nouveaux citoyens soucieux de bénéficier des droits récemment acquis. La République employait d'anciens esclaves comme charpentiers et maçons, d'autres travaillaient dans les hôpitaux ou sur les barges qui chargeaient et déchargeaient les vaisseaux, y compris les prises des corsaires. Certains, boulangers ou pêcheurs, continuaient de travailler pour leurs anciens maîtres ; d'autres se mettaient à leur compte. Dans la Guadeloupe de la fin du XVIIIe siècle, comme plus tard à la Martinique d'après l'émancipation de 1848 si bien décrite dans la roman de Patrick Chamoiseau, *Texaco*, les villes regorgeaient d'opportunités et de dangers[5].

Les Noirs avaient reçu peu de droits politiques dans la foulée de l'émancipation, mais ils avaient obtenu l'accès à un droit crucial — la documentation. La rédaction de l'état civil et des documents notariaux leur permettait d'enregistrer et de légitimer la propriété d'objets et de terres, mais aussi leurs liens familiaux, qui s'étaient développés et maintenus dans l'asservissement. Dès qu'ils furent émancipés, les nouveaux citoyens remplirent les registres d'état civil et les registres des notaires de la Guadeloupe, nous laissant des témoignages éloquents sur la valeur de la liberté légale qu'ils venaient de recevoir. Dans une société où le sens de l'identification raciale était en pleine mutation, on évitait les descriptions raciales — un privilège jusqu'alors réservé

aux seuls Blancs. À l'évidence, les anciens esclaves comprenaient l'importance de la notification des droits individuels ;
la manière dont les cultivateurs assimilaient les nouveaux
arrivés d'Afrique placés sur leurs plantations — la « cargaison » humaine des vaisseaux anglais saisis par les corsaires
français — en est l'illustration. Par groupes de trois ou
quatre, les nouveaux citoyens amenaient ces Africains dans
les bâtiments municipaux de Basse-Terre, les déclaraient
comme originaires de « la côte d'Afrique », et leur donnaient de nouveaux noms — français — qui étaient inscrits
dans les registres des naissances, et leur existence sociale,
leur « renaissance » dans la République. Un nouvel ordre,
dont les insurgés de Trois-Rivières avaient profilé les principes, venait d'atteindre la Caraïbe. Pour la première fois,
la métropole et les colonies étaient unies sous le même fais-
ceau de lois, et gouvernées par les principes universels de
l'égalité raciale destinés à transformer les sociétés d'esclaves en sociétés de citoyens libres [6].

L'administration de la liberté par la France révolutionnaire, première expérience à grande échelle de l'émancipation des esclaves, influença profondément l'émancipation
des esclaves partout dans les Amériques. L'esclavage venait
de subir une première et fatale attaque dans la Caraïbe
française. Parallèlement, la présence massive d'anciens esclaves dans les armées françaises sapait les idéologies de
l'exclusion raciale. Les nouvelles de l'émancipation française et l'exemple des esclaves devenus citoyens-soldats
électrifièrent les esclaves dans les Amériques. En 1795, en
Louisiane (alors espagnole), une grande insurrection d'esclaves fut déjouée, et de la Jamaïque au Venezuela,
d'autres colonies durent affronter des révoltes d'esclaves.
Aux États-Unis, la présence d'un grand nombre de Français
réfugiés — avec leurs esclaves — fit redouter que l'exemple
de l'émancipation soit bientôt imité par les esclaves du Sud.
À Charleston et à Richmond, on découvrit des plans d'insurrections, et dans les années qui suivirent l'indépendance
d'Haïti en 1804, plusieurs grandes révoltes d'esclaves — notamment celle de Denmark Vesey — s'inspirèrent de
l'exemple de cette nouvelle république. L'esclavage persista

aux Amériques pendant encore presque un siècle, mais l'émancipation française sonna le glas de cette institution[7].

Le régime qui succédait à l'émancipation de 1794 était toutefois contradictoire à bien des égards. Les anciens esclaves durent lutter contre les restrictions que leur imposaient des fonctionnaires ayant une vision limitée de ce que devrait signifier la liberté[8]. La fin de l'esclavage dans la Caraïbe française ne représentait pas la fin du racisme, mais plutôt sa reconfiguration en ce qu'on nommera le « racisme républicain ». Les nouvelles formes d'exclusion raciale n'étaient plus basées sur l'idée d'une « barbarie » africaine immuable ; elles reposaient sur l'idée que l'expérience de l'esclavage elle-même empêchait les esclaves de devenir immédiatement des citoyens libres. Ce nouveau racisme était conforté par les idées des abolitionnistes eux-mêmes ; confrontés au problème de la transformation des esclaves en citoyens sans que le fonctionnement de l'économie coloniale en soit menacé pour autant, ils avaient privilégié le principe d'une attribution progressive des droits, avec ce résultat que les anciens esclaves gardaient leur rôle traditionnel de travailleurs. L'esclavage, argumentaient les abolitionnistes, avait systématiquement nié les droits sociaux des esclaves, qui n'en avaient jamais appris le sens, et ne pouvaient par conséquent les exercer immédiatement. Leur condition morale, façonnée par la violence et les abus de l'esclavage, propagerait inévitablement dans la société cette histoire de violence et d'abus. L'histoire de l'esclavage devait être défaite par un lent processus de sélection et de transformation. Les esclaves apprendraient par les punitions, l'éducation et la tentation économique à devenir des citoyens. Ils rejoindraient lentement la République. Entre-temps, on devait limiter leurs droits.

Des arguments de ce type représentaient (avec quelques exceptions) la position politique dominante parmi les abolitionnistes français à la veille de la Révolution. Il fallut les événements des Antilles pour concevoir une vision de l'émancipation encore plus radicale, et oser penser à une émancipation immédiate et universelle de tous les esclaves. Confrontés à une émancipation imposée par les insurgés, les administrateurs républicains mirent en pratique les arguments des tenants de l'abolition progressive. Les contradictions de l'idéologie de l'abolition progressive hantaient donc la période de l'émancipation ; d'une certaine manière, elles préparaient le retour de l'esclavage qui eut lieu au début du XIXᵉ siècle. Il existe en fait une continuité remarquable entre les arguments des abolitionnistes progressifs d'avant la Révolution, ceux utilisés par Victor Hugues pour défendre la limitation des droits des anciens esclaves, et ceux qui ont permis de justifier le rétablissement de l'esclavage en 1802. Ce qui les lie est un ensemble consistant d'arguments sur l'incapacité des anciens esclaves à être citoyens d'une République.

Pour comprendre les contradictions de l'émancipation, j'examine dans cette conclusion le parcours de Victor Hugues, qui apporta l'émancipation à la Guadeloupe en 1794 et gouverna l'île jusqu'en 1798[9]. Cela permettra de comprendre comment les justifications d'exclusion raciale se sont développées à l'intérieur du langage universaliste des droits. Le régime de Hugues offre un éclairage fascinant sur la manière dont de nouvelles formes d'exclusion ont émergé de la lutte sociale au sein de la Caraïbe ; à la différence d'autres fonctionnaires qui allaient administrer l'émancipation dans différentes zones coloniales au cours du XIXᵉ siècle, Hugues disposait de peu d'exemples dont il pouvait s'inspirer pour établir le nouvel ordre. Les dirigeants de la métropole ne lui avaient donné aucune instruction concrète en l'envoyant dans la Caraïbe. Sa mission difficile et complexe consistait simultanément à abolir l'esclavage, à maintenir la production des plantations et à poursuivre une guerre contre les Anglais. Il improvisa son administration en réagissant sur place à la situation concrète de la Guadeloupe, tout en s'inspirant de la culture politique du républicanisme et des idées des abolitionnistes. Les historiens ont tendance à peindre Hugues sous les traits d'une figure tyrannique et extrême, un jacobin classiquement brutal et rigide ; mais, à bien des égards, c'était un républicain typique. Ses actes nous permettent de comprendre l'histoire de l'interaction entre les idéologies de race et de citoyenneté dans la culture républicaine [10].

L'histoire de Hugues nous aide également à comprendre la pensée d'autres gouverneurs des Amériques, tel Thomas Jefferson, dont l'attitude ambiguë et contradictoire envers l'esclavage a été au centre de nombreuses controverses aux États-Unis. Les expériences de gouverneurs tels que Hugues durent probablement influencer directement Jefferson, qui, au tout début du XIXe siècle, commença à revenir sur les positions abolitionnistes qu'il avait défendues pendant la révolution américaine. Les problèmes auxquels se confrontait la France pendant sa Révolution étant identiques à ceux qui se posèrent aux États-Unis à la fin du XVIIIe siècle et au XIXe. Dans quelle mesure une autorité centralisée avait-elle le droit d'établir les lois de régions ayant des systèmes économiques et sociaux différents ? En France, comme aux États-Unis, beaucoup avançaient que le droit universel devait surmonter les différences locales ; en conséquence, les zones d'esclavage devaient céder le pas devant les principes généraux de la République. Mais, à la différence des États-Unis pendant leur révolution, cet argument prévalut en France en 1794 sous sa forme la plus extrême. Il devint le principe d'un nouveau régime colonial où métropole et colonie étaient liées dans ce qu'un architecte de la politique, Étienne Laveaux, a appelé en 1798 un « système d'unité absolu [11] ». Selon ce principe, tous ceux qui vivaient dans l'empire français étaient des citoyens égaux, quelle que soit leur race, et les lois de la République étaient universellement applicables. Ce principe était extrêmement radical — voire dangereux — pour les empires anglais et espagnol aussi bien que pour les États-Unis, où l'esclavage était fondamental pour l'économie. De nombreux observateurs virent dans la destruction ultime du projet colonial, et plus tard dans l'émergence de Haïti comme une République noire indépendante, un signal d'avertissement sur les dangers de la liberté des esclaves. Au début du XIXe siècle, Jefferson essaya d'imaginer comment on pouvait métamorphoser les esclaves en citoyens sans entraîner la destruction de la fragile République — sa peur dépassa son idéalisme, et il cessa d'être favorable à l'émancipation. Le problème qu'il n'avait pas réussi à résoudre — comment créer une démocratie multiraciale fonctionnelle — allait précipiter au siècle suivant la grande crise de la guerre civile aux États-Unis [12]. C'était aussi le souci permanent du gouvernement de l'empire français au long du XIXe et du XXe siècles, tandis que la question « qui a le droit d'être un citoyen ? » se chargeait de plus en plus de sens politique en Afrique et en Asie — tout comme aujourd'hui dans la France contemporaine.

En 1781, le marquis de Condorcet, l'un des futurs membres fondateurs de la Société des Amis des Noirs, publiait un ouvrage — l'un des premiers à traiter de ce problème fondamental de la démocratie : les *Réflexions sur l'esclavage des nègres*. Véritable matrice de la pensée abolitionniste de la Révolution, ce livre joua un rôle capital : il déterminait les termes qui allaient permettre aux républicains d'imaginer l'émancipation, puis de l'administrer. Dans son introduction, « Épître dédicatoire aux nègres esclaves », Condorcet se plaint de ce que les esclaves, qu'il a toujours considérés comme ses frères et ses égaux, ne liront jamais son ouvrage. Comme Sonthonax le fera une décennie plus tard, il affirme la supériorité de l'esclave colonial sur le colon violent et décadent, et déclare : « Si on alloit chercher un homme dans les Isles de l'Amérique, ce ne seroit point parmi les gens de chair blanche qu'on le trouveroit. » Comme Montesquieu avant lui, il bat en brèche de manière systématique et satirique les arguments des partisans de l'esclavage. « Ainsi, le raisonnement des politiques qui croient les Nègres esclaves nécessaires, se réduit à dire : "Les Blancs sont avares, ivrognes et crapuleux ; donc les Noirs doivent être esclaves" [13]. »

Parmi les nombreux pamphlets qui attaquèrent l'esclavage au XVIIIe siècle, celui de Condorcet se distinguait par son discours conséquent sur les moyens de l'abolir sans entraîner une « révolution » dans les colonies. L'abolition progressive de l'esclavage devait permettre peu à peu l'intégration des esclaves dans l'état de liberté politique et économique. On pouvait y parvenir en contraignant les maîtres à émanciper tous les esclaves nés après une certaine date, à l'âge de trente-cinq ans. Si l'on suivait son plan à la lettre, Condorcet affirmait que l'abolition prendrait soixante-six ans, la libération de la plupart des esclaves intervenant pendant une période de trente à quarante ans. Entre-temps, l'économie coloniale continuerait de fonctionner puisque l'intégration progressive des esclaves comme travailleurs libres épargnerait au système social un choc trop brutal. Cette émancipation graduelle était nécessaire, car « on ne peut dissimuler que les Nègres n'ayent en général une grande stupidité. Ce n'est pas à eux que nous en faisons le reproche ; c'est à leurs maîtres [...] Avilis par les outrages de leurs maîtres, abattus par leur dureté, ils sont encore corrompus par leur exemple ». Compte tenu de l'expérience dégradante de l'esclavage, Condorcet s'interrogeait : « Ces hommes sont-ils dignes qu'on leur confie le soin de leur bonheur et du gouvernement de leur famille ? Ne sont-ils pas dans le cas des infortunés que des traitements barbares ont, en partie, privés de la raison [14] ? »

Bien que le droit *naturel* dont on avait injustement privé les esclaves ne leur ait pas été rendu, cela ne signifiait pas qu'ils devaient obtenir le droit politique. Toute loi qui « blesse le droit des hommes, soit nationaux, soit étrangers », était en principe injuste, mais dans certains cas l'intérêt des victimes de l'oppression et la nécessité de maintenir l'ordre public justifiaient une approche prudente de l'application d'un principe aussi juste.

> *Si cependant il existe une sorte de certitude qu'un homme est hors d'état d'exercer ces droits, et que si on lui en confie l'exercice, il en abusera contre les autres, ou qu'il s'en servira à son propre préjudice ; alors la société peut le regarder comme ayant perdu ses droits, ou comme ne les ayant pas acquis. C'est ainsi qu'il y a quelques droits naturels dont les enfants en bas âge sont privés, dont les imbécilles, dont les fous restent déchus. De même si, par leur éducation, par l'abrutissement contracté dans l'esclavage, par la corruption des mœurs, suite nécessaire des vices et de l'exemple de leurs maîtres, les esclaves des colonies Européennes sont devenus incapables de remplir les fonctions d'hommes libres ; on*

peut (du moins jusqu'au temps où l'usage de la liberté leur aura rendu ce que l'esclavage leur a fait perdre) les traiter comme ces hommes que le malheur ou la maladie a privés d'une partie de leurs facultés, à qui on ne peut laisser l'exercice entier de leurs droits sans les exposer à faire du mal à autrui, ou à se nuire à eux-mêmes, et qui ont besoin, non seulement de la protection des lois, mais des soins de l'humanité [...] Ainsi, dans de pareilles circonstances, ne pas rendre sur le champ à des hommes l'exercice de leurs droits, ce n'est ni violer ces droits, ni continuer à en protéger les violateurs ; c'est seulement mettre dans la manière de détruire les abus, la prudence nécessaire pour que la justice qu'on rend à un malheureux, devienne plus sûrement pour lui un moyen de bonheur.

Le législateur, poursuivait Condorcet, « doit à la société de n'y point admettre des hommes qui lui sont étrangers, et qui pourroient la troubler ». Et puisque, « avant de placer les esclaves au rang des hommes libres, il faut que la loi s'assure qu'en cette nouvelle qualité ils ne troubleront point la sûreté des citoyens », limiter les droits des anciens esclaves était un moyen justifiable de protéger la société de la violence et du chaos qui ne manqueraient pas d'éclater[15].

Condorcet notait, ce que d'autres abolitionnistes feront observer après lui, que l'abolition de l'esclavage devait s'accompagner d'un changement moral chez les maîtres eux-mêmes. Mais l'essentiel de son plan concernait les moyens de changer les esclaves et de les amener doucement vers la société des hommes libres sans troubler l'économie de plantation. Condorcet envisageait une transformation du fonctionnement économique des plantations, et une diversification de l'industrie : la culture de la canne devait être confiée à des petits fermiers chargés de fournir des usines centralisées régies par l'État. Les républicains ne donnèrent jamais suite à ce projet, et les abolitionnistes ultérieurs l'ont rarement évoqué. Le principe de l'émancipation progressive, en revanche, faisait partie de la plate-forme générale de la Société des Amis des Noirs, qui s'inspirait du travail de Condorcet et d'autres textes de la période, comme la dernière édition de l'*Histoire des deux Indes* de l'abbé Raynal. En somme, Condorcet dressait le décor des événements qui allaient secouer la Guadeloupe après l'émancipation de 1794. L'une de ses propositions était soit étrangement prophétique, soit directement à l'origine des décisions de Victor Hugues.

> *Comme il seroit à craindre que les Nègres, accoutumés à n'obéir qu'à la force et au caprice, ne pussent être contenus, dans le premier moment, par les mêmes lois que les Blancs ; qu'ils ne formassent des attroupements, qu'ils ne se livrassent au vol, à des vengeances particulières, et à une vie vagabonde dans les forêts et les montagnes ; que ces désordres ne fussent fomentés en secret par des Blancs qui espéreroient en tirer un prétexte pour obtenir le rétablissement de l'esclavage ; il faudroit assujettir les Nègres, pendant les premiers temps, à une discipline sévère, réglée par des lois ; il faudroit confier l'exercice du pouvoir à un homme humain, ferme, éclairé, incorruptible, qui pût avoir de l'indulgence pour l'ivresse où ce changement d'état plongeroit les Nègres, mais sans leur laisser l'espérance de l'impunité, et qui méprisât également l'or des Blancs, leurs intrigues et leurs menaces*[16].

Pour faire appliquer la liberté à la Guadeloupe, Hugues prit le ferme contrôle de l'ensemble des lois de l'île et entreprit sans hésiter de détruire le vieil ordre pour imposer le nouveau. Tout en annonçant qu'il souhaitait contrôler les effets de l'émancipation, il en célébrait la justice universelle — c'était un pan entier de l'épopée de la libération révolutionnaire. En même temps, pour limiter le rôle des esclaves libérés et contenir les effets de leur liberté, il décréta des mesures restrictives comparables à celles envisagées par Condorcet. Dès leur arrivée à la Guadeloupe, les commissaires proclamèrent le décret d'émancipation de la Convention nationale. Le texte du décret s'accompagnait d'une explication sur ce que l'émancipation exigeait des Blancs et des nouveaux citoyens. « Citoyens, un gouvernement républicain ne supporte ni chaînes ni esclavage, aussi la Convention Nationale vient-elle de solennellement décréter la liberté des Nègres et de confier le mode d'exécution de cette loi aux commissaires qu'elle a délégués dans les colonies. »

Le résultat de cette loi était « la bienfaisante égalité sans laquelle la machine politique est comme une horloge dont le balancier perd son équilibre et son action perpétuelle », et « une administration générale et particulière qui garantisse la propriété déjà formée des uns, et le produit du travail et de l'industrie des autres ». Le bonheur des « citoyens de toutes les couleurs » dépendait de « cette loi et de son exécution ». « Mais il faut que les citoyens blancs offrent cordialement, fraternellement, et à salaire compétent, du travail à leurs frères noirs et de couleur ; et il faut que ces derniers apprennent, et n'oublient jamais que ceux qui n'ont pas de propriétés sont obligés de pourvoir, par leur travail, à leur subsistance, celle de leur famille, et concourir, en outre, par ce moyen, au soutien de leur patrie. » La proclamation s'achevait sur une menace : « CITOYENS, vous n'êtes devenus égaux que pour jouir du bonheur et le faire partager à tous les autres ; celui qui est l'oppresseur de son concitoyen, est un monstre qui doit aussitôt être banni de la terre sociale [17]. »

Alors que partout sur Grande-Terre on proclamait la liberté flambant neuve, ce portrait idéal de Blancs et de Noirs censés œuvrer de concert pour la nation menaçait de se dégrader à toute allure. Les anciens esclaves devaient fortement douter de la bonne foi des fonctionnaires républicains qui leur demandaient de rester sur les plantations et d'y poursuivre leur travail pour un « salaire compétent » prétendument offert par des concitoyens dont ils subissaient la dure loi la veille encore. Lorsqu'on signala que certains esclaves s'étaient emparés des provisions sur les plantations, les commissaires réagirent par un décret stipulant clairement que la fin de l'esclavage n'impliquait aucune altération du droit à la propriété. La proclamation, expressément destinée aux anciens esclaves, commençait ainsi : « La Convention Nationale, par son décret du 16 Pluviôse dernier, vous a accordé le plus grand des biens, LA LIBERTÉ. Elle nous a confié l'exécution de cette loi ; son intention, en brisant vos fers, a été de vous procurer une plus grande somme de bonheur, en vous faisant jouir de vos droits. » Mais les commissaires ont appris « avec douleur, qu'il s'étoit commis quelques déprédations dans les campagnes ; qu'on y avoit coupé des maniocs, enlevé des bananes, sans nécessité, dans la vue seulement de faire du mal et de nuire aux propriétaires ». Compte tenu de la situation de la colonie, protéger la propriété — les provisions en particulier — était d'une importance vitale. En conséquence, les commissaires déclaraient illégal « à tout citoyen quelque et de quelque couleur qu'il soit, de toucher aux vivres des habitations, tels que maniocs, bananes, maïs, etc., sans la permission exprès du propriétaire, à peine, pour les contrevenants, d'être livrés à toute la rigueur des lois ; et dans le cas où ils arracheroient les dits vivres par malveillance, ils seront mis hors la loi et punis de mort, comme d'intelligence avec les ennemis de la République [18] ». Cette proclamation allait au-delà de l'affirmation de la continuité du droit à la propriété ; lui porter atteinte était non seulement un crime contre le propriétaire, mais un acte de trahison envers la nation. Des commissaires allaient administrer l'agriculture et les travaux au profit de la nation, et pour servir son projet républicain. Revendiquer le contrôle de la production agricole était une mesure d'autant plus frappante que de nombreuses plantations étaient propriété de l'État depuis que les lois républicaines mettaient sous séquestre les biens des émigrés et des contre-révolutionnaires. Il s'ensuivait — sur un plan plus large — que l'État voulait contrôler le destin économique et social des nouveaux citoyens.

Dans une lettre écrite au lendemain de sa proclamation, Victor Hugues commentait le comportement décevant des anciens esclaves : « Nous avons proclamé le décret sur la Liberté des Nègres ; ce décret loin de nous procurer des ressources, nous les ôte entièrement, par le peu d'instruction qu'ont nos frères des Colonies ; néanmoins il faut espérer que les mesures prudentes et sévères leur feront sentir le prix de la Liberté. » Il ajoutait plus loin que « les Citoyens noirs qui ne connoissent point encore le prix de la Liberté, ne s'en servent que pour voler ou détruire ». Pour Hugues, le « prix de la Liberté » était la soumission des esclaves à la nation qui avait fait d'eux des citoyens [19]. Apparemment, le comportement des nouveaux citoyens continuait de décevoir le nouveau Commissaire puisque, sept jours après sa mise en garde contre les « déprédations » sur les plantations, il publiait une « Proclamation aux Citoyens Noirs » qui assimilait à une trahison le refus des anciens esclaves de remplir le rôle qu'on attendait d'eux :

> *La République, en reconnoissant les droits que vous teniez de la nature, n'a pas entendu vous soustraire à l'obligation de vous procurer de quoi vivre par le travail.*
>
> *Celui qui ne travaille pas, ne mérite que le mépris et ne doit pas jouir des bienfaits de notre régénération ; car l'on doit présumer avec raison que les paresseux n'existent qu'en commettant des brigandages.*
>
> *Tous les Citoyens ne pouvant pas être employés à la défense de la Colonie, il est indispensable que ceux qui ne sont pas incorporés dans la force armée, s'occupent à cultiver la terre et planter des vivres le plus promptement possible.*
>
> *D'ailleurs, Citoyens, celui qui sacrifie ses peines et ses sueurs pour procurer des subsistances à ses concitoyens, mérite autant que celui qui se sacrifie pour les défendre. En conséquence, Citoyens, nous invitons et requérons ceux de vous qui ne sont pas incorporés dans la force armée, d'avoir à se rendre sur les habitations où ils demeuroient ci-devant pour y travailler sans relâche à planter des patates, ignames, malangas et autres racines nourrissantes ; leur promettant sûreté et protection et de les faire payer de leurs travaux ; mais si, contre notre attente, quelques-uns de vous refusoient de se rendre à notre invitation, nous leur déclarons, au nom de la République, qu'ils seront considérés comme traîtres à la patrie et livrés à la rigueur des lois.*
>
> *Enjoignons à la municipalité de requérir la force armée pour dissiper les attroupements et faire rendre les citoyens noirs dans leurs habitations respectives pour y planter des vivres* [20].

Ce que Hugues écrivait sur le comportement des nouveaux citoyens oscillait entre l'enthousiasme devant le potentiel des esclaves libérés, et la déception devant ce qu'il considérait comme leur échec à tirer parti de ce potentiel. Hugues croyait que les symboles et les idéaux du républicanisme pouvaient transformer les anciens esclaves, et la société où ils avaient vécu, en une société plus égale et plus juste. Dans une note à l'une de ses lettres destinées à la métropole, il réclamait pour les nouveaux citoyens des milliers de cocardes destinées à remplacer celles qui étaient fabriquées localement et au prix fort, et de nouveaux drapeaux pour les régiments noirs. « Ce sont des petits stimulants qui produisent des grandes choses[21]. » Cependant, même s'il voulait les habiller des couleurs de la République, Hugues avait une vision limitée de l'étendue des droits qu'il était prêt à consentir aux nouveaux citoyens. Il insistait sur les dangers d'une liberté indisciplinée et sur la nécessité de discipliner cette liberté pour le plus grand profit de la nation. Son ambivalence est flagrante dans un rapport adressé au Comité de salut public un mois après la proclamation d'émancipation : « Les Noirs qui, par ignorance ne pensent jamais au lendemain, consomment tous les vivres de terre et ne veulent pas en planter, se plaint-il. Ce n'est pas que si on pouvoit leur parler dans tous les atteliers, ils le fissent ; mais nous sommes trop peu de monde pour pouvoir envoyer ces prédicateurs en qui seuls ils pourroient avoir confiance, car ils ne peuvent en accorder aux gens de ce pays-ci. » Il poursuivait : « Je déclare en mon âme et conscience au Comité de salut public qu'ayant passé vingt ans dans les Colonies et ayant toujours été possesseur de Nègres, j'avais toujours redouté qu'on leur donnât la liberté, mais je dois à la vérité de déclarer qu'ils en sont dignes par la conduite qu'ils ont tenue, hors le vol et la paresse, vices innés chez les hommes asservis par l'avilissement dans lequel on les tient, ils ne se sont portés à aucune extrémité contre tous leurs ci-devants maîtres. Ils ont beaucoup pillé, mais ils se sont bornés à cela seulement[22]. »

Dans le nouvel ordre de Hugues, les citoyens noirs devaient montrer qu'ils méritaient la liberté en servant soit comme soldats, soit comme cultivateurs. Hugues présentait ces rôles comme une responsabilité attachée à la citoyenneté républicaine. Dans ce répertoire, en particulier celui du cultivateur, les anciens esclaves devaient assurer le fonctionnement des plantations. Une instance supérieure mobilisait et contrôlait à nouveau leur labeur ; cette fois le bénéfice n'en revenait pas aux maîtres, mais à la nation. Hugues estimait que la dette particulière des esclaves libérés par la République entraînait des responsabilités particulières. Ces responsabilités n'étaient pas celles communes à tous les citoyens de la nation ; elles étaient particulières à des citoyens qui, récemment encore, étaient une propriété, et, en tant que propriété, avaient produit des biens vitaux pour la nation. Leur condition ancienne déterminait le sens de leurs nouveaux droits ; ils étaient libres, mais ils devaient en payer le prix en acceptant les limites de leur liberté. Ces limites étaient nécessaires pour maintenir en état de marche l'économie de plantation ; des désordres occasionneraient dégâts et gêne pour la nation. Les anciens esclaves, comme tout bon citoyen, devaient être prêts à tout sacrifier pour le bien général de la nation ; et puisque leur histoire particulière dictait leur rôle patriotique, ils devaient cultiver la terre. Sinon, ils ne méritaient pas la liberté qu'on leur accordait. La nation, suivant ses principes, avait investi en eux en subventionnant leur émancipation ; ils devaient lui prouver qu'ils la méritaient. Leur liberté conservait une certaine minceur ; à un certain niveau, la nation se réservait le droit de restreindre et de rétracter ce qu'elle avait donné. Voilà ce que représentait un *nouveau* citoyen : il était libre, il était une part de la nation comme tous les autres citoyens, mais il jouait un rôle particulier lié à une condition passée. Nouveaux convertis de la nation, les anciens esclaves portaient la marque de la générosité qui les avait rendus libres. Il était de leur responsabilité de ne pas décevoir la République nécessiteuse qui leur avait accordé la citoyenneté.

À la fin de 1794, la France avait reconquis l'ensemble de la Guadeloupe. En quelques mois, Hugues étendit à toute l'île la politique qu'il avait établie dès le début de son gouvernement. Il utilisa un appel qui enjoignait aux nouveaux citoyens d'achever la récolte de café, pour initier une politique systématique de retour aux plantations. Cette directive était lourde d'une idée explicite : le destin des esclaves libérés des plantations était de devenir des agriculteurs. Hugues souhaitait renverser le processus qui avait expédié des masses de nouveaux citoyens dans les villes où ils testaient leur liberté, cherchant du travail et délaissant les plantations. Le préambule de la loi exprimait clairement ce souci en signalant que d'énormes quantités de grains de café attendaient d'être récoltées, « qu'ils se perdent tous les jours par la négligence ou la mauvaise volonté de ceux destinés à les cueillir ». La plupart des « citoyens des campagnes », poursuivait la loi, « ont déserté leurs atteliers pour se réfugier dans la cité, où n'étant point occupés par la chose publique, ils croupissent dans la paresse, se cachent à la surveillance des autorités constituées, et se livrent clandestinement à toutes sortes de brigandages pour subsister ». La directive ordonnait en conséquence que « tous les Citoyens qui sont dans l'usage de s'employer aux travaux de la récolte, soit qu'ils résident dans les campagnes, soit qu'ils soient domiciliés dans les villes, sont en réquisition pour la prochaine récolte ». Enfin, dans ce qui semblait presque être une réflexion après coup, le texte ajoutait : « Tous les Citoyens et Citoyennes qui ne sont point utilement employés pour la chose publique, sont de nouveau et définitivement requis de se retirer, sans aucun délai, sur les habitations où ils résidoient ci-devant, tant celles appartenantes à la République que celles des particuliers qui y sont restés fidelles, à l'effet de travailler à la culture de la terre. » Tout refus de travailler et tout acte encourageant l'abandon du travail serait puni comme un crime contre la Révolution[23].

À l'évidence, l'application de cette mesure exigeait qu'on sache par le détail qui était rattaché à quelle plantation. Hugues lança une campagne de recensement étayée par des listes détaillées comprenant tous les citoyens de l'île identifiés par âge, race et profession. Les recensements couvraient l'ensemble des plantations ; ils notaient les compétences et la condition physique des cultivateurs. Certains citoyens étaient inscrits comme « divagants » — un nouveau terme pour une vieille pratique qui, ironiquement, restait un mécanisme de résistance : le marronnage[24]. Dans un document adressé à tous les gérants des plantations nommés par l'État, Hugues détaillait l'organisation du travail. À 5 heures, les cultivateurs seront réveillés et rassemblés ; on leur fera chanter *La Marseillaise*, puis crier : « Vive la République ! » Ils seront ensuite menés par le conducteur sur leur lieu de travail, « toujours en chantant, avec cette gaîté simple et vive qui doit animer le bon enfant de la patrie ». Le gérant visitera les maisons, exigera des explications de tous ceux qui ne travaillent pas et décidera si leurs excuses sont valables. Les pauses seront de 8 heures à 8 h 30 dans la matinée et entre 11 h 30 et 14 heures pour le déjeuner. Le travail s'arrêtera au crépuscule. « Lorsque le bien de l'habitation demandera » une présence supplémentaire à l'usine ou pour toute autre raison, « nous sommes persuadés que tous s'y prêteront en vrais républicains ». Les gérants devaient faire régulièrement parvenir leurs rapports à Hugues, et lui signaler les cultivateurs qui étaient durs au travail. Une nouvelle version de *La Marseillaise* fut écrite expressément pour les travailleurs, avec des paroles différentes : elles prônaient la guerre républicaine contre l'esclavage et la responsabilité des anciens esclaves envers la nation[25].

Six mois après cette proclamation, Hugues en édictait une autre pour corriger certains problèmes soulevés par ses précédentes instructions sur le régime du travail. Dans certaines zones, les laboureurs des plantations continuaient de se reposer le dimanche ; d'autres observaient le nouveau calendrier républicain et choisissaient comme jour de repos le *décadi*, le dixième jour de la semaine. Pour uniformiser la situation sur l'ensemble des plantations, Hugues accorda à tous les travailleurs le *nonedi*, le neuvième jour de la semaine, pour vaquer à leurs « affaires particulières », et le *décadi* comme jour de repos. Ce nouveau système était censé aider « les citoyens rendus à la liberté » à « oublier tout ce qui peut leur retracer le temps de leur servitude[26] ». Or, tandis qu'il affirmait la nécessité d'effacer le passé, Hugues ne faisait rien d'autre que gérer un système perpétuant certaines formes d'esclavage. Il justifiait sa politique dans une lettre au général Laveaux, à Saint-Domingue : « Les habitants de la Guadeloupe n'ont senti le bonheur de leur tranquillité que depuis un an que nous y sommes, tous les citoyens y ont été également traités, tous ont l'amour du bien, de la Patrie, et du travail, que nous avons fait germer dans leurs cœurs, mais les paresseux de toutes les couleurs ont été punis, dans une société laborieuse peut-on voir des hommes salariés partout se divertir aux dépens des autres ? » Hugues punissait « le cultivateur qui abandonne la culture pour vagabonder » comme il punissait le soldat incapable ou débauché ; il s'était arrangé pour payer les soldats et les fonctionnaires avec les bénéfices que continuaient de générer les plantations[27].

Hugues agissait de son propre chef, dans un isolement dû à l'absence d'instructions. Une erreur d'expédition lui permit de recevoir un lot de lois destinées à toutes les autres colonies — la Réunion, le Sénégal, l'Île-de-France, Saint-Domingue et Cayenne ; mais le lot de lois concernant la Guadeloupe était incomplet. « De manière que si, dans cet intervalle il part un aviso pour les Indes orientales, il emporte les Lois des Indes occidentales, et ni les unes ni les autres n'ont le complément des Lois, ce qui paralyse les autorités, et doit les réduire à ne pouvoir organiser et les fait errer dans les affaires les plus importantes[28]. » Trois représentants de Hugues évoquèrent le problème dans un rapport sur la Guadeloupe écrit à la fin 1795. Ils notaient que le manque de directives entraînait la stagnation du travail. Le projet d'émancipation des esclaves s'était enlisé, il était à moitié accompli, et les changements majeurs essentiels restaient en suspens. La prospérité des plantations dépendait du paiement des anciens esclaves ; ils travaillaient parce qu'ils y avaient été contraints, mais ne se sentaient pas attachés à leur labeur.

> *Lors de la publication du Décret bienfaisant qui tend à l'espèce humaine la classe précieuse d'hommes que l'avidité européenne et la vanité créole en avoient entièrement chassée, plusieurs habitations et surtout celles des particuliers furent abandonnées par les Citoyens noirs qui y étoient attachés. Il étoit bien naturel à des hommes accoutumés à voir leur sueur et leur fatigue absorbées par les plaisirs d'un maître avide d'identifier dans les premiers moments les idées de Liberté et de repos, et de se livrer à l'enthousiasme que devoit produire sur eux le spectacle de leurs chaînes brisées et la chute de leurs tyrans [...] Le premier soin du Commissaire Hugues, lors de l'évacuation de la Colonie par les An-*

glais, fut de les rappeler tous à la Culture des campagnes qui, jusqu'à l'instant de notre départ, alloit assez bien, quoique les cultivateurs n'eussent pour toute indemnité que le produit de leurs jardins particuliers qu'on leur avoit abandonnés et auxquels on leur permettoit de travailler deux jours seulement par décade.

Le Comité sentira facilement que cette indemnité ne suffit point aux cultivateurs. Cette mesure d'ailleurs, qui n'a été que provisoire, présente un grand vice, en ce qu'il sépare entièrement l'intérêt du cultivateur de celui du propriétaire. Il est aisé de voir que le citoyen noir négligera les travaux de l'habitation pour le donner particulièrement à son jardin dont il espère seul retirer le fruit de ses peines. Il faut au contraire confondre les deux intérêts, attacher le cultivateur à la prospérité de l'habitation entière et le porter à travailler par l'espoir d'en retirer plus d'avantages, à mesure qu'il portera plus de soins à la cultiver. Au reste, nous ne présentons ici au Comité que l'opinion de ceux qui se sont le plus adonnés à l'agriculture dans les colonies et qui ont longtemps étudié les mœurs et le caractère des Noirs. Ils sont généralement bons, simples et par cela même aisés à séduire [...] Il seroit à désirer que le gouvernement pût y faire passer des instituteurs éclairés et entièrement dévoués au bien public. Les Noirs à leur école apprendroient à connoitre leurs droits et à en user avec modération, à les défendre avec chaleur et contracteroient bientôt l'habitude des vertus éteintes chez eux par l'esclavage et la barbarie des anciens maîtres[29].

En faisant valoir les avantages du travail payé, les commissaires soumettaient un argument puissant au Comité de salut public : seule sa pratique effective pourrait stimuler la prospérité de la colonie. La transformation de l'ordre social qu'ils imaginaient passait par le libre travail et par de justes émoluments, conditions nécessaires à l'établissement de liens réciproques entre des propriétaires prospères et des ouvriers, dont la condition s'élèverait et s'ancrerait solidement dans la citoyenneté grâce à l'éducation. Ce but, Hugues ne tenta jamais sérieusement de l'atteindre. De fait, à partir de 1795, avec la chute de Robespierre et l'instauration du Directoire, il justifia de plus en plus l'exclusion politique et économique des nouveaux citoyens. Il intégrait certains des termes du nouveau régime, notamment la politique plus modérée envers les émigrés, et acceptait le retour (certainement inquiétant pour leurs ci-devant esclaves) de certains anciens maîtres, et la reprise de leurs propriétés en Guadeloupe. Mais il s'opposait explicitement aux politiques du Directoire — lequel tentait d'encourager l'assimilation politique des nouveaux citoyens en appliquant plus franchement la Constitution aux Antilles et en resserrant les liens administratifs entre la métropole et les colonies[30]. Selon Hugues, l'égalité n'était pas absolue ; les citoyens méritaient un traitement différent selon leur valeur morale et intellectuelle. Ces distinctions étaient un aspect fondamental et nécessaire du régime. « Notre première démarche a été de faire oublier les malheurs de nos concitoyens de la Guadeloupe, en tirant un rideau sur tout ce qui s'étoit passé avant notre arrivée » ; sous son régime, « les Noirs ont reçu cette portion de liberté qu'on pouvoit accorder à des infortunés, qui à peine ont franchi les bornes de l'instinct, et leur conduite excite l'admiration générale ». « Les véritables principes d'égalité ont été promulgués et professés par nous, mais jamais nous n'avons pensé qu'un fripon fût l'égal d'un homme de bien, qu'un brutal, un ivrogne, pour raison d'égalité, pussent entrer et s'asseoir au banquet patriarcal d'une honnête famille ; que l'épouse d'un vertueux citoyen pût être assimilée à une prostituée [...] Les personnes ont été protégées [...] Les propriétés ont été respectées. L'agriculture est à la même période qu'elle étoit il y a trois ans : point d'oisifs, point de vagabonds[31]. »

D'après Hugues, les lois de la République qui faisaient autorité en France métropolitaine ne pouvaient pas s'appliquer aux colonies. Lorsqu'on lui ordonna d'appliquer la constitution de 1795, il répondit au ministre : « La constitution qui offre tant d'avantages en France, ne présente que des difficultés dans ces contrées [...] La promulguer, la mettre aujourd'hui en activité, et le lendemain il n'y a plus de colonies. » Hugues estimait qu'en limitant les libertés, il avait empêché que se développe à la Guadeloupe une situation du type de Saint-Domingue, où l'application particulièrement zélée des principes d'égalité sociale avait incité les anciens esclaves à la paresse et à la violence contre leurs anciens maîtres. Des événements du même ordre affecte-raient la Guadeloupe si on y appliquait la constitution : « Qui pourra contenir quatre-vingt-dix mille individus forts et robustes, aigris par de longs malheurs, par des tourments horribles et par des supplices affreux, qui pourrait contenir la férocité naturelle aux Africains accrue par le désir de la vengeance [32] ? »

Accorder les droits politiques aux nouveaux citoyens au-delà d'une liberté de « papier » entraînerait la destruction de la colonie : les fondations mêmes de sa production s'en trouveraient ébranlées. « La volonté du gouvernement se-rait-elle de distribuer les propriétés nationales, même aux Africains, nous croyons devoir vous dire avec assurance que la République perdrait de grands capitaux et n'en retirerait aucun avantage par la paresse naturelle à tous les habitants qui habitent un pays où les besoins de la vie sont comptés pour rien. » Hugues récapitulait les arguments habituels uti-lisés pour défendre l'esclavage et arguait que seul un pas-sage progressif de l'esclavage à la liberté permettrait de sauver la colonie. Dans la Caraïbe, affirmait-il, « l'homme attaché au travail de la terre peut sans se gêner se procurer en dix jours l'existence d'une année, il n'a pas de besoins, les vêtements lui sont inutiles, l'indolence et la paresse sont le suprême bonheur pour lui, il n'est ému par aucune des passions qui peuvent porter l'homme au travail ; l'ambition lui est inconnue, le retour dans sa patrie ou dans tout autre climat, loin d'être une récompense, serait un châtiment ». Les esclaves ne pouvaient donc travailler que sous la contrainte. *« Est-ce là l'esprit de la constitution ? »* deman-dait le commissaire. Les contraintes devaient être aussi cruelles que celles de l'Ancien Régime : « Lorsque nous parlons de contraintes, que nous voulions nous servir de nouveau de celles qu'on exerçait dans le cruel ancien ré-gime, loin de nous cette pensée ! Nous entendons par contrainte les moyens à employer en se conformant aux principes qui nous sont dictés par la constitution, pour em-pêcher le cultivateur de rester dans l'oisiveté. » Il fallait ce-pendant employer une certaine force pour faire travailler les anciens esclaves : « Rien de plus pénible que les travaux de la culture dans les colonies, il n'est aucune richesse au monde qui puisse dédommager le cultivateur de ses peines sous un soleil aussi brûlant [...] Ce n'est donc que par gradation qu'on peut amener ces infortunés, par l'instruction, par les besoins, par les vices mêmes de la Société, à l'état où le gouvernement veut les appeler. »

Pour expliquer l'impasse de sa politique, incapable de concilier les principes de liberté avec les exigences de la production coloniale, Hugues employait des arguments puissants : « Comment concilier la Constitution avec les instructions que vous nous avez données, *faire des règlements sévères pour la Culture*, dites-vous, et quoi ! Donner la liberté à un homme à qui il ne faut que dix jours dans une année pour se procurer tous les besoins et vivre agréablement sans nuire à la société ; suivant l'esprit de la Constitution, il est donc contre le même esprit de l'assujettir par des règlements à travailler pour les autres. » Hugues n'imaginait pas qu'un salaire garanti résoudrait le problème en ancrant les anciens esclaves dans la plantation. Aucun salaire ne valait le labeur qu'on exigeait d'eux ; le travail était pénible, dégradant, il ne pouvait être accompli que sous la contrainte. Sans la menace de la force, les nouveaux citoyens choisiraient d'autres moyens de survie, l'économie coloniale s'effondrerait. Il fallait les forcer à travailler pour leur apprendre à être libres. Alors seulement pourrait être effacée la souillure de générations dans l'esclavage. Alors seulement les anciens esclaves pourraient devenir des hommes. Hugues avait commencé un projet de longue haleine. « Toutes nos mesures ne tendront qu'à améliorer le sort de ces infortunés [...] et à faire jouir les citoyens noirs de cette liberté qui doit tourner à leur avantage et à celui du gouvernement [...] Les Noirs les plus éclairés ont été appelés aux places civiles et militaires, quoi qu'à peine dix d'entre eux sachent lire et écrire, et dans ce dernier état surtout ils se sont distingués [33]. »

Hugues, qui estimait que son régime autoritaire était le seul moyen de garder le contrôle sur la Guadeloupe, resta ferme sur ses positions pendant les deux années suivantes. Tenir des élections sur l'île était impossible. Jamais il n'autoriserait les Noirs à s'inscrire sur les listes électorales, ce qu'un certain nombre d'entre eux avaient pourtant le droit de faire depuis la Constitution de l'an III. « Le gouvernement seul doit faire le bonheur des Noirs, ils sont incapables de le faire eux-mêmes, leurs volontés ne seront jamais que celles de ces vils instruments qui les ont continuellement mis en avant. » L'expérience des assemblées primaires à Saint-Domingue avait prouvé, selon Hugues, que des tentatives démocratiques de ce type ouvraient la porte à des actes antirépublicains, à l'insurrection. Hugues était prophétique lorsqu'il annonçait que « Saint-Domingue est perdu, pour la République et pour toutes les puissances de l'Europe, la plus grande de toutes les folies que puissent faire nos gouvernements sera de tenter de le rétablir ; pour y parvenir, il faudrait sacrifier un grand nombre d'hommes et presque toute la population existante, et trois siècles de prospérité ne dédommageraient point des dépenses qu'il faudrait y faire ». Par contre, « l'ordre règne [à la Guadeloupe] et le travail y est en vigueur ». Hugues voulait gouverner l'île comme il l'avait toujours fait pour la conserver intacte pour la métropole [34].

Dans une autre lettre, le commissaire exprimait encore plus clairement son refus obstiné d'organiser des élections primaires, et d'y inclure ceux qui remplissaient les conditions de la citoyenneté. « Je n'ai pas cru devoir assembler le peuple Noir pour nommer des députés, je ne le ferai jamais : l'honneur et ma conscience me le défendent ; je ne me fais pas un jeu de ce qu'il y a de plus sacré dans la société, non. » Son refus était provocant, car il allait à l'encontre de la politique de la métropole. « Montrez ma lettre au Ministre, aux directeurs, dites-leur que celui qui a rétabli l'ordre [...] qui a maintenu le travail des Manufactures, dites-leur que jamais il n'incendiera et que, sous le *vain* mot de liberté il ne fera pas le sacrifice du sang Européen et ne fera verser que celui des Anglais. » Hugues proclamait que sa politique seule préserverait la Guadeloupe du chaos et de la violence qui déchiraient Saint-Domingue. « Les Noirs sont plus libres ici qu'à Saint-Domingue, ils n'éprouvent aucun mauvais traitement, *ils ne dépendent absolument que du Gouvernement,* et non de leurs ci-devant maîtres : aussi sont-ils gros et gras, ils sont gais, ils aiment et chérissent les Blancs parce que leurs chefs sont des hommes à *chérir*[35]. »

Hugues défendait sa politique contre des attaques de plus en plus nombreuses, déclarant que sa méthode de coercition était la voie moyenne entre l'abolition de l'esclavage et son rétablissement, que réclamaient les colons exilés qui dénonçaient les « excès » de liberté. « Nous sommes loin de partager l'opinion de ceux qui veulent les faire rentrer dans l'esclavage, le danger serait aussi grand dans une extrémité que dans l'autre, ou pour mieux nous expliquer, il est aussi dangereux de les faire jouir d'une grande liberté que d'un rigoureux esclavage. » En des termes qui avaient peu changé en deux ans, Hugues assurait opiniâtrement qu'il était impossible d'appliquer la constitution française dans les colonies : « Nous ne cesserons de vous le répéter, la Constitution française est impraticable, quand même toutes les volontés se réuniraient pour l'exécuter dans ces contrées, le sol n'est rien, les bras sont tout. » Les anciens esclaves n'étaient pas assez intelligents pour jouir des droits des citoyens français. « Il faudrait les supposer bien éclairés pour pouvoir jouir des droits qu'accorde la Constitution aux Citoyens Français, et malheureusement ils ont à peine franchi les bornes de l'Instinct. Ils ont même la férocité naturelle de tout ce qui respire en Affrique. Le peu de besoin et le climat portent à la paresse blancs et noirs, le suprême bonheur sous cette zone est de ne rien faire. » La Guadeloupe restait intacte, grâce à la politique du commissaire, mais elle pouvait devenir « un théâtre de carnage et de Sang que nous présentèrent les rivages des côtes d'Affrique habités par les peuples les plus Barbares ». Hugues était sans doute conscient qu'il avait fait son temps sur l'île, et sa lettre résumait ses succès : « Nous avons eu à lutter contre le despotisme des ci-devants maîtres et contre les prétentions exagérées des ci-devants esclaves, écrit-il. Si nous n'avons pu changer le cœur des hommes, au moins nous avons contenu leurs passions[36]. »

Malgré les restrictions imposées à la liberté des anciens esclaves, Victor Hugues put observer de profondes transformations sociales durant les années de son gouvernement. Les batailles de Sainte-Lucie, Saint-Vincent et la Grenade, l'œuvre des corsaires qui écumaient la région, avaient altéré le paysage de la Caraïbe orientale. Son régime avait transformé la vie sociale et économique des villes et des plantations de la Guadeloupe. Lorsque son règne prit fin en 1798, avec lui s'acheva un moment clé de l'expansion des idées républicaines. Le temps avait manqué, et à bien des égards la liberté n'avait pas pris racine. Déjà, de l'autre côté de l'Atlantique, la roue qui ramènerait l'esclavage avait commencé de tourner. Mais une nouvelle société était née, et les fonctionnaires qui arrivèrent de la métropole pour gouverner, et éventuellement réprimer cette société, découvrirent à quel point il était compliqué et difficile de renverser le cours des changements du régime républicain.

Dans les dernières années du XVIIIᵉ siècle, la direction de la politique coloniale était influencée (mais pas toujours dominée) par diverses forces — le lobby des planteurs, les marchands, mais aussi d'anciens abolitionnistes — qui disposaient d'un large éventail de registres pour revenir sur la politique d'égalité totale pratiquée précédemment. La période vit le renversement du processus qui avait pris forme au début des années 1790, quand les insurrections des esclaves faisaient voler en éclats la séparation juridique et politique entre la métropole et les colonies. Après 1799, avec la montée de pouvoir de Bonaparte, le principe d'unité entre la métropole et les colonies fut balayé ; à nouveau des lois furent votées, qui soumettaient les colonies à des règles dictées de Paris, et différaient de celles de la métropole. D'une certaine manière, c'était l'application sur une grande échelle des principes développés par Hugues. Ce changement reçut l'appui (peut-être involontaire) d'un certain nombre d'anciens abolitionnistes, dont Daniel Lescallier, pourtant partisan de l'émancipation progressive de l'esclavage depuis 1789. En 1797, Lescallier réitérait ses réflexions sur l'émancipation progressive dans un pamphlet critiquant la manière dont l'émancipation avait été conduite : c'était un désastre dont il fallait changer le cours [37]. En 1802, Lescallier participa effectivement au rétablissement de l'escla-

vage à la Guadeloupe (Hugues faisait de même en Guyane
à la même période). Ce qui paraît une contradiction flagrante est peut-être moins choquant si l'on considère tout
à la fois l'importante continuité des idées d'abolitionnistes
progressifs tels que Condorcet — et Lescallier —, les restrictions imposées par Hugues à la liberté des anciens esclaves, et les menaces de « chaos » et de « barbarie » dans
les Antilles qui poussèrent Bonaparte à rétablir l'esclavage.
Ce renversement de la politique d'émancipation fut en partie le résultat du traité d'Amiens de 1802 qui, en suspendant
les hostilités franco-anglaises, éliminait l'importance straté-
gique des armées de nouveaux citoyens des Antilles qui
avaient défendu la République contre les Anglais durant les
années précédentes. Mais la décision de rétablir l'esclavage
surgissait aussi des contradictions du projet d'émancipation
lui-même. Les arguments sur l'incapacité des esclaves
émancipés et les dangers de leur liberté avaient justifié la
restriction de leurs droits, et rendu imaginable le rétablissement de l'esclavage malgré l'émancipation. Les administrateurs de la métropole pouvaient désormais voir, dans la
trop grande autonomie et le radicalisme politique de certains éléments de la nouvelle société coloniale, la confirma-
tion de leur politique : la liberté était un cadeau dangereux,
et finalement inapproprié, à des gens qui ne la méritaient
pas.

Les changements de politique envers les colonies plaçaient les habitants des Antilles dans une situation compli-
quée. Ils devaient à la fois interpréter les nouvelles influences conservatrices sur la politique coloniale — et le
contexte politique général dont elles émergeaient —, et se
déterminer sur le type d'accueil qu'ils voulaient réserver
aux autorités nationales qui allaient incessamment débarquer sur l'île. Les républicains avaient organisé l'émancipation dans le contexte général du combat de la nation contre
les Anglais. Le service de la nation, comme laboureur ou
comme soldat, était devenu l'étalon de la responsabilité citoyenne ; il permettait, malgré les restrictions, une mobilité
sociale et économique au-delà des limites administratives.
La République avait été garante de l'émancipation, même

LE SENS DE LA CITOYENNETÉ

si l'on avait utilisé sa défense pour justifier les limites imposées à la liberté. Qu'allaient donc faire les républicains des Antilles, quand les autorités métropolitaines renonçaient aux principes républicains qui les avaient gouvernées ? À qui les gens de la Guadeloupe devaient-ils allégeance ? S'ils restaient loyaux envers la République qui avait supervisé ces transformations, à qui devraient-ils exprimer leur loyauté, quand les autorités métropolitaines commençaient de démanteler cette République ? Comme cela avait été le cas en 1793 à Saint-Domingue et à la Guadeloupe, la question du combat pour la République revint au centre de la définition de la citoyenneté. Mais les termes étaient renversés, cette fois. La France était devenue l'ennemie des idéaux républicains qu'elle avait jadis proclamés dans les colonies. Dès qu'on entendit parler à la Guadeloupe de la possibilité d'un renversement de la politique d'émancipation, les forces créées par le projet républicain contestèrent vivement cette perspective. Comme dans des périodes précédentes, la disjonction entre la métropole et les colonies générait des points de vue contradictoires sur la signification de la citoyenneté et la réalité de la liberté. Aux Antilles, les nouveaux citoyens étaient confrontés à des choix douloureux entre loyauté nationale et principes républicains. Leur expérience récente de la liberté, avec ses possibilités matérielles et sociales complexes, les aidait à décider quelle attitude adopter envers une République qui se reniait [38].

L'histoire du développement de la résistance à la Guadeloupe et celle de la formulation de l'idée d'indépendance sont complexes. À bien des égards, elles restent à explorer dans le détail. Dès 1798, lorsque Hugues fut démis de son poste, certains tentèrent de s'organiser en affirmant que l'administration française se préparait à rétablir l'esclavage aussitôt après son départ. Pendant les années suivantes, de plus en plus de soldats, auxquels se joignaient des cultivateurs des plantations inquiets du retour de leurs anciens maîtres, se mobilisèrent contre les autorités métropolitaines, qu'ils considéraient comme une menace contre leur liberté. Le conflit éclata en 1801, quand l'administrateur métropolitain Lacrosse s'aliéna des pans entiers de l'armée en arrêtant plusieurs officiers populaires. Cela lui valut d'être expulsé de l'île par des soldats rebelles largement soutenus par la population. Deux hommes de couleur de la Martinique, dont les carrières militaires étaient remarquablement similaires, émergèrent comme les chefs politiques les plus importants à la Guadeloupe après l'expulsion de Lacrosse. Magloire Pélage, qui dirigeait le régime autonome de l'île, exprimait une fidélité constante à la métropole, pendant que Louis Delgrès, en contact avec d'autres officiers radicaux, plus soupçonneux sur les intentions de Paris, voulait préparer l'armée à une éventuelle bataille pour la liberté.

À Saint-Domingue, à la même période, Toussaint Louverture répondait à la décision de Bonaparte de dissocier les lois de la métropole et celles des colonies en créant sa propre constitution. Elle le faisait gouverneur de l'île et dictait les termes du fonctionnement du travail sur les plantations. Tout en maintenant la politique d'émancipation et de coercition du travail appliquée dans la colonie les années précédentes, elle confiait à Toussaint Louverture la responsabilité de la colonie [39]. Ainsi, en 1801-1802, différents régimes autonomes administrés par d'anciens esclaves et des gens de couleur s'étaient emparés du pouvoir à la Guadeloupe et à Saint-Domingue.

Mais la situation politique générale évoluait rapidement depuis que l'Angleterre et la France préparaient la signature du traité d'Amiens. La France allait reprendre le contrôle de la Martinique et d'autres colonies de la Caraïbe où l'esclavage n'avait jamais été aboli. Certains imaginaient remplacer la guerre entre la France et l'Angleterre par une collaboration entre les deux puissances contre leurs plus dangereux ennemis — les Noirs de la Caraïbe [40]. Napoléon Bonaparte, qui considérait Louverture et les meneurs de la Guadeloupe comme une menace pour son plan général de rétablissement de l'ordre d'avant 1789 dans les colonies, dépêcha une expédition massive avec l'instruction secrète de préparer le terrain pour le rétablissement de l'esclavage. Son beau-frère Leclerc partit pour Saint-Domingue à la tête de régiments de vétérans ; aussitôt après, sous le commandement du général Richepanse chargé des mêmes ordres, une expédition voguait vers la Guadeloupe. À Saint-Domingue, le général noir Henri Christophe s'opposa dès le début à l'arrivée des troupes françaises, et préféra brûler Le Cap plutôt que de laisser Leclerc débarquer. À la Guadeloupe, au contraire, le régime de Pélage accueillit les troupes françaises, qui commencèrent immédiatement à désarmer et à emprisonner les soldats noirs. La résistance se cristallisa autour de Delgrès. Mobilisant de fortes troupes coloniales et de nombreux cultivateurs armés de bâtons, Delgrès livra de féroces batailles contre les troupes de Richepanse. Battu à Basse-Terre, il dut abandonner le fort Saint-Charles et se réfugier sur la plantation d'Anglemont à Matouba, sur le flanc du volcan de la Soufrière. Pendant ce temps, son compagnon Joseph Ignace marchait sur Pointe-à-Pitre où lui et ses hommes furent massacrés.

Le général Ménard écrivit plus tard que lorsque ses troupes s'approchèrent du réduit de Delgrès sur la plantation d'Anglemont, « l'activité, le courage, la témérité même des nègres depuis le commencement de l'attaque, le cri unanime de "Vivre libre ou mourir" qu'ils répétoient souvent, le soin qu'ils avoient eu d'ôter la couleur blanche de leur drapeau pour désigner leur indépendance, annonçoient bien que leur position était désespérée, et que leur résistance seroit terrible ». Plutôt que de se rendre, Delgrès et ses hommes placèrent des barils de poudre autour de l'habitation. Au moment où l'avant-garde des troupes françaises arrivait devant le porche de la plantation, « une explosion terrible laisse appercevoir une des plus terribles scènes que le génie de la guerre peut produire. D'Anglemont venait de sauter ; ses décombres dispersés deviennent un vaste bûcher dont les flammes dévorent plus de 500 cadavres parmi lesquels on distingue des femmes et des enfants [...] Cet acte d'un épouvantable courage termine la guerre en détruisant à la fois, et comme d'un seul coup, les chefs de la révolte, leurs soldats d'élite, et le reste de leurs munitions ». Mais partout sur l'île il restait des insurgés prêts à combattre, qui ajoutaient à leur « mépris de la mort cette téméraire bravoure qu'inspire le fanatisme de la Liberté [41] ». Entourée de tous côtés, assiégée par des tactiques de terreur qui s'attaquaient sans discrimination aux Noirs et aux gens de couleur qui avaient été membres de l'armée coloniale, la République fit retraite vers les montagnes et les refuges des marrons.

Mais l'histoire de ces morts avait traversé les eaux vers Saint-Domingue, divulguant le destin que les troupes françaises réservaient aux soldats qui leurs résistaient, et initiant le dernier épisode de la guerre pour l'indépendance de Haïti. Sur place, Leclerc se retrouvait dans une position intenable : « [...] de très bonne ma position est devenue très mauvaise, il ne faut en accuser que la maladie qui a détruit mon armée, le rétablissement prématuré de l'esclavage à la Guadeloupe et les journaux et les lettres de France qui ne parlent que d'esclavage. » Il proposait un plan désespéré : « Il faut détruire tous les nègres des montagnes, ne garder que les enfants au-dessous de 12 ans, détruire la moitié de ceux de la plaine et ne pas laisser dans la colonie un seul homme qui ait porté l'épaulette [42]. » Bien que Toussaint Louverture eût été capturé et envoyé en France où il mourut en détention dans les Pyrénées, ses généraux Dessalines et Christophe menaient une guerre brillante qui s'acheva deux ans plus tard par l'indépendance nationale garantie par la France. Napoléon avait perdu trente mille hommes dans le conflit. Il voyait naître des cendres d'une ancienne colonie la République libre de Haïti, dont la constitution maintenait l'abolition de l'esclavage reniée par la France. Deux ans après que les insurgés de la Guadeloupe eurent levé le drapeau tricolore amputé de sa bande blanche, Dessalines fit de même en créant le drapeau de Haïti : son indépendance garantissait l'émancipation des esclaves. En fin de compte, Haïti maintint la République que son colonisateur européen rejetait.

À la Guadeloupe, l'esclavage était de retour. Richepanse exécuta des milliers d'insurgés et en déporta des milliers d'autres. Il s'attaquait non seulement à ceux qui avaient résisté à la France, mais à ceux qui avaient fait partie de l'armée coloniale. L'esclavage fut rétabli sur l'île avant même d'être déclaré légal. Quant aux esclaves qui avaient été capturés par les corsaires et amenés, libres, à la Guadeloupe, le gouvernement les vendit comme une source de profit. En 1803, quand la veuve de Coquille Dugommier revint à la Guadeloupe pour reprendre possession non seulement de sa propriété, mais de ceux qui y vivaient, de nombreux cultivateurs étaient morts l'année précédente. Isidore avait été « tué dans les combats pendant la révolte ». Le « créole » Barthélemy était mort parmi les insurgés combattant avec Ignace à Baimbridge. Corachy, fait prisonnier alors qu'il se battait du côté des rebelles, avait été exécuté à la « Batterie Républicaine » de Basse-Terre, où furent pendus de nombreux insurgés. Damassin avait été « enlevé aux travaux de la sucrerie, à la suite des troubles, par ordre du citoyen Perrot, commandant la ligne aux Trois-Rivières, et brûlé vif, immédiatement après son arrestation, sur l'habitation, sans jugement, et sur la simple dénonciation d'un individu qui était son ennemi ». Un autre membre de la plantation, Jean-Baptiste, avait été « fusillé à la suite des troubles ». Le meneur de l'insurrection de Trois-Rivières était donc mort l'année où le projet républicain qu'il avait contribué à réaliser était renversé sur l'île [43]. Sa mort ne fut pas la seule revanche de l'histoire sur les insurgés de 1793. Outre la veuve de Coquille Dugommier, une autre victime de l'insurrection de Trois-Rivières revint dans la ville. Éloy de Vermont, nommé capitaine des chasseurs créés par Lacrosse pour attaquer les derniers insurgés, se tailla une réputation de brutalité [44]. Beaucoup plus tard, ce survivant racontera à Auguste Lacour les événements des années 1793 et 1802, et sa version des faits influencera le jugement du jeune historien sur l'insurrection de Trois-Rivières [45]. La mémoire du projet radical d'égalité était supprimée pour permettre le retour de l'ordre ancien [46].

La résistance ne s'éteignit pas avec Delgrès : certains poursuivirent le combat pendant de nombreux mois après sa mort. À Sainte-Anne, des Blancs et des Noirs s'opposèrent ensemble au nouvel ordre de l'esclavage. À Saint-Thomas et à Saint-Barthélemy, des insurgés fugitifs se rassemblèrent pour organiser une attaque contre la Guadeloupe [47].

Parmi eux était un Noir du nom de Nabau, qui avait un pied estropié, peut-être une punition subie avant l'émancipation pour marronnage. Les Français envoyèrent des espions pour traquer les insurgés de Saint-Thomas. Dans le port, ils découvrirent le bateau de Bellegarde et de Régis-Acard, deux « hommes de couleur ». En fouillant l'embarcation, ils mirent la main sur de grandes quantités de munitions, et eurent la preuve qu'une plus grande quantité encore avait été jetée par-dessus bord. Ils trouvèrent aussi « une grande quantité de pavillons de toutes les nations ». C'était la preuve, selon les espions du gouvernement, que ces hommes projetaient de se rendre sur des îles françaises pour y aider les rebelles. Au moment de son arrestation, Régis-Acard sauta par la fenêtre du premier étage, et réussit à s'enfuir « à la faveur de la nuit [48] ». Peut-être Nabau, Régis-Acard, Bellegarde et d'autres mirent-ils les voiles sur la mer Caraïbe avec leur cargaison de drapeaux et leurs espoirs d'une République en exil.

Quelque trois décennies plus tard, un abolitionniste visitant la Guadeloupe décrivait ainsi l'arrivée du drapeau républicain envoyé de France, les espoirs des esclaves et les craintes de leurs maîtres :

> Du fond de sa case, l'infortuné Nègre salua cette bannière aux trois couleurs, gage de tant d'espérances. Les anciens, accourus sur la plage, montraient aux plus jeunes le drapeau régénérateur. Les pères serraient leurs enfants dans leurs bras, et les inondaient de larmes de joie, sûrs de voir bientôt briser leurs fers. Signe glorieux de notre affranchissement, salut ! s'écrièrent un jour quinze à vingt Nègres accourus près d'un embarcadère, pour voir la bannière de la France : salut, ô bienfaisant drapeau, qui vient nous annoncer à travers les mers le triomphe de nos amis, et l'heure de notre délivrance. Ces généreux fils de la Liberté flétriraient-ils tes nobles couleurs en nous laissant dans un si cruel esclavage ?

Selon Tanc, les esclaves qui saluaient le drapeau tricolore furent attaqués par leurs maîtres, battus et forcés à rentrer chez eux [49]. La République signifiait autant pour ces esclaves parce que certains se rappelaient la période de

l'émancipation — une période inscrite dans une histoire générale durant laquelle les esclaves avaient utilisé les droits
républicains en luttant pour la liberté. Pendant des dizaines
d'années d'esclavage, des hommes et des femmes avaient
développé et maintenu des liens sociaux et préservé leur
dignité grâce au marronnage, grâce à leur combat pour l'indépendance économique sur de petites parcelles de terre,
grâce au renforcement des liens familiaux et aux pratiques
d'héritage devant les menaces d'éparpillement des familles.
L'expérience de l'esclavage, de l'oppression et de la résistance, leur avait permis de forger une vision unique de la
liberté et de la citoyenneté. De cette histoire avaient surgi
l'énergie et les exigences des insurrections qui ont amené
l'émancipation de 1794. Si une version de l'histoire de l'esclavage justifie l'exclusion politique et sociale des « nouveaux citoyens » après l'émancipation, la réécriture de cette
histoire montre comment des esclaves devenus « nouveaux
citoyens » surent reformuler le sens de la citoyenneté, et
élargir l'imagination de la culture politique moderne.

Il y a cent cinquante ans, en 1848, la République apporte
l'émancipation aux esclaves de la Caraïbe française pour la
deuxième fois. En concevant et combattant pour une émancipation universelle et immédiate, Schœlcher avait puisé
dans les sources de l'histoire des Antilles à la fin du
XVIIIe siècle. Pensant à cette histoire, il avait dit à Arago,
durant leur réunion de 1848, que si la République ne don-
nait pas la liberté aux esclaves, ils se révolteraient[50]. Quand
le drapeau de la République arriva aux Antilles, quelques
mois plus tard, ce n'était pas un message de liberté venu
d'une lointaine contrée qu'il apportait : il revenait chez lui,
là même où l'idée des possibilités universelles de liberté et
de citoyenneté s'était forgée, sur les pentes de la Caraïbe,
entre les nuages et la mer.

NOTES

Introduction

1. Sur le concept de « transculturation », voir Fernando Ortiz, *Cuban Counterpoint : Tobacco and Sugar*, Durham, Duke University Press, 1995. Mon travail répond à Paul Gilroy qui demandait qu'on examine plus en profondeur comment la culture de l'« Atlantique noire », et notamment la Révolution haïtienne, avait contribué à construire les formes de la démocratie moderne ; voir *The Black Atlantic : Modernity and Double Consciousness*, Cambridge, Harvard University Press, 1993. Pour comprendre comment les nouvelles des événements qui affectaient la Caraïbe française se répandirent dans les communautés afro-américaines à travers les Amériques, voir Julius Scott, *The Common Wind : Currents of Afro-American Communication in the Era of the Haitian Revolution*, thèse de doctorat, Duke University, 1986. Pour un témoignage sur le mouvement antiesclavagiste dans les Amériques, qui met en avant la centralité de la Révolution haïtienne, voir Robin Blackburn, *The Overthrow of Colonial Slavery*, Londres, Verso, 1988.

2. Yves Benot écrit : « De cette histoire, il n'est resté dans la mémoire collective en France que ce que les historiens français ont bien voulu en conserver, c'est-à-dire peu. » Benot avance que « la mémoire collective de l'Hexagone semble avoir oublié depuis longtemps ces événements, de manière à ne pas avoir à mettre au même degré de gloire les vainqueurs blancs de la Bastille et des Tuileries, et les vainqueurs noirs des planteurs de Saint-Do-

mingue, mais aussi des Anglais, et, plus tard, des Français de Bonaparte ». Cette « lacune dans le souvenir » a été « aidée, sinon suscitée par les intellectuels historiens ». Benot note, par exemple, que dans son histoire de la Révolution française, Michelet décrit la révolte de Saint-Domingue comme « la plus épouvantable guerre de sauvages qu'on ait vue jamais » — pour ne plus en parler, ni mentionner l'abolition de l'esclavage qu'elle entraîna en 1794. Voir Yves Benot, *La Révolution française et la fin des colonies*, Paris, La Découverte, 1992, p. 10, 205-216. L'ouvrage de Benot est l'un des rares livres récemment parus pour rectifier ce déséquilibre ; ajoutons trois collections d'essais importantes : *Les Abolitions de l'esclavage de L. F. Sonthonax à V. Schœlscher, 1793, 1794, 1848*, Marcel Dorigny (éd.), Presses universitaires de Vincennes, 1995, *Révolution aux Colonies*, Michel Vovelle (éd.), numéro spécial des *Annales historiques de la Révolution française*, juillet-décembre 1993, et *De la Révolution française aux révolutions nègres et créoles*, Alain Yacou et Michel Martin (éd.), Paris, Éditions Caribbéennes, 1989.

Insurrections et langage des droits

1. *Journal républicain de la Guadeloupe*, nº 13 du 24 avril 1793, in Archives nationales — section Outre-mer (ANSOM), C⁷ᴬ47, 124.

2. « Précis d'événements qui se sont passés à la Guadeloupe pendant l'administration de George Henri Victor Collot, depuis le 20 mars 1792 jusqu'au 22 avril 1794 », ANSOM, C⁷ᴬ46. À noter que Collot, contrairement aux autres sources disponibles, situe l'insurrection le 21 avril. Collot, un Girondin, avait été envoyé à la Guadeloupe à la fin de 1792. Voir Anne Pérotin-Dumon, *Être patriote sous les Tropiques*, Basse-Terre, Société d'Histoire de la Guadeloupe, 1985, p. 179-182.

3. « Rapport du Comité de sûreté générale à la Commission générale et extraordinaire de la Guadeloupe », 8 mai 1793, Archives nationales (AN), DXXV 129, dossier 1008.

4. Michel-Rolph Trouillot, *Silencing the Past : Power and the Production of History*, Boston, Beacon Press, 1995, chap. 3, p. 82.

5. François Polverel, « Coup d'œil impartial sur Saint-Domingue, ou notions sur les événements qui ont eu lieu dans cette île depuis le commencement de la Révolution [...] adressées au Comité de salut public, le 19 Messidor, An II », Paris, an III, p. 9-10.

6. C.L.R. James, *The Black Jacobins*, New York, Vintage,

1963 ; Robin Blackburn, *The Overthrow of Colonial Slavery*, Londres, Verso, 1988 ; Carolyn Fick, *The Making of Haiti : The Saint Domingue Revolution from Below*, Knoxville, University of Tennessee Press, 1990.

7. Lynn Hunt, « Forgetting and Remembering : the French Revolution then and now », in *American Historical Review*, vol. 100, n° 4, octobre 1995, p. 1119-1135, 1129.

8. David Geggus, « Slavery, War and Revolution in the Greater Caribbean, 1789-1815 », in David Gaspar et David Geggus (éd.), *A Turbulent Time : the French Revolution and the Greater Caribbean*, Bloomington, University of Indiana Press, 1997, p. 1-50.

9. Pour les termes « culture politique », voir en particulier Keith Michael Baker, *Inventing the French Revolution : Essays on French Political Culture in the Eighteenth Century*, Cambridge, Harvard University Press, 1990, et Lynn Hunt, *Politics, Culture and Class in the French Revolution,* Berkeley, University of California Press, 1984.

Une cartographie sociale

1. Dale Tomich, *Slavery and the Circuit of Sugar*, Baltimore, Johns Hopkins University Press, 1990, p. 274.

2. La proposition, écrite par Petit de Baroncourt au duc de Broglie, est reprise dans l'ouvrage de G. Lafond de Lurcy, *Un mot sur l'émancipation de l'esclavage, et sur le commerce maritime de la France*, Paris, Dodney-Dupré, 1844, p. 17. Baroncourt suggérait au gouvernement d'utiliser cette tradition au lieu de s'y opposer, et d'inverser l'article 28 du Code Noir de 1686, qui stipulait que les esclaves ne pouvaient être propriétaires d'aucun bien, pour consolider les droits des esclaves sur leur propriété et ainsi améliorer leur condition.

3. Sidney Mintz, « House and Yards Among the Caribbean Peasantries » et « The Origins of the Jamaican Market System », in *Caribbean Transformations*, New York, Columbia University Press, 1979.

4. Voir la lettre de M. Albert, an VI, AN C518 ; voir aussi Anne Pérotin-Dumon, « Commerce et travail dans les villes coloniales des Lumières », *Revue française d'histoire d'Outre-Mer*, vol. LXXV, n° 278, 1988, p. 31-78.

5. Révérend Cooper Williams, *An Account of the Campaign in the West Indies in the Year 1794*, Londres, imprimé par T. Ben-

sely, 1796 ; Basse-Terre, Société d'histoire de la Guadeloupe, 1990, p. 95.

6. *Historique des événements qui se sont passés à la Basse-Terre, ville capitale de l'île Guadeloupe, depuis la Révolution*, Basse-Terre, Guadeloupe, imprimerie de la Veuve-Bernard, 1791, p. 2.

7. Daniel Maximin, *L'Isolé Soleil*, Paris, Le Seuil, 1981, p. 89.

8. Maximin fait référence à l'accident qui eut lieu en mars 1962, quand un avion transportant deux nationalistes guadeloupéens a explosé au-dessus du volcan.

9. Guillaume-Thomas Raynal, *Histoire philosophique et politique des établissements et du commerce des Européens dans les deux Indes*, Genève, Pellet, 1782, t. VII, p. 92-93.

10. En 1790, environ 20 p. 100 de l'île étaient désignés comme « mornes » — des collines souvent difficiles d'accès et non cultivées ; 20 p. 100 étaient couverts de bois ; 15 p. 100 de savanes souvent destinées aux pâturages. Voir « Recensement général de la Colonie pour la population et la culture pendant l'année 1790 », ANSOM, DFC Guadeloupe, Carton 29, n° 443.

11. Voir « Carte générale de l'isle de Guadeloupe, 1768 », BN, Cartes et Plans, Société hydrologique, Portfolio 155, div. 2, n° 14. La version originale de cette carte somptueusement peinte, dont l'assemblée des seize pans dépend des connaissances du chercheur et de son savoir-faire, a servi de base à une version plus petite, en deux rouleaux. Voir aussi « Carte de la Guadeloupe », ANSOM, DFC Guadeloupe 455-A, qui contient une liste de toutes les grandes propriétés de l'île. Cette carte, qui date de 1804, montre qu'après le rétablissement de l'esclavage, la quasi-totalité des propriétés appartenait aux mêmes familles qu'avant l'émancipation. La cartothèque de l'ANSOM abrite aussi un grand nombre de cartes de la Guadeloupe du XVIIIe siècle, en particulier une série dans la section DFC (Dépôt de fortifications des colonies).

12. Voir ANSOM, DFC Guadeloupe, 460-A. Pour une étude détaillée du marronnage dans les Antilles françaises, voir Yves Debbasch : « Le marronnage : essai sur la désertion de l'esclave antillais », in *L'Année sociologique*, 1961, p. 1-112.

13. « Mémoire sur les défrichis et les inconvénients qui en résultent pour la défense du pays » et « Ordonnance concernant la conservation des bois de l'Isle de Guadeloupe et dépendances », ANSOM, DFC Guadeloupe, Carton 28, n°s 289 et 318.

14. « Visite des eaux de la ville de Basse-Terre et Bourg-Saint-François de l'Isle de Guadeloupe », Mallet, ANSOM, DFC Guadeloupe, Carton 29, n° 414.

15. ANSOM, Notariat Guadeloupe, Barbier 53, 13 décembre 1791.

16. ANSOM, Notariat Guadeloupe, Barbier 53, 13 janvier 1792.

17. Voir Anne Pérotin-Dumon, « Commerce et travail dans les villes coloniales des Lumières », art. cité, p. 40-45.

18. ANSOM, Notariat Guadeloupe, Barbier 52, 25 janvier 1791. Ce type d'inscription des marrons était pratique courante en Guadeloupe ; voir Debbasch, « Le marronnage : essai sur la désertion de l'esclave antillais », art. cité.

19. C.L.R. James, *The Black Jacobins, op. cit.*, p. 47-48 ; Eric Williams, *Capitalism and Slavery*, New York, Perigee, 1994 ; Sidney Mintz, *Sweetness and Power : The Place of Sugar in Modern History*, New York, Viking, 1985. Voir aussi Olivier Pétré Grenouilleau, *L'Argent de la traite : milieu négrier, capitalisme et développement*, Paris, Aubier, 1996.

20. *Reasons for Keeping Guadeloupe at a Peace, Preferable to Canada, Explained in Five Letters from a Gentleman in Guadeloupe to his Friends in London*, Londres, imprimé pour Mr. Cooper, 1761, p. 22.

21. Voir Philip Boucher, *Cannibal Encounters : Europeans and Island Caribs, 1492-1763*, Baltimore, Johns Hopkins University Press, 1992 ; Peter Hulme, *Colonial Encounters : Europe and the Native Caribbean, 1492-1797*, Londres, Routledge, 1986.

22. Lucien René Abénon, *La Guadeloupe de 1671 à 1759*, Paris, L'Harmattan, 1987, vol. 2, p. 128.

23. Anne Pérotin-Dumon, « Commerce et travail dans les villes coloniales des Lumières », art. cité, p. 35-40.

24. « Mémoire de la chambre d'Agriculture de la Guadeloupe, sur la demande d'un gouvernement indépendant de la Martinique », ANSOM, DFC Guadeloupe, Carton 28, p. 285. Voir aussi Raynal, *Histoire philosophique et politique des établissements et du commerce des Européens dans les deux Indes, op. cit.*, t. VII, p. 92-93, pour un exposé du problème de la contrebande en Guadeloupe.

25. « Mémoire de la contrebande aux Îles du Vent », 1787, ANSOM, DFC Guadeloupe, Carton 28, p. 247.

26. Ces statistiques se basent sur le travail de Jean Mettas, *Répertoire des expéditions négrières françaises au XVIIIᵉ siècle*, Paris, Société française d'histoire d'Outre-Mer, 1984. Les statistiques sont à peu près identiques à celles des autres ports examinés par l'auteur, Bordeaux et La Rochelle. Mettas procède à un inventaire méticuleux des navires français impliqués dans la traite, notant leurs ports d'origine, leurs itinéraires, le nombre de

marins et d'esclaves à bord, le nombre de ceux qui décèdent ou désertent, et, dans de nombreux cas, les incidents et révoltes qui se déclarent durant le passage.

27. Nicole Vanony-Frisch, « Les esclaves de la Guadeloupe à la fin de l'Ancien Régime d'après les sources notariales (1770-1789) », *Bulletin de la Société d'histoire de la Guadeloupe*, 1er et 2e trimestres 1985, p. 63-64 ; Lucien René Abenon, « Le problème des esclaves de contrebande à la Guadeloupe pendant la première moitié du XVIIIe siècle », *Bulletin de la Société d'histoire de la Guadeloupe*, no 38, 4e trimestre 1978, p. 49-58.

28. Ces calculs se basent sur le « Recensement général de population et la culture pendant l'année 1790 », ANSOM, DFC Guadeloupe, Carton 29, no 443. Notez que les chiffres de la population totale diffèrent de ceux indiqués dans le recensement, qui contient des erreurs de calcul.

29. Christian Schnakenbourg, « Statistiques pour l'histoire de l'économie de la plantation en Guadeloupe et en Martinique, 1635-1835 », *Bulletin de la Société d'histoire de la Guadeloupe*, vol. 31, 1er trimestre 1977, p. 1-121. Notez que toutes ces statistiques proviennent de sources officielles et ne tiennent pas compte de la contrebande.

30. Léo Elisabeth, « Résistance des esclaves aux XVIIe et XVIIIe siècles dans les colonies françaises d'Amérique, principalement aux Îles du vent », dans *Les Abolitions de l'esclavage de L.F. Sonthonax à V. Schœlcher, 1793, 1794, 1848, op. cit.*, p. 78-86.

31. Christian Schnakenbourg, « Statistiques pour l'histoire de l'économie de la plantation en Guadeloupe et en Martinique, 1635-1835 », art. cité, p. 41, 48.

32. Voir Nicole Vanony-Frisch, « Les esclaves de la Guadeloupe à la fin de l'Ancien Régime d'après les sources notariales (1770-1789) », art. cité, chap. VII. L'ouvrage traite de la région de Basse-Terre. Pour des documents détaillés sur le fonctionnement d'une plantation sur la même zone, voir les papiers de Michel Bouquet, AN T 268, 1. Ces documents, datant de 1689 à 1754, contiennent une série d'actes notariés et de textes légaux, de nombreux inventaires, des statistiques de production, des informations sur les esclaves et les marrons. Une source plus détaillée et plus récente permet de dresser un portrait de la vie d'une plantation dans les Antilles françaises, la plantation Gallifet à Saint-Domingue (AN, 107 AP 127-130). Ces documents couvrent le XVIIIe siècle et incluent une correspondance de la période révolutionnaire, des cartes, des livres de comptes, des correspondances et des inventaires. Pour plus de détails sur la vie des plan-

tations dans les Antilles françaises, dans une littérature secondaire, voir Dale Tomich, *Slavery and the Circuit of Sugar, Martinique in the World Economy, 1830-1848*, Baltimore, Johns Hopkins University Press, 1990, et Gabriel Debien, *Les Esclaves aux Antilles françaises (XVIIe-XVIIIe siècles)*, Basse-Terre, 1974. Pour l'étude d'une plantation à Saint-Domingue à la fin du XVIIIe siècle, voir Gabriel Debien, « Les esclaves des plantations Mauger à Saint-Domingue (1763-1802) », in *Bulletin de la Société d'histoire de la Guadeloupe*, nos 43 et 44 (1er et 2e trimestres 1980), p. 31-164.

33. « Projet : Ordonnance du roi, portant création de compagnies de maréchaussée affectées à la police intérieure des isles... », 1787, ANSOM, DFC Guadeloupe, Carton 29, p. 411. La création de la maréchaussée faisait partie d'un ensemble de réformes administratives qui incluaient l'organisation des assemblées locales. Le projet relevait d'une longue tradition de police institutionnalisée sur une large échelle par le Code Noir de 1685 ; de fait, de nombreuses tâches dévolues à la maréchaussée étaient des nouvelles formulations et des extensions du Code Noir. Voir Louis Sala-Moulins, *Le Code Noir ou le calvaire de Canaan*, Paris, Presses universitaires de France, 1988, et Antoine Gisler, *L'Esclavage aux Antilles françaises XVIIe-XIXe siècles*, Fribourg, Éditions universitaires, 1965, en part. chap. 2. Pour un développement parallèle à Saint-Domingue, voir Leslie Desmangles, *The Faces of the Gods : Vodou and Roman Catholicism in Haiti*, Chapel Hill, University of North Carolina Press, 1992, p. 26. Les réformes se situaient dans une tradition de police et utilisaient un vocabulaire de plus en plus défini par le centralisme des institutions françaises ; voir Robert Schwartz, *Policing the Poor in the 18th Century France*, Chapel Hill, University of North Carolina Press, 1988, en part. chap. 7. Selon Schwartz, en 1787 la maréchaussée reçut des ordres pour surveiller et réprimer la mendicité et le vagabondage (p. 174). La répression des « vagabonds » et des « gens sans aveu » par la maréchaussée était d'une certaine manière parallèle à celle des esclaves marrons, mais l'action de police dans la société de plantation obéissait à des inflexions spécifiques.

34. Les gens de couleur avaient été autorisés à servir dans les milices dès 1785. Ce service était un mécanisme courant pour acquérir la liberté dans les Indes occidentales ; il évitait au propriétaire de l'esclave d'avoir à payer une taxe pour son émancipation. Pour plus de détails sur les gens de couleur de la Guadeloupe, voir Anne Pérotin-Dumon, « The Emergence of Politics Among Free-Coloureds and Slaves in Revolutionnary Guadelou-

pe », *Journal of Caribbean History*, vol. 25, nᵒˢ 1 et 2, 1991, p. 100-135.

35. Ces exigences étaient anciennes dans les règlements nationaux de police ; voir Robert Schwartz, *Policing the Poor in the 18th Century France, op. cit.*, p. 160-162.

36. Voir ANSOM, Notariat Guadeloupe, Barbier 51, 52 et 53. Louis Robert apparaît comme témoin dans vingt-sept documents notariaux de ces trois registres, soit environ le tiers de l'ensemble des actes enregistrés par Barbier. Pour les échanges impliquant les mulâtres libres, voir les instances 51, 17 août 1790 et 12 décembre 1790, et 52, 22 octobre 1791.

37. De telles stipulations apparaissent déjà dans les articles 16 et 17 du Code Noir, qui affirment l'illégalité des « attroupements » d'esclaves, sous prétexte de mariages ou sous tout autre prétexte. Ce genre de rassemblement était particulièrement hors la loi dans les « lieux isolés », et les punitions pour les esclaves récidivistes d'avoir bravé l'interdiction pouvaient aller jusqu'à la mort. Les maîtres qui autorisaient les rassemblements sur leur propriété pouvaient être condamnés à payer une amende pour tout dommage causé par ces rassemblements sur la propriété d'autrui. Le terme « calandat » n'apparaît pas dans le Code Noir, il fut utilisé à partir du xviiiᵉ siècle. Voir Louis Sala-Moulins, *Le Code Noir ou le calvaire de Canaan, op. cit.*, et Antoine Gisler, *L'Esclavage aux Antilles françaises xviiᵉ-xixᵉ siècles, op. cit.*, p. 21-22.

38. Voir Leslie Desmangles, *The Faces of the Gods : Vodou and Roman Catholicism in Haiti, op. cit.*, pour la description de la politique coloniale et la peur du vaudou à Saint-Domingue ; pour une description contemporaine des « calandats » de Saint-Domingue, voir Moreau de Saint-Méry, *Description topographique, physique, civile, politique et historique de la partie française de Saint-Domingue*, 3 vol., Philadelphie, 1797 ; réimprimé par la Société de l'histoire des colonies françaises, Paris, 1959, t. I, p. 59-83.

39. Déclaration de Louis XVI, Versailles, 28 janvier 1787, ANSOM Généralités 86 (785). Les dix jours fériés maintenus étaient : Noël, la circoncision, l'Épiphanie, l'Ascension, le Corpus-Christi, l'Annonciation, la Purification, l'Assomption, la fête des apôtres saint Pierre et saint Paul, et celle du saint patron de chaque paroisse. Sur la religion dans le Code Noir, voir Antoine Gisler, *L'Esclavage aux Antilles françaises xviiᵉ-xixᵉ siècles, op. cit.*, p. 24, et Louis Sala-Moulins, *Le Code Noir ou le calvaire de Canaan, op. cit.*

40. M. Dubuc de Marentille, *De l'esclavage des Nègres dans*

les colonies de l'Amérique, Pointe-à-Pitre, Guadeloupe, Bénard, 1790, p. 26 ; ce pamphlet se trouve dans AN ADVII 21A, n° 4.

41. Robin Blackburn, *The Overthrow of Colonial Slavery*, *op. cit.*, p. 169-170 ; Daniel P. Resnick, « The *Société des amis des Noirs* and the Abolition of Slavery », in *French Historical Studies*, vol. 7, n° 4, 1972, p. 558-569.

42. Michel Duchet, *Anthropologie et histoire au siècle des Lumières*, Paris, François Maspero, 1971, p. 137-180. Voir Léo Elisabeth, « Résistances des esclaves aux xviie et xviiie siècles dans les colonies françaises d'Amérique, principalement aux Îles du Vent », in *Les Abolitions de l'esclavage*, op. cit., p. 78-86. Pour l'examen des carrières et des tentatives de réformes d'administrateurs coloniaux durant le xviiie siècle, voir Jean Tarrade, « L'esclavage est-il réformable ? Les projets des administrateurs coloniaux à la fin de l'Ancien Régime », in *Les Abolitions de l'esclavage, op. cit.*, p. 133-141.

43. Le projet de Bossu ne fut pas réalisé dans les colonies françaises, mais une loi similaire fut votée à Bahia en 1857. Elle exigeait que les esclaves urbains portent un médaillon avec un numéro d'enregistrement ; cette loi, qui se proposait de contrôler le travail des Africains, libres ou esclaves, entraîna une grève d'une semaine parmi les travailleurs affectés. Voir Joao José Reis, « The Revolution of the Ganhadores : Urban Labour, Ethnicity and the African Strike of 1857 in Bahia, Brasil », in *Journal of Latin American Studies*, n° 29, mai 1997, p. 355-394.

44. Jean-Bertrand Bossu, *Nouveaux voyages dans l'Amérique septentrionale*, Amsterdam, Changuion, 1777, p. 372-374, 379-380.

45. Voir Sue Peabody, *There Are No Slaves in France : The Political Culture of Race and Slavery in the Ancien Régime*, New York, Oxford University Press, 1996.

46. Raynal, *Histoire philosophique et politique des établissement et du commerce des Européens dans les deux Indes, op. cit.*

47. Anthony Pagden, « The Effacement of Difference : Colonialism and the Origins of Nationalism in Diderot and Hedder », in *After Colonialism : Imperial History and Postcolonial Displacements*, Gyan Prakash (éd.), Princeton, Princeton Univeristy Press, 1995, p. 138-140.

48. Pour l'histoire du projet de Lafayette, voir Liliane Willens, « Lafayette's Emancipation Experiment in French Guiana 1786-1792 », in *Studies in Voltaire and the Eighteenth Century*, vol. 242, 1986, p. 354-362. Les citations, tirées des lettres manuscrites de Geneste, Cornell University Library, sont imprimées p. 357-359. L'expérience de Lafayette s'acheva de manière assez ironique en avril 1794, quelques mois après le décret d'abolition de l'escla-

vage, mais avant que la nouvelle eût atteint la Guyane. Lafayette était à cette date considéré comme un émigré ; sa propriété était sous séquestre, et ses esclaves avaient été vendus au profit de l'État. Après le rétablissement de l'esclavage en 1802, Lafayette vendit ses propriétés de Guyane.

49. Liliane Willens, « Lafayette's Emancipation Experiment », art. cité, et Antoine Gisler, *L'Esclavage aux Antilles françaises XVIIe-XIXe siècles, op. cit.*, p. 46-47. Gisler réimprime les textes de ces ordonnances à partir de Moreau de Saint-Méry, *Lois et constitutions des colonies françaises de l'Amérique sous le Vent*, Paris, 1785-1790, vol. 6, p. 655-667, 918-928. Voir le chapitre suivant pour un exposé sur la propagation des rumeurs dans les Antilles françaises.

50. Jean Tarrade, « L'esclavage est-il réformable ? Les projets des administrateurs coloniaux à la fin de l'Ancien Régime », *op. cit.*, p. 140-141. L'ouvrage de Lescallier est réimprimé dans *La Révolution française et l'abolition de l'esclavage*, Paris, Éditions d'histoire sociale, 1968, vol. 1.

51. Lecointe-Marsillac, *Le More-Lack ou Essai sur les moyens les plus doux et les plus équitables d'abolir la traite et l'esclavage des Nègres d'Afrique, en conservant aux Colonies tous les avantages d'une population agricole*, Paris, Chez Prault, Imprimeur du roi, 1789 ; réimp. dans *La Révolution française et l'abolition de l'esclavage, op. cit.*, vol. 3, p. VIJ. La rencontre est décrite dans l'introduction.

52. Lecointe-Marsillac, *Le More-Lack, op. cit.*, p. XIJ-XIIJ. Les propositions d'abolition graduelle de l'esclavage sont citées aux p. 279-283. Condorcet émet des arguments semblables dans ses *Réflexions sur l'esclavage des Nègres*, Paris, Froulle, 1781, que j'examine dans la conclusion.

53. Lecointe-Marsillac, *Le More-Lack, op. cit.*, p. XXXJ-XXIJ. Les notations en marge sont sur l'exemplaire de l'ouvrage offert à « la Faculté de Montpellier ». La date de la donation n'est pas notée. Cet exemplaire fait partie de la collection privée de Sully O'Neill. Je la remercie de m'avoir permis de le consulter.

54. Nicole Vanony-Frisch, « Les esclaves de la Guadeloupe à la fin de l'Ancien Régime d'après les sources notariales (1770-1789) », art. cité, p. 139-143.

55. Les articles 57-59 du Code Noir de 1685 avaient établi les bases juridiques de l'émancipation. Tout maître âgé de plus de vingt ans pouvait émanciper un esclave. Les affranchis étaient en principe libérés de tout service et droit que le maître pouvait exiger d'eux, mais le plus souvent, dans la pratique, le maître émancipait à condition que l'esclave reste à son service jusqu'à

sa mort. La liberté garantissait aux affranchis « les mêmes droits, privilèges et immunités dont jouissent ceux qui sont nés libres ; et nous espérons que la liberté de mérite acquise produira en eux, tant pour leur personne que pour leur propriété, le même effet que le don de la liberté naturelle apporte à nos autres sujets ». Le Code exigeait que « les affranchis montrent un respect particulier à leurs anciens maîtres [...] de sorte que toute insulte dirigée à leur encontre sera punie plus sérieusement que si elle était dirigée contre une autre personne ». Il est intéressant de noter que l'acte d'émancipation équivalait en termes de nationalité à la naissance dans le royaume de France : « Déclarons leurs affranchissements faits dans nos îles leur tenir de lieu de naissance dans nos îles, et les esclaves affranchis n'avoir besoin de nos lettres de naturalité pour jouir des avantages de nos sujets naturels dans notre royaume, terres et pays de notre obéissance, encore qu'ils soient nés dans les pays étrangers. » Ainsi l'émancipation représentait également une naturalisation automatique. Voir Antoine Gisler, *L'Esclavage aux Antilles françaises* xviie-xixe *siècles, op. cit.*, p. 25-26, et Louis Sala-Moulins, *Le Code Noir ou le calvaire de Canaan, op. cit.*, p. 196-202. Voir aussi Peter Sahlins, « Fictions of a Catholic France : The Naturalization of Foreigners, 1685-1787 », in *Représentations*, n° 47, été 1994, pour une discussion sur la naturalisation en France durant la période ; et Sue Peabody, « There Are no Slaves in France », *op. cit.*, pour une discussion sur la persistance du travail des esclaves libérés en faveur de leurs maîtres.

56. ANSOM, Notariat Guadeloupe, Barbier 52, 15 juillet 1791.

57. ANSOM, Notariat Guadeloupe, Barbier 52, 21 août 1791.

58. ANSOM, Notariat Guadeloupe, Barbier 52, 20 janvier 1791.

59. ANSOM, Notariat Guadeloupe, Barbier 52, 29 octobre 1791.

60. ANSOM, Notariat Guadeloupe, Barbier 52, 11 avril 1791.

61. Archives départementales de la Guadeloupe (ADG) Damaret 2E2/11, 26 août 1789. (Mes remerciements à Frédéric Régent qui m'a signalé cet acte.)

62. Voir ADG, Notariat, Série 2E 3/7, pour trente-six affranchissements de ce type faits par le notaire Jaille entre octobre et novembre 1793. Ce nombre important d'affranchissements était dû à la désintégration de l'autorité légale qui laissait le processus ouvert, et plus important encore peut-être, non taxé. Il est probable, compte tenu des révoltes et du climat général aux Antilles (y compris l'émancipation à Saint-Domingue), qu'une panique, ou le sentiment d'une émancipation imminente, ait poussé les

propriétaires à libérer leurs esclaves. La densité des documents déclarant la liberté — à Trois-Rivières, mais surtout dans la paroisse voisine de Capesterre —, est étonnante.

63. Marcel était également l'un des signataires de l'« Adresse des nouveaux citoyens de Basse-Terre au citoyen Lacrosse », que je commente dans le chapitre suivant ; un « nouveau citoyen » était une personne de couleur libre déclarée citoyenne jouissant des pleins droits politiques par l'Assemblée nationale du 4 avril 1792.

64. ADG, Notariat, Castet 2E2/208, 28 septembre 1793.

65. ADG, Vauchelet 2E2/163, 7 février 1794.

66. Dans l'acte original, « Mademoiselle » est écrit devant Marsan, puis raturé et remplacé en note par « Citoyenne » — ce qui prouve à nouveau l'incertitude de la terminologie officielle en ces temps de flux et reflux politiques. ADG, Notariat Castet 2E2/208, 21 juillet 1793. L'année suivante, Marie-Thérèse empruntera de l'argent à un autre Blanc de la ville pour acheter une petite plantation de café.

Rumeurs prophétiques

1. Guy Endore, *Babouk*, New York, Monthly Review Press, 1991, p. 111. Ce livre a été publié en 1934, et l'auteur était un Américain blanc qui trouva à New York la source de ses informations sur Haïti. Au début de son roman, par exemple, l'esclave rebelle Makandal est décrit chantant lors de son exécution une « chanson africaine » tirée d'une description du *Vaudoux* de Moreau de Saint-Méry. Le nom Babouk fait écho au personnage historique Boukman ; voir la postface de David Barry Gaspar et Michel-Rolph Trouillot, « History, Fiction, and the Slave Experience ».

2. Anne Pérotin-Dumon, « The Emergence of Politics Among Free-Coloureds and Slaves in Revolutionnary Guadeloupe », *Journal of Caribbean History*, vol. 25, nos 1 et 2, 1991, p. 100-135. Pour un aperçu plus en profondeur de la même période et de ses problèmes, voir du même auteur *Être patriote sous les Tropiques*, Basse-Terre, Guadeloupe, Société de l'histoire de la Guadeloupe, 1984. Yves Benot a également suggéré, sur une base plus large, que les révoltes qui éclatèrent entre 1789 et 1791 à travers les Antilles françaises exprimaient une logique généralisée parmi les esclaves, qui, au contraire des fluctuations des gouverneurs blancs sur les îles et des représentants en France, « virent immédiatement l'importance profonde des nouveaux slogans arrivant

de France ». Yves Benot, « La chaîne des insurrections d'esclaves dans les Caraïbes de 1789 à 1791 », in *Les Abolitions de l'esclavage, op. cit.*, p. 179-186.

3. Julius Scott, *The Common Wind : Currents of Afro-Americain Communication in the Era of Haitian Revolution, op. cit.*

4. *Ibid.*, p. 117-118. Les sources utilisées par Scott pour les incidents à la Martinique proviennent de l'ouvrage de Lucien Peytraud, *L'Esclavage aux Antilles françaises avant 1789*, Paris, Librairie Hachette, 1897, p. 372.

5. *Ibid.*, p. 21-23.

6. *Ibid.*, p. 153-155.

7. *Ibid.*, p. 133-134.

8. Lynn Hunt, *Politics, Culture and Class in the French Revolution*, Berkeley, University of California Press, 1984, p. 26. Voir aussi François Furet, *Penser la Révolution*, Paris, Gallimard, 1978.

9. *Ibid.*, p. 20-21. « Quelques douzaines de périodiques — dont quasiment aucun n'imprimait ce que nous appelons des nouvelles — circulaient dans Paris dans les années 1780 ; plus de cinq cents firent leur apparition entre le 14 juillet 1789 et le 10 août 1792. La même chose au théâtre : alors qu'une poignée de nouvelles pièces étaient produites annuellement avant la Révolution, au moins mille cinq cents nouvelles pièces, la plupart orientées, furent montées entre 1789 et 1799, et plus de cinq cents durant la seule période 1792-1794. » Sur le symbolisme de la culture politique révolutionnaire, voir Keith Michael Baker, *Inventing the French Revolution : Essays on French Political Culture in the Eighteenth Century, op. cit.*, et Mona Ozouf, *La Fête révolutionnaire 1789-1794*, Paris, Gallimard, 1976.

10. Gouverneur Clugny au ministre, 29 septembre 1789, ANSOM C[7A]45, repris par Anne Pérotin-Dumon, *Être patriote sous les Tropiques, op. cit.*, p. 262-263 ; elle décrit les événements p. 121.

11. En août 1789, une révolte d'esclaves avait échoué à Saint-Pierre, en Martinique ; l'auteur de cette lettre devait penser que d'autres esclaves pourraient être inspirés par cet événement.

12. Anne Pérotin-Dumon, *Être patriote sous les Tropiques, op. cit.*, p. 119-126.

13. « Régiment de la Guadeloupe : détail des événements arrivés au régiment de la Guadeloupe depuis le 1er septembre dernier, époque de l'insurrection de ce corps, jusqu'au 1er de ce mois », ANSOM, DFC Guadeloupe, Carton 29, 444. La fête de Saint-Louis célébrait bien entendu la monarchie ; c'était en conséquence une ironie de fomenter ce jour-là une insurrection contre les « aristocrates ». La France était alors une monarchie

constitutionnelle, pas une république, et le principe d'égalité n'était pas incompatible avec le respect dû au roi.

14. Le 14 juillet 1790, le premier anniversaire de la prise de la Bastille avait lieu à Paris au cours d'une monumentale fête de la Fédération. Les « Actes de Fédération » étaient des serments publics de loyauté envers la nouvelle république. Voir Mona Ozouf, *La Fête révolutionnaire, op. cit.*

15. ANSOM, DFC Guadeloupe, Carton 29, 444.

16. Il s'agissait de la première d'une longue série d'insurrections à l'échelle d'une ville. Plus tard au cours de l'année 1791, après le départ de Dugommier et le rapatriement en métropole d'un certain nombre de soldats indisciplinés, un incident curieux déclencha une série de nouveaux troubles. Des soldats et des officiers affirmaient que malgré le rapatriement des soldats rebelles, le « noyau » de la rébellion existait toujours. En passant devant une maison, un certain Dubarail (l'un des soldats insurgés) entendit quelqu'un s'exclamer : « Ah, le f... Noyau », et vit un noyau de mangue atterrir à ses pieds. Se sentant insulté, Dubarail entra dans la maison et demanda des excuses. L'incident occasionna à travers les rues de la ville une nouvelle parade de soldats, qui eux aussi réclamaient des excuses ; l'auteur supposé de l'insulte fut sévèrement rossé. Le symbolisme de l'accusation et de l'insulte — un noyau de mangue représentant un groupe subversif — était assez évident pour entraîner une insurrection. Voir ANSOM, C[7A]45, p. 15-43, pour un rapport écrit par l'envoyé Lacoste sur les divers incidents qui marquèrent l'année 1791 à Basse-Terre. Il est également fait état d'incidents violents et d'insurrections parmi les citoyens de Basse-Terre au cours de la même année dans des lettres écrites au Comité colonial, AN, DXXV, p. 120, 939.

17. Voir ANSOM, Notariat Guadeloupe, Barbier 52, 20 juin 1791 et 27 juin 1791, pour les raisons de son départ. Voir Auguste Lacour, *Histoire de la Guadeloupe*, Basse-Terre, Guadeloupe, Imprimerie du gouvernement, 1857, vol. 2, chap. 2 et 3, pour une description détaillée du rôle de Dugommier et des expéditions à la Martinique. Je présenterai de manière plus détaillée la relation de Dugommier avec l'insurrection dans le chapitre suivant. La situation à la Guadeloupe durant ces années a été décrite par un avocat de Basse-Terre, Louis Bovis, dans l'*Historique des événements qui se sont passés à la Basse-Terre, Guadeloupe, depuis la Révolution*, Basse-Terre, Imprimerie de la veuve Bénard, 1791. Louis Bovis défend les patriotes et blâme les contre-révolutionnaires, tout en faisant observer que seule l'unité entre les Blancs permettrait de contrôler les Noirs qui, témoins du conflit, pour-

raient commencer à douter que les Blancs puissent les commander.

18. Voir les déclarations des citoyens de couleur à l'Assemblée nationale entre janvier et mars 1790, signées entre autres par Vincent Ogé et Julien Raimond, dans AN, AD VII 21A, 6, 7 et 11. Dans la même série (n° 18), voir, de Julien Raimond, l'*Observation sur l'origine et les progrès du préjudice des colons blancs contre les hommes de couleur*, Paris, Belin, 1791, qui avance que les préjugés contre les gens de couleur augmentèrent durant la seconde moitié du XVIIIe siècle à mesure que les colonies se développaient et que les Blancs cherchaient à récupérer les terres et les ressources des gens de couleur. Voir Yves Benot, *La Révolution française et la fin des colonies, op. cit.* ; David Geggus, « Racial Equality, Slavery and Colonial Secession during the Constituent Assembly », in *American Historical Review*, vol. 94, n° 5, décembre 1990, p. 1290-1308 ; Robin Blackburn, *The Overthrow of Colonial Slavery, op. cit.*, p. 163-211 ; David Brion Davis, *The Problem of Slavery in the Age of Revolution*, Ithaca, Cornell University Press, 1975, en part. p. 137-148 ; Auguste Lacour, *Histoire de la Guadeloupe, op. cit.*, vol. 2.

19. La distinction entre « Nègres libres » et « mulâtres » était le concentré d'un ensemble de distinctions beaucoup plus compliquées parmi les anciens esclaves de Saint-Domingue. Voir Moreau de Saint-Méry, *Description topographique, physique, civile, politique et historique de la partie française de Saint-Domingue, op. cit.*, en part. t. I, p. 83-111, pour la description des gens de couleur, qui inclut une typologie raciale complète.

20. « Observations sur un pamphlet ayant pour titre : Réclamations des nègres libres, colons amériquains (sic) », AN, AD VII 21B. Ceci inclut le texte original et une réfutation par un écrivain sympathisant des gens de couleur. En réfutant les revendications du pamphlet, l'auteur anonyme argumente que tous les hommes sont égaux en droit, et que les gens de couleur, qui ont déjà témoigné leur patriotisme en combattant pour la France durant la guerre d'Indépendance américaine, prouveront en fin de compte leur valeur. Voir aussi Auguste Lacour, *Histoire de la Guadeloupe, op. cit.*, vol. 2, p. 8-9.

21. « Opinion de M. de Cocherel, député de Saint-Domingue, sur l'admission des nègres et mulâtres libres aux assemblées provinciales », AN, AD VII 21B. Pour un autre regard sur la thèse selon laquelle les colonies réclamaient une différente constitution, du fait des différences profondes de climat, de production agricole et de la nature des Africains, voir Dutrône La Couture, *Vues générales sur l'importance du commerce des colonies, sur le*

caractère du peuple qui les cultive et sur les moyens de faire la constitution qui leur convient, Paris, 1790. Ce document est intéressant dans la mesure où il franchit une mince frontière en proclamant que les colonies sont partie intégrante de la France mais qu'ils ont des sociétés assez différentes pour qu'on recherche une administration différente, et définie racialement. Moreau de Saint-Méry, parmi d'autres, défend ce point de vue dès 1789.

22. Robin Blackburn, *The Overthrow of Colonial Slavery, op. cit.*, p. 178-179 ; « Réclamation des citoyens de couleur des isles et colonies françaises sur le décret du 8 mars 1790 », AN AD VII, 21 A, 11.

23. Le projet d'une constitution fut présenté devant l'Assemblée nationale le 5 octobre 1790, et soumis au Comité colonial. Voir AN, DXXV 120, 940. Pour le « règlement » des municipalités de Basse-Terre et Pointe-à-Pitre, le 31 mars 1790, voir AN AD VII, 21C, 2. La notion selon laquelle la « citoyennerie » devait être le fait de colons propriétaires, et exclure les pauvres Blancs ainsi que les gens de couleur, était une évidence bien ancrée parmi les planteurs de Basse-Terre ; parmi les lettres écrites à propos des incidents qui eurent lieu dans la ville en 1791, un mémoire signé par un groupe de citoyens de Basse-Terre critiquait les insurgés jacobins menés par Pautrizel en signalant qu'ils n'étaient même pas des citoyens actifs, mais « des jeunes gens » et « des gens qui n'ont rien ». La plupart de ceux qui ont signé ce mémoire ont ajouté à leur signature une description de leurs biens pour revendiquer leurs droits légitimes à la pleine citoyenneté. Voir AN DXXXV p. 120, 939.

24. Carolyn Fick, *The Making of Haiti*, Knoxville, University of Tennessee Press, 1990, p. 82-83 ; Thomas Clarkson, qui avait rencontré Ogé en 1789 grâce à Lafayette, l'accueillit à Londres, mais nia lui avoir apporté un soutien financier et l'avoir aidé à organiser la révolte. Voir son compte rendu de ses relations avec Ogé dans l'appendice de Charles Mackenzie, *Notes on Haiti, made During a Residence in that Republic*, Londres, Henry Colburn et Richard Bentley, 1830, t. II, p. 246-258.

25. Félix Carteau, *Soirées bermudiennes, ou entretiens sur les événements qui ont opéré la ruine de la partie française de l'Isle Saint-Domingue*, Bordeaux, Imprimerie Pellier-Lawalle, 1802, p. 76 ; voir aussi Julius-Scott, *The Common Wind, op. cit.*, p. 170. L'ouvrage de Carteau, publié l'année du rétablissement de l'esclavage dans les colonies françaises, avance, tout en racontant l'histoire de la période 1789-1794 à Saint-Domingue, que la fin de l'esclavage a été complètement destructrice : un « nègre libéré retourne vite à ses vices favoris [...] », et l'esclavage devait être

rétabli pour le bien des colonies (p. 265). Il faudrait bien entendu tempérer la lecture de cette source en tenant compte du besoin déclaré de son auteur de chercher les racines de l'insurrection hors des esclaves eux-mêmes, parmi divers groupes sur l'île et en France ; selon Carteau, les esclaves étaient réellement plus heureux à l'intérieur de l'esclavagisme. Sa description des quais, et celle du rude accueil qu'on lui réserva en France en 1794, quand, racontant l'histoire de ses infortunes et de la perte de sa propriété, il s'entendit constamment répliquer qu'il avait eu ce qu'il méritait, nous donnent un aperçu du climat politique de l'époque.

26. Carolyn Fick, *The Making of Haiti, op. cit.*, p. 83

27. Lettre du gouverneur Vionénil au ministre de la Marine et des Colonies, 14 septembre 1789, ANSOM, C[8A]57 ; reproduite par Marie-Hélène Leotin (éd.), *La Martinique au temps de la Révolution française, 1789-1794*, Fort-de-France, Martinique, Archives départementales, 1989, p. 27-28. Cette collection reproduit une série de documents de ANSOM, C8A, « Correspondances à l'arrivée », sur les révoltes des esclaves et les luttes pour les droits politiques des gens de couleur.

28. « Copie d'une lettre anonyme adressée à M. Mollerat, de Saint-Pierre, le 28 août 1789 », ANSOM, C[8A]68 ; et « Copie de la lettre des esclaves de la Martinique, 29 août 1789 », ANSOM, C[8A]69. Reproduite dans Leotin, *La Martinique, op. cit.*, p. 19-21. Ces deux lettres, particulièrement uniques en ce sens qu'elles sont signées par un groupe d'esclaves et, dans le second cas, par une « Nation entière des Esclaves Noirs », s'articulent dans un langage puissant et menaçant. Il est difficile de donner trop de crédit aux idéaux révolutionnaires des esclaves, tout simplement parce qu'on ne peut dire avec certitude qui écrivit ces lettres et qui les envoya — compte tenu, notamment, que de telles déclarations étaient publiées par des Blancs antiesclavagistes ou proesclavagistes qui voulaient mettre l'accent sur le danger des révoltes. Yves Benot avance que les auteurs des lettres, qu'il ne peut identifier, se sont inspirés des écrits de Raynal dans son *Histoire philosophique* ; voir Benot, « La chaîne des insurrections d'esclaves dans les Caraïbes de 1789 à 1791 », art. cité. Léo Elisabeth suggère que l'auteur était un « Noir libre » nommé Alexis René, qui vivait en France et fut actif dans l'insurrection de la Martinique. Voir Léo Elisabeth, « Résistance des Esclaves aux XVIIe et XVIIIe siècles dans les colonies françaises d'Amérique, principalement aux Îles du Vent », dans *Les Abolitions de l'Esclavage*, éd. Marcel Dorigny, p. 78-86. L'idée de « nation » avait de multiples sens dans la Caraïbe, car les esclaves nouvellement importés étaient souvent identifiés par une « Nation » d'origine. Ce-

pendant, l'usage du langage du nationalisme dans l'articulation d'une « Nation » des esclaves à ce stade précoce de la Révolution montre comment le langage républicain s'appliquait radicalement au problème de l'esclavage.

29. « Lettres écrites à M. de Vionénil par plusieurs commandants de quartiers au sujet de la révolte des Nègres, 11-19 novembre 1789 », ANSOM, C⁸ᴬ62, en particulier la déposition de Hayo Baucage, habitant du Saint-Esprit, reproduit dans Marie-Hélène Leotin (éd.), *La Martinique au temps de la Révolution française, 1789-1794, op. cit.*, p. 35-39.

30. « Lettre de M. de Laumoy, Commandant en Second de Saint-Pierre au ministre, le 18 janvier 1790 », reproduit dans Marie-Hélène Leotin (éd.), *La Martinique au temps de la Révolution française, 1789-1794, op. cit.*, p. 43.

31. Yves Benot, « La chaîne des insurrections d'esclaves dans les Caraïbes de 1789 à 1791 », art. cité, p. 182.

32. « Lettre de Clugny au ministre », 30 mai 1790, ANSOM, C⁷ᴬ44, cité par Anne Pérotin-Dumon, *Être patriote sous les Tropiques, op. cit.*, p. 137-138. Le même texte est mentionné dans Yves Benot, « La chaîne des insurrections d'esclaves dans les Caraïbes de 1789 à 1791 », art. cité, p. 183.

33. Gouverneur Clugny au ministre de la Marine et des Colonies, 21 mai 1791, ANSOM, C⁷ᴬ45, 5. Notez que la référence à l'Assemblée nationale plutôt qu'au roi marque un changement, comme le suggère Yves Benot, du « roi bienfaiteur » à la « Constituante abolitionniste » ; « La chaîne des insurrections d'esclaves dans les Caraïbes de 1789 à 1791 », art. cité, p. 185.

34. Catin-Dubois, « Certificat relatif au décret des gens de couleur, déposé entre les mains d'un député de l'Assemblée nationale », *Le Patriote français*, nᵒ 773, 22 septembre 1791, p. 355-356.

35. Carolyn Fick, *The Making of Haiti, op.cit.*, p. 91.

36. Michel-Rolph Trouillot, « From Planter's Journal to Academia : The Haitian Revolution as Unthinkable History », in *Journal of Caribbean History*, vol. 25, nᵒˢ 1 et 2, 1991, p. 81-99.

37. Carolyn Fick, *The Making of Haiti, op. cit.*, p. 97 ; voir la totalité du chapitre 4 pour une description détaillée de la révolte ; voir aussi C.L.R. James pour son compte rendu classique dans *The Black Jacobins, op. cit.*, chap. 4.

38. Pierre Mossut au marquis de Gallifet, 19 septembre 1791, AN 107 AP 127, dossier 3. Pierre Mossut fut nommé administrateur général des plantations de Gallifet à Saint-Domingue après le meurtre du précédent gérant, M. Odeluq, durant la révolte ; Mossut envisageait de revenir et de reconstruire la plantation qui

avait été mise à sac, mais la continuation du conflit dans la zone l'en empêcha.

39. Carolyn Fick, *The Making of Haiti, op. cit.*, p. 111.

40. *Le Patriote français*, n° 815, 3 novembre 1791, p. 519, et n° 817, 5 novembre 1791, p. 528. Ce journal était publié par Brissot de Warville, fondateur de la Société des Amis des Noirs, qui avait définitivement intérêt à minimiser les nouvelles de la révolte, ses ennemis ayant annoncé qu'elle aurait lieu à cause de l'organisation antiesclavagiste. Pour plus de preuves sur le manque de nouvelles sur l'insurrection en France même, voir la correspondance écrite par le marquis de Gallifet pendant le mois de novembre 1791 où il demandait anxieusement des nouvelles de son administrateur Odeluq, lequel avait été tué au cours de l'insurrection du mois d'août. Quand la nouvelle atteignit enfin Gallifet, ce fut par une lettre de l'un de ses voisins, Millot, qui lui annonce : « Vos habitations, monsieur le Marquis, sont en cendres, vos mobiliers sont disparus, votre administrateur n'est plus ! L'insurrection a étendu sur nos propriétés les horreurs de la dévastation et du carnage [...] Tout est rompu [...] » Voir AN 107 AP 128, dossier 1.

41. *Le Patriote français*, n° 819, 7 novembre 1791, p. 553.

42. Robin Blackburn, *The Overthrow of Colonial Slavery, op. cit.*, p. 196, 206.

43. « Loi relative aux colonies et aux moyens d'y apaiser les troubles, donnée à Paris, le 4 avril 1792 », AN ADVII 20A ; voir aussi Robin Blackburn, *The Overthrow of Colonial Slavery, op. cit.*, p. 196-198.

44. Robin Blackburn, *The Overthrow of Colonial Slavery, op. cit.*, p. 193-204 ; sur les liens entre planteurs et Britanniques, voir aussi Michael Dufy, « The French Revolution and British Attitudes to the West Indian Colonies », in David Barry Gaspar et David Patrick Geggus (éd.), *A Turbulent Time : The French Revolution and the Greater Caribbean, op. cit.*, p. 78-101.

45. Députés de la Guadeloupe au Comité colonial, 2 décembre 1791 ; Clugny au Comité colonial, 21 décembre 1791 ; tous deux dans AN DXXV 120, 941.

46. *Concordat, ou traité de paix entre les citoyens blancs et les citoyens de couleur des quatorze paroisses de la province de l'ouest de la partie française de Saint-Domingue*, 19 octobre 1791, Bibliothèque nationale ; voir aussi Robin Blackburn, *The Overthrow of Colonial Slavery, op. cit.*, p. 194.

47. Bien entendu, ces catégories et ceux qui les constituaient changeaient constamment en fonction des nouveaux problèmes qui surgissaient à chaque période. Pour une analyse plus détaillée

de ces groupes politiques, voir Anne Pérotin-Dumon, *Être patriote sous les Tropiques, op. cit.*

48. « Précis des événements qui se sont passés à la Basse-Terre, Guadeloupe, le 30 avril et le 1er mai 1792, présenté par Dupuch, député de Basse-Terre », ANSOM, C[7A]45, p. 181-185. Dupuch publia un compte rendu plus long et plus détaillé de l'incident sous le titre *Précis historique des troubles survenus à la Guadeloupe depuis l'arrivée des commissaires du roi à la Martinique*, Paris, Imprimerie nationale, 1792. Voir aussi Anne Pérotin-Dumon, *Être patriote sous les Tropiques, op. cit.*, p. 152-157 ; et Anne Pérotin-Dumon, « The Emergence of Politics Among Free-Coloureds and Slaves in Revolutionnary Guadeloupe », art. cité, p. 114-115.

49. Anne Pérotin-Dumon, *Être patriote sous les Tropiques, op. cit.*, p. 147-157 ; Robin Blackburn, *The Overthrow of Colonial Slavery, op. cit.*, p. 201.

50. ANSOM, C[7A]45, p. 227-232.

51. « Mémoires de M. Ricard, Maréchal de camp, 1792 », ANSOM, C[7A]45, p. 119-147. Ces rapports réunissent des lettres écrites en 1792 à destination du Comité colonial en France.

52. « Notes sur la situation morale des isles du Vent, leur rapport avec Saint-Domingue, et l'état de cette colonie », 12 octobre 1792, ANSOM, C[7A]45, p. 120-128.

53. On peut traduire ainsi cette transcription brute du créole : « Moi, yaugau, aussi un esclave, condamne ces deux hommes à mort sur la base de la preuve que nous avons trouvée. » Il n'existait pas de norme orthographique du créole à cette époque. Pour une analyse linguistique du créole de l'époque, voir Jean Bernabé, « Les proclamations en créole de Sonthonax et Bonaparte : graphie, histoire et glottopolitique », in *De la Révolution française aux révolutions nègres et créoles*, Alain Yacou et Michel Martin (éd.), Paris, Éditions caribéennes, 1989, p. 135-150.

54. « Suite des notes sur la situation morale aux isles du Vent et sous le Vent », 12 novembre 1791, ANSOM, C[7A]45, p. 128-141.

55. Ricard resta aux Antilles assez longtemps pour assister aux changements, mais il prit ses distances avec le nouvel ordre qui émergeait. Quand les Anglais s'emparèrent de la Guadeloupe et de la Martinique, il fut capturé et escorté sur un sloop spécialement affrété jusqu'à Newport, Rhode Island. Ce traitement laisse imaginer qu'il coopérait avec les Anglais, comme l'ont fait de si nombreux Français à l'époque. Voir lettre de Boyne, 13 juin 1794, dans Public Record Office (PRO), Admiralty 1/316.

56. « Procès-verbal de l'élection de l'assemblée électorale des députés pour la Martinique et la Guadeloupe », 28 octobre 1792,

AN C 181, 86. Ce document est signé de tous les électeurs, mais n'inclut pas la liste complète de leurs noms, comme c'est le cas dans d'autres comptes rendus électoraux ; mes statistiques sur la représentation des gens de couleur se basent sur l'analyse des signatures ; elles sont de ce fait sujettes à caution pour quelques noms — il est possible que tous ceux qui étaient présents n'aient pas signé le document, et que certains citoyens de couleur, pour une raison de principe ou pour toute autre raison, ne se soient pas identifiés en tant que tels. De fait, certaines signatures sont simplement des prénoms, qui appartiennent ou pas à des citoyens de couleur. Cette incertitude concerne quelques signatures et n'altère pas le pourcentage que je propose. Pour des pourcentages de population, voir « Recensement général de la Colonie », ANSOM, DFC Guadeloupe, Carton 29, 443. Pour Jean Littée dans la Convention nationale, voir la note d'un message qu'il envoya sur les événements en France à la Société des Amis de la République de Basse-Terre à la fin de 1793, AN DXXV 123, 935, reproduit dans Anne Pérotin-Dumon, *Être patriote sous les Tropiques, op. cit.*, p. 289. Outre la déclaration de l'assemblée électorale, les exilés républicains produisirent un pamphlet attaquant les actions de leurs ennemis à la Guadeloupe ; voir le pamphlet imprimé par les exilés républicains à Roseau, La Dominique : « Réponse à l'arrêté du soi-disant Comité intermédiaire de l'Assemblée coloniale de la Guadeloupe, en date du 10 décembre 1792 » répertorié dans PRO Colonial Office 71/24.

57. « Pétition des députés des îles Guadeloupe et Martinique à la Convention nationale », AN AD VII 21C, n° 37.

58. « Adresse des nouveaux citoyens de la Basse-Terre, au citoyen Lacrosse, gouverneur provisoire de la Guadeloupe », 3 mars 1793, ANSOM, C7A46, p. 190-192.

59. ANSOM, État civil, Guadeloupe, Basse-Terre 6, 15 Nivôse An II (4 janvier 1794), p. 5 ; 14 Germinal An II (3 avril 1794), p. 12. À Basse-Terre par exemple vivait Marie Angélique Lesueur, qui quitta la Guadeloupe en 1794 et donna naissance à un enfant en exil à Princeton, New Jersey, et à un autre sur l'île de Sainte-Croix ; elle revint à la Guadeloupe avec son mari et ses enfants en 1803, après le rétablissement de l'esclavage. Le second des actes ci-dessus enregistre la naissance de la fille de Marie Angélique Lesueur, Marie Bovis, née en avril 1793, mais dont l'acte de baptême, selon l'acte notarial de 1803, « doit avoir été pris ou détruit durant les conflits qui, durant différentes périodes, ont balayé la colonie ».

60. ANSOM, Notariat Guadeloupe, Barbier 52, 22 octobre 1791. Voir aussi ANSOM, Notariat Guadeloupe, Mimerel 2099,

13 décembre 1783 pour un don de terre identique à Anne Placide, métisse libre, et ADG, Castet 2E2/202 15 janvier 1793, pour la même chose à Marie-Françoise, négresse libre. Les Capucins offraient donc des baux à long terme dans une zone au-dessus du centre de la ville — certains furent cédés aux Blancs après le rétablissement de l'esclavage, ANSOM, Notariat Guadeloupe, Roydot 2570, 9 Vendémiaire An XI (1er octobre 1802).

61. « État nominatif des citoyens de tout âge et de tout sexe existants dans la commune de Basse-Terre, 1 Vendémiaire An V (22 septembre 1796) », ANSOM, G1 500. En 1796, ces « nouveaux citoyens » étaient désignés dans le recensement comme « Rouge », une inscription qui rendait imparfaitement compte de la catégorie des gens de couleur. François Hamel et Jean-Georges, ainsi que leurs femmes et enfants, étaient également marqués « Rouge ». Sur la location de la boutique de Jean-Georges, voir ADG Vauchelet 2E2/166, 21 Pluviôse An VII (9 février 1799) ; sur sa location de terre à Perrine Latout, voir ADG Vauchelet 2E2/165, 18 Thermidor An VI (5 août 1798).

62. ADG, Dupuch 2E2/26 (2Mil78), 23 Prairial An IX (12 juin 1801).

63. Pour Marcel, voir ADG, castet 2E2/208, 28 septembre 1793 ; pour Germain, voir ADG, Vauchelet 2E2/163, 7 février 1794. Je commente ces deux cas à la fin du chapitre 2.

64. ADG, Serane 2E2/157, 6 avril 1794.

65. « État nominatif des citoyens de tout âge et de tout sexe existants dans la commune de Baillif, dernier jour complémentaire An IV » (21 septembre 1796), ANSOM, G1 500.

L'Insurrection de trois-rivières

1. Anne Pérotin-Dumon évoque Trois-Rivières *ad minima* dans *Être patriote sous les Tropiques, op. cit.* Ce texte est cependant le premier à m'avoir alerté de l'événement.

2. « Rapport du Comité de sûreté générale à la Commission générale et extraordinaire de la Guadeloupe », 8 mai 1793, AN, DXXV 129, 1008, p. 11. Je commente ce rapport plus loin.

3. *Journal républicain de la Guadeloupe*, XIII (24 avril 1793), dans ANSOM, C7A47, p. 124. Comme de nombreux journaux révolutionnaires, celui-ci eut une brève existence ; fondé fin février ou début mars 1793, il vécut quelques mois. C'était l'organe des jacobins de la Guadeloupe.

4. Auguste Lacour, *Histoire de la Guadeloupe, op. cit.*, vol. 2, p. 183-185. Sur l'arrestation, voir Collot à Lafolie, 13 mai 1793,

AN DXXV 120, 954, p. 33. Voir aussi ADG, Dupuch 2E2/28 (2MIL180) pour un document notarial dans lequel Gondrecourt décrit son évasion. J'évoque ce document plus loin.

5. ADG, Jaille 2E3/7, 14 juin 1793. Il s'agit d'un acte de séquestre de la plantation Gondrecourt après l'émigration de son propriétaire. Les esclaves impliqués dans l'insurrection font partie de sa propriété, mais ils sont « au parc d'artillerie » — ce qui corrobore le document cité par Lacour dans son *Histoire de la Guadeloupe, op. cit.*, vol. 2, p. 173, où les esclaves sont décrits comme « les hommes du parc d'artillerie ». Il semble qu'il aient été mis sous surveillance relâchée sur un terrain au-dessus de Basse-Terre — mais il sera dit plus tard qu'ils étaient enfermés dans une maison. Je n'ai pas trouvé d'autre liste des insurgés. Le même inventaire signale aussi trois esclaves — Julien Ibo, 41, Lubin, mulâtre, 30, et Gilles, 60 — comme détenus, et cinq autres — Véronique, 19, Eustache, 41, Ocanne, 31, Noël, 46, et Martin, 68 — comme marrons. Peut-être avaient-ils participé à la révolte, mais on ne les retrouve pas parmi ceux qui furent amenés au fort de Basse-Terre. Dans un inventaire de la plantation Roussel postérieur à la révolte — ADG, Jaille 2E3/7 —, il n'est fait aucune mention d'esclave emprisonné au « parc d'artillerie », bien que deux esclaves soient signalés en prison, ce qui me fait penser qu'il s'agit d'éléments extérieurs qui ont agi, ou incité à l'action, sur cette plantation.

6. Les documents disponibles sur l'insurrection de Trois-Rivières sont assez limités. Outre la description de l'insurrection dans les mémoires de Victor Collot, sur lesquels je reviendrai, il faut signaler le compte rendu du *Journal républicain de la Guadeloupe* et le rapport du Comité de sûreté générale, j'y reviendrai aussi. Ces documents fournissent des informations sur le déroulement de la révolte, ainsi que des théories (en particulier dans le rapport) sur ses origines. Ils ne contiennent pas beaucoup d'informations sur les esclaves eux-mêmes, et aucun ne reproduit un témoignage consistant d'esclave — même si le rapport récapitule leurs accusations. Le compte rendu d'Auguste Lacour fournit des informations qui proviennent des témoignages oraux et qu'on ne trouve nulle part ailleurs, mais sa prévention contre les esclaves et les républicains est patente. Ma lecture s'est enrichie de la consultation des sources notariales avant et après l'insurrection — en particulier deux inventaires de plantations qui furent mises à sac. Pour des études détaillées d'insurrections d'esclaves qui abordent de manière extensive les problèmes posés par ce type de preuves, voir Barry Gaspar, *Bondmen and Rebels : A Study of Master-Slave Relations in Antigua*, Baltimore, Johns Hopkins

University Press, 1985, et Joao José Reis, *Slave Rebellion in Brazil : The Muslim Uprising of 1835 in Bahia*, Baltimore, Johns Hopkins University Press, 1993.

7. « Rapport du Comité de sûreté générale à la Commission générale et extraordinaire de la Guadeloupe », 8 mai 1793, AN, DXXV 129, 1008, p. 5-6.

8. Voir ANSOM, Notariat Guadeloupe, Barbier 53, 1er décembre 1791, pour ses propriétés terriennes ; Barbier 52, 27 juin 1791, pour la participation de Pautrizel dans la déclaration de Coquille Dugommier de fuir la Guadeloupe ; et Barbier 52, 25 janvier 1791, pour son action (comme maire) dans une estimation pour une vente de terrain. Lacour méprise Pautrizel, qu'il décrit comme un fanatique ne respirant que dans l'action, et dont la vie, dans les périodes calmes, est une « torture » ; voir Auguste Lacour, *Histoire de la Guadeloupe, op. cit.*, t. II, p. 10-11. Les documents notariaux des années précédentes éclairent les liens sociaux entre les victimes de l'insurrection d'un côté, et le pouvoir émergent jacobin de l'autre — notamment les registres de Barbier mentionnés plus haut ; les membres de chaque groupe avaient des liens économiques, et ils apparaissent fréquemment ensemble dans les actes notariaux.

9. Ici encore j'utilise le terme de Michel-Rolph Trouillot. Voir le passage sur l'insurrection de Saint-Domingue dans le chapitre précédent.

10. Auguste Lacour, *Histoire de la Guadeloupe, op. cit.*, t. II, p. 162-164.

11. Voir la partie « Conflit et mobilisation » au chapitre précédent pour la description de cet événement.

12. Mme Dugommier notait également dans sa déclaration que la belle-mère de Brindeau, la veuve Ithier, avait amené avec elle quarante esclaves de Brindeau en fuyant la Guadeloupe après l'insurrection de 1793, et que ces esclaves devaient lui être rendus. Voir ADG, Dupuch 2E2/26 (2MI178), 14 Fructidor An IX (1er septembre 1801). L'inventaire de la plantation par Brindeau est dans ADG Damaret 2E2/14, 27 février 1792 ; la vente et le transfert simultané des dettes de Dugommier sur Brindeau apparaissent dans le même registre, 6 mai 1792 ; cette vente inclut l'assignation de Larriveau comme procureur de Brindeau. La terre avait été achetée par Dugommier en 1778 ; voir ANSOM, Notariat Guadeloupe, Le Cœur 1656 19 avril 1778.

13. Voir ADG Damaret, 2E2/14, 27 février 1792.

14. Ce nom provenait de la plantation où Dugommier était né et avait grandi, entre Basse-Terre et Trois-Rivières. Il est difficile de savoir si ce Jean-Baptiste Gommier est le « Jean-Baptiste »

qui mena la révolte ; il y avait trois Jean-Baptiste sur la plantation ; l'un d'eux, âgé de soixante ans, n'était probablement pas le
chef ; le second, Jean-Baptiste Grande Anse, quarante-huit ans,
aurait pu l'être, mais il est vraisemblable que l'esclave qui avait
eu un poste d'autorité sur la plantation du temps de Dugommier
était le plus apte à mener l'insurrection. Pour plus d'informations
sur la plantation, voir ADG, Damaret 2E2/14, 27 février 1792 ;
pour la vente et les expectatives de Luce, voir ADG, Damaret
2E2/14, 6 mai 1792.

15. « Rapport du Comité de sûreté générale à la Commission
générale et extraordinaire de la Guadeloupe », p. 6.

16. « Rapport du Comité de sûreté générale à la Commission
générale et extraordinaire de la Guadeloupe », p. 6-7, 15-19.

17. Les arbres de liberté étaient plantés symboliquement partout en France comme symboles de la République. Voir Mona
Ozouf, *La Fête révolutionnaire, op. cit.*

18. « Rapport du Comité de sûreté générale à la Commission
générale et extraordinaire de la Guadeloupe », p. 7, 9.

19. « Rapport du Comité de sûreté générale à la Commission
générale et extraordinaire de la Guadeloupe », p. 9-10. Les esclaves sont identifiés par leur nom et celui de leur propriétaire.

20. « Rapport du Comité de sûreté générale à la Commission
générale et extraordinaire de la Guadeloupe », p. 12.

21. « Rapport du Comité de sûreté générale à la Commission
générale et extraordinaire de la Guadeloupe », p. 9-10.

22. « Rapport du Comité de sûreté générale à la Commission
générale et extraordinaire de la Guadeloupe », p. 10, 14. Les dénonciations furent nombreuses aussitôt après l'insurrection ; elles
se basaient souvent sur les preuves les plus floues ; le rapport n'a
pas reproduit certaines accusations. Par exemple, la Société des
Amis de la République à Basse-Terre, dans une lettre du 25 avril,
accuse publiquement La dame LeBlond d'avoir acheté dix barils
de poudre et de nombreuses épées, et d'avoir forcé ses esclaves
à jurer fidélité au roi tout en leur offrant de manger du bœuf le
même jour. Là encore, l'accusation contre LeBlond provient de
certains de ses esclaves, ou peut-être des gens de couleur qui
étaient en contact avec eux. La dame LeBlond est seulement
mentionnée en passant par le rapport du Comité pour avoir accueilli un marron accusé et emprisonné quelques jours après l'insurrection. Des mois plus tard, Collot ordonnera une enquête
indépendante sur Dame LeBlond et sur un individu coupable
d'avoir déclaré à Basse-Terre qu'il était « sûr de ses nègres ».
Voir « La Société des Amis de la République au citoyen Collot »,
25 avril 1793, AN, DXXV 120, n° 954.

23. « Rapport du Comité de sûreté générale à la Commission générale et extraordinaire de la Guadeloupe », p. 11, 13.

24. « Rapport du Comité de sûreté générale à la Commission générale et extraordinaire de la Guadeloupe », p. 23.

25. *Journal républicain de la Guadeloupe*, XIII (24 avril 1793), p. 66-67.

26. ADG, Jaille 2E3/7, 22 mai 1793. Dans l'acte, la description du « malheureux événement » a été ajoutée plus tard. Avant la révolte, Saint-Germain jouissait de l'usage de terrains appartenant à sa mère ; voir ANSOM, Notariat Guadeloupe, Barbier 52, 1er juillet 1791.

27. Les autres personnalités qui œuvraient avec Pautrizel — Pinau, Gaigneron et Gaudin — étaient tous des propriétaires terriens de la région. Voir ANSOM, Notariat Guadeloupe, Barbier 52, 28 février 1791 pour Pineau qui possédait quatorze esclaves ; Barbier 52, 8 mars 1791 pour Gaigneron. Michel Gaudin était témoin dans de nombreux actes notariaux des années précédentes ; voir les actes multiples dans Barbier 51 et 52. Voir Barbier 51, 22 décembre 1790, et 52, 25 janvier 1791 pour des actes relatifs aux terres de Gondrecourt et ses affaires avec d'autres Blancs de la région.

28. ADG, Jaille 2E3/7, 14 juin 1793. Voir le début de ce chapitre pour la liste des esclaves impliqués dans l'insurrection sur la plantation Gondrecourt.

29. ADG Dupuch, 2E2/28 (2MI 180), 19 Pluviôse An XI (8 février 1803).

30. Collot au ministre, 30 mars 1793 et 10 avril 1793, ANSOM C7A46, p. 56-64.

31. « Précis d'événements qui se sont passés à la Guadeloupe pendant l'administration de Georges-Henri Victor Collot, depuis le 20 mars 1792 jusqu'au 22 avril 1794 », Philadelphie, imprimerie de Thomas Bradford, 1795, ANSOM C7A46, p. 15-40. Voir le chapitre « Insurrection de Sainte-Anne ».

32. Voir Anne Pérotin-Dumon, *Être patriote sous les Tropiques, op. cit.*, p. 186-191.

33. Sur la punition des esclaves, qui est notée par Anne Pérotin-Dumon dans *Être patriote sous les Tropiques, op. cit.*, p. 278, voir « État des esclaves jugés et exécutés depuis le 31 août 1792 au 12 septembre courant », AN DXX 121, dossier 958.

34. « Procès-verbal dressé par la municipalité de Sainte-Anne du soulèvement d'esclaves, survenu sur son territoire le 26 août 1793 », AN DXXV 121, dossier 959, repris par Anne Pérotin-Dumon, *Être patriote sous les Tropiques, op. cit.*, p. 278-282.

35. « Discours prononcé par le citoyen Segouny-Fortemaison

à la Société des Amis de la République », 22 juillet 1793, AN
DXXV 123, p. 975, 153.

36. « Rapport du Comité de sûreté générale à la Commission
générale et extraordinaire de la Guadeloupe », p. 6. Dans une loi
promulguée plus tard, en septembre 1793, Victor Collot notait
que la loi du 4 avril 1792 exigeait que la division entre les gens
libres et les esclaves soit particulièrement claire car « la ligne de
démarcation commence au droit sacré de la propriété, qui est la
fondation de tout gouvernement ». Voir AN DXXV 123, p. 973.
La peur du marquage venait certainement de l'usage qu'on en
faisait pour châtier les marrons. Au XVIIIe siècle, on punissait les
marrons coupables d'une première fuite en leur coupant les
oreilles et en les marquant d'une fleur de lys dans le dos. En cas
de récidive, on leur coupait les jarrets ; ils étaient pendus à la
troisième tentative de fuite. Pour une description contemporaine
(par un prêtre jésuite en Guyane) de cette pratique et du problème du marronnage, voir « Lettre du P. Fauque au P. Allart »,
Cayenne, 10 mai 1751 dans M. L. Aimé-Martin (éd.), *Lettres édi-
fiantes et curieuses concernant l'Asie, l'Afrique et l'Amérique*,
Paris, Panthéon Littéraire, 1851, p. 51-57 ; voir aussi Yvan Debbasch, « Le marronnage : essai sur la désertion de l'esclave antillais », *L'Année sociologique*, 1961, p. 1-112. En métropole, le
marquage du visage était parfois pratiqué sur les vagabonds et les
criminels. Voir Robert Schwartz, *Policing the Poor in Eighteenth-
Century France*, Chapel Hill, University of North Carolina Press,
1988, p. 156.

37. « Rapport du Comité de sûreté générale à la Commission
générale et extraordinaire de la Guadeloupe », p. 10. Mon hypothèse que ces documents font référence à la même personne se
fonde sur le fait que je n'ai entendu parler d'aucun autre perruquier mulâtre dans une ville qui comptait sans aucun doute un
nombre limité de perruquiers de quelque race que ce soit ; ses
actes et ses paroles indiquent aussi une certaine consistance. Voir
la fin du chapitre « Une cartographie sociale ».

38. « Extrait des registres des délibérations de la Commission
générale et extraordinaire de la Guadeloupe », 10 août 1793, AD
VII 21C n° 36.

39. « Extrait des registres des délibérations de la Commission
générale et extraordinaire de la Guadeloupe », 5 septembre 1793,
AN DXXV 123, 973 n° 122.

40. « Extrait des registres des délibérations de la Commission
générale et extraordinaire de la Guadeloupe », p. 3-4.

41. « Extrait des registres des délibérations de la Commission
générale et extraordinaire de la Guadeloupe », p. 4-5.

42. « Extrait des registres des délibérations de la Commission générale et extraordinaire de la Guadeloupe », p. 5. L'article fait valoir qu'une femme doit avoir des enfants seulement si elle est mariée, mais n'aborde pas le fait que, dans ce contexte, la femme ne donnera vraisemblablement pas son nom à ses enfants ; c'est une contradiction intéressante qui marque la distance entre la réalité sociale à laquelle Collot cherchait des remèdes — le fait que de nombreuses femmes avaient des enfants sans être mariées et leur donnaient leur nom — et l'univers moral qu'il imaginait créer. Pour un débat sur des questions identiques soulevées à la Martinique durant l'émancipation de 1848, voir Myriam Cottias, « L'oubli du passé contre la citoyenneté : troc et ressentiment à la Martinique (1848-1946) », in *Cinquante ans de départementalisation*, Paris, Karthala, 1997.

43. « Extrait des registres des délibérations de la Commission générale et extraordinaire de la Guadeloupe », p. 5-6. Je n'ai pas découvert d'acte notarial explicitement désigné comme acte de famille parmi les registres notariaux que j'ai consultés à Basse-Terre et à Trois-Rivières, ce qui permet de penser que les instructions de Collot n'ont pas été suivies d'effets. Dans un cas au moins, un nouveau citoyen a fait l'effort de légitimer une famille existante par des canaux officiels. En avril 1794, Joachim Boudet, « nouveau citoyen » de Basse-Terre, épousait la citoyenne Judith, dont il avait eu deux enfants, Mariette et Anne-Marie. L'acte note que le couple a l'intention de les « reconnoître comme légitimes » au plus vite lors d'un mariage religieux. Voir ADG, Serane 2E2/157, 4/6/1794. À la même période, le citoyen Germain révélait l'astuce légale qui avait permis à Désirée, Jeanne et Jean-Baptiste d'acheter leur liberté, un cas signalé dans le chapitre « Une cartographie sociale ». On peut imaginer que Désirée et ses enfants étaient effectivement la famille de Germain, et que cet acte notarial affirmant leur liberté était fait avec l'intention de produire un acte de famille pour légitimer leur relation.

44. « Extrait des registres des délibérations de la Commission générale et extraordinaire de la Guadeloupe », p. 7.

45. Leurs noms sont attachés à une profession de foi faite par la Commission où ils déclarent leur attachement à la République. Voir « Extraits des délibérations de la Commission générale et extraordinaire de la Guadeloupe », 18 octobre 1793, AN ADVII, 21C n⁰ 41. Voir aussi l'« Adresse des nouveaux citoyens », 3 mars 1793, ANSOM C7A 46, p. 190-191, discutée dans le chapitre « Rumeurs prophétiques ». Tous les individus mentionnés plus haut ont signé ces deux documents.

46. « Extrait des registres des délibérations de la Commission

générale et extraordinaire de la Guadeloupe », 15 mai 1793, AN, ADVII, 21C n° 33 ; *ibid.*, 18 octobre 1793, AN, ADVII, 21C n° 41.

47. En 1804, Jean Charles sera rétroactivement décrit comme un « nègre libre » dans une vente de terrain entre August Annibal Desnoyer et la « mulâtresse libre » Marie-Louise dite Rose ; Desnoyer avait acheté la terre à Jean Charles par un acte de Damaret du 4 août 1794 ; voir ANSOM Castet 572, 5 Germinal An XII.

48. Voir « État nominatif de tous les citoyens de tout âge et de tout sexe dans la commune de Basse-Terre », 1 Vendémiaire An V (22 septembre 1796), ANSOM G1 500, pour sa profession.

49. ADG Serane 2E2/157, 21 janvier 1794. L'acte ne décrit pas la teneur de la pétition.

50. « Extrait des registres des délibérations de la Commission générale et extraordinaire de la Guadeloupe », 15 mai 1793, AN AD VII 21C n° 33. Pour son discours au club jacobin, voir AN DXXV 123, p. 975, f. 156. En 1804, Icard était propriétaire d'une maison et d'un terrain où il vivait avec sa femme et deux enfants ; le notaire le décrit alors comme un « métis libre », un statut qu'il était obligé de prouver en montrant sa « patente » de liberté à une époque où l'esclavage avait été rétabli sur l'île. Voir ANSOM, Notariat Guadeloupe, Castet 472, 1 Prairial An XII (21 mai 1804) ; ses enfants sont mentionnés dans ANSOM, État civil Basse-Terre, p. 6, 27 Brumaire An XI (18 novembre 1802).

51. Collot à LaFolie, 25 avril 1793, AN DXXV 120, n° 945.

52. La réquisition des esclaves pour des travaux publics est discutée dans trois lettres écrites à LaFolie en janvier ; voir AN DXXV 20 n° 946.

53. « Extrait des registres des délibérations de l'Assemblée organisatrice et provisoirement administrative de la Guadeloupe, séante à la Basse-Terre », 15 Pluviôse An II (3 février 1794), AN DXXV 120 n° 942. Cette « assemblée » était une nouvelle unité administrative composée essentiellement des mêmes chefs jacobins qui faisaient partie de la Société des Amis de la République de Basse-Terre.

54. « Extrait des registres des délibérations de la Commission générale et extraordinaire de la Guadeloupe », 13 Pluviôse An II (1ᵉʳ février 1794), AN DXXV 120, 942. La paroisse restait l'unité administrative locale jusqu'à ce que Victor Hugues réforme l'administration de l'île en cantons après son arrivée.

55. « Éveil aux Français de toutes les Antilles fidèles à la République », AN ADVII 21C, n° 44. Ce document n'est pas daté,

mais il semble qu'il devance de peu les discours sur la formation des bataillons d'esclaves dont il est question plus haut.

56. Société des Amis de la République française, extraits des registres, 17 Pluviôse An II (5 février 1794), AN AD VII 21C, n° 45.

57. Société des Amis de la République française, extraits des registres, 21 Pluviôse An II (9 février 1794), AN AD VII 21C n° 46.

58. Anne Pérotin-Dumon, *Être patriote sous les Tropiques, op. cit.*, p. 217.

59. Auguste Lacour, *Histoire de la Guadeloupe, op. cit.*, vol. 2, p. 175-176.

60. Jean Barreau, « La Perte et la reconquête de la Guadeloupe en 1794 », *Bulletin de la Société d'Histoire de la Guadeloupe*, n° 28 (2ᵉ trimestre 1976), p. 13-14, 27-29.

61. Révérend A. M. Cooper Williams, *An Account of the Campaign in the West Indies in the Year 1794, op. cit.*, p. 85-98, 136. L'ouvrage inclut une illustration du fort Saint-Charles. Voir PRO Colonial Office 110/3 pour une requête du chevalier de Sance à servir dans l'armée britannique.

62. PRO, War Office 1/82, p. 25, 49, 111-149.

63. PRO, Home Office 30/1, p. 336, 17 juillet 1794, et p. 284-290, 28 juillet 1794 ; Grey fut rapidement remplacé par le général Dundas, qui était le commandant de la Guadeloupe à l'époque de sa reconquête par Hugues. Pour une histoire militaire de la campagne britannique, dont la Guadeloupe fut un épisode, voir Michael Duffy, *Soldiers, Sugar and Seapower : The British Expeditions to the West Indies and the War Against Revolutionary France*, Oxford, Clarendon Press, 1987, en particulier la partie I ; pour la prise de la Guadeloupe, voir p. 93-97.

64. PRO, Admiralty 1/316, 23 avril 1794 ; une lettre du 29 avril ne fait pas non plus mention des insurgés.

65. « État nominatif des citoyens de tout âge et de tout sexe existant dans la commune des Trois-Rivières », 1 Vendémiaire An V (22 septembre 1796), ANSOM, G1 502. Mon hypothèse — le Jean-Baptiste responsable de la plantation Brindeau est le même que celui qui mena la révolte — se fonde sur le fait qu'avant l'insurrection, il avait déjà un rôle d'organisateur et qu'à l'arrivée de Victor Hugues, il pouvait être opportun de réutiliser le meneur de l'insurrection sur la plantation de son ancien maître. Peut-être aussi s'agit-il d'une pure coïncidence de noms.

Les débuts de l'émancipation

1. « Toussaint Louverture, général de l'armée de l'Orient, à Étienne Laveau, gouverneur général par intérim », Mannetade, 29 Floréal An II (18 mai 1794), BN, Manuscrits occidentaux, Correspondance de Toussaint Louverture, 12102, 1 : 73. Cette correspondance constitue la base des travaux de Victor Schœlcher, *Vie de Toussaint Louverture*, Paris, Paul Ollendorf, 1889, édition réimprimée, Paris, Karthala, 1982 (voir p. 98-99 pour le texte de la lettre citée) ; Schœlcher organisa les documents et les remit à la Bibliothèque nationale où C.L.R. James les a consultés à son tour alors qu'il faisait des recherches pour son ouvrage, *The Black Jacobins, op. cit.* Pour une étude détaillée de l'allégeance de Toussaint Louverture, voir David Geggus, « From His Most Catholic Majesty to the Godless Republic : the "volte-face" of Toussaint Louverture and the ending of Slavery in Saint-Domingue », *Revue française d'histoire d'outre-mer*, nᵒ 45, 1978, p. 481-499.

2. Carolyn Fick, *The Making of Haiti, op. cit.*, p. 159.

3. Le Cap (Haïti) Citizens, Deposition, Charleston, Caroline du Sud, 25 octobre 1799, Clements Library, University of Michigan. La déclaration fut écrite pour défendre Alexandre de Grasse, le fils du comte de Grasse qui s'était distingué durant les guerres de la Révolution américaine. De Grasse protestait qu'il avait été obligé de défendre les Blancs du Cap contre les esclaves en maraude, et n'était nullement un sympathisant royaliste. Il avait caché un certain nombre de Blancs dans des baraquements jusqu'à ce qu'ils puissent monter à bord d'un navire qui les transporta au plus vite, ruinés mais saufs, aux États-Unis. Ces Blancs — les auteurs de la déclaration de 1799 — cherchaient à innocenter de Grasse de toute mauvaise action pour qu'il retourne à Saint-Domingue pour y servir la République — ce qu'il fit en rejoignant l'expédition Leclerc, avant d'être capturé par les rebelles et finalement relâché.

4. Voir AN, DXXV 23, p. 231 pour la correspondance des nouveaux généraux ; les numéros 66, 67 et 69-76 furent écrites par Pierrot fin 1793.

5. Pour une histoire de l'épidémie et des réactions des autorités médicales américaines, voir Martin S. Pernick, « Politics, Parties and Pestilence : Epidemic Yellow Fever in Philadelphia and the Rise of the First Party System », in *William and Mary Quarterly*, vol. 29, nᵒ 4, octobre 1972, p. 559-586. Pour une nouvelle historique sur la fièvre, racontée selon le point de vue de l'un des docteurs noirs restés sur place pour soigner les malades,

voir John Edgar Wideman, « Fever », in *Fever*, New York, Henry Holt, 1989. Pour plus d'informations sur les réactions américaines devant les réfugiés de Saint-Domingue, voir Julius Scott, *The Common Wind : Currents of Afro-American Communication in the Era of the Haitian Revolution, op. cit.*

6. Carolyn Fick, *The Making of Haiti, op. cit.*, p. 161.

7. Florence Gauthier, « Le rôle de la députation de Saint-Domingue dans l'abolition de l'esclavage », in *Les Abolitions de l'esclavage, op. cit.*, p. 200, 203, 211.

8. Carolyn Fick, *The Making of Haiti, op. cit.*, p. 163.

9. AN, DXXV 23, 231, lettres 96 et 98. Voir également Carolyn Fick, *The Making of Haiti, op. cit.*, p. 159. Le 17 mai 1793, un drapeau tricolore identique à celui mentionné par Lazzary — un homme noir surimposé sur le bleu, un mulâtre sur le rouge, un Blanc sur le blanc — fut présenté devant la Convention nationale à Paris par un groupe de gens de couleur menés par Jeanne Odo, âgée de cent quatorze ans. Cette présentation faisait partie d'une campagne de plus grande envergure menée par les gens de couleur vivant en France, qui inclut la formation, en août 1792 (sous le commandement de Julien Raimond), d'un corps de soldats appelé « Légion des Américains » et, plus tard, la création de la Société des citoyens de couleur qui travaillait à l'abolition de l'esclavage quand ce projet passa devant la Convention nationale en mai 1793. Les personnages du drapeau tricolore étaient armés de piques surmontées d'un bonnet phrygien et la devise du drapeau était « Notre union fera notre force » — annonciatrice de la devise de Haïti devenue indépendante, « L'union fait la force ». Le pouvoir symbolique du drapeau était clair : l'égalité de tous les citoyens, sans égard pour leur couleur, augurait de la transformation radicale de la société coloniale en une société républicaine. Le drapeau avait donc une importance particulière pour Sonthonax et ses défenseurs. Voir Florence Gauthier, « Le rôle de la députation de Saint-Domingue dans l'abolition de l'esclavage », art. cité, p. 200-201. Le drapeau fut probablement conçu avant le départ de Sonthonax pour l'île, puisqu'il apparut simultanément en France et à Saint-Domingue.

10. David Geggus, « From His Most Catholic Majesty to the Godless Republic : the "volte-face" of Toussaint Louverture and the ending of Slavery in Saint-Domingue », art. cité.

11. Florence Gauthier, « Le rôle de la députation de Saint-Domingue dans l'abolition de l'esclavage », art. cité, p. 204. Gauthier prétend que des esclaves fraîchement libérés participèrent à l'élection. Ce fut peut-être le cas, mais le compte rendu de l'assemblée électorale n'en apporte aucune preuve. En revanche,

il y avait des gens de couleur parmi les électeurs et les candidats. Voir « Procès-verbal de l'Assemblée électorale des députés du nord de Saint-Domingue », 23 septembre 1793, AN C181, 84.

12. *Archives Parlementaires de 1787 à 1860*, première série (1787-1799), Paris, Centre national de la recherche scientifique, 1962, vol. 84, p. 276-285. L'abolition de l'esclavage avait été préparée à un certain niveau par l'élaboration de la Déclaration des droits de l'homme et du citoyen, et par celle de la Constitution, votée par la Convention nationale le 24 juin 1794, dont l'article 18 spécifiait qu'aucun individu ne pouvait être acheté ou vendu, s'acheter ou se vendre. Il n'en demeure pas moins que rien de cela n'aurait suffi à entraîner l'abolition sans les événements de Saint-Domingue, et l'intervention des délégués envoyés en France. Voir Florence Gauthier, « Le rôle de la députation de Saint-Domingue dans l'abolition de l'esclavage », art. cité, p. 203.

13. Jean-Claude Helpern, « Les fêtes révolutionnaires et l'abolition de l'esclavage en l'An II », in Marcel Dorigny (éd.), *Les Abolitions de l'esclavage, op. cit.*, p. 187-198. Sur l'importance des femmes comme symbole de la liberté, voir Lynn Hunt, *Politics, Culture and Class during the French Revolution, op. cit.* ; sur les fêtes révolutionnaires en général, voir Mona Ozouf, *La Fête révolutionnaire, op. cit.*

14. Le discours de Chaumette au Temple de la Raison est repris dans *La Révolution française et l'abolition de l'esclavage*, Paris, Éditions d'histoire sociale, 1968, t. V. Pour les mises en garde de Danton, voir *Archives parlementaires*, 84, p. 284. Le Comité de salut public promulgua des instructions qui affinaient légèrement le décret ; elles notaient que les Anglais ne réussiraient pas à se protéger des effets de l'abolition française de l'esclavage, et que la « révolution inévitable » se répandrait à travers les Antilles, défaisant le mercantilisme britannique. Elles laissaient les commissaires libres, par « leur sage fermeté et leurs déclarations révolutionnaires », de contrôler les effets de l'émancipation dans les colonies. Voir « Extrait des registres du Comité de salut public de la Convention nationale », 25 Pluviôse An II, ANSOM C[7A]47, 126.

15. Voir par exemple Thomas Holt, The Problem of Freedom, Baltimore, Johns Hopkins University Press, 1992.

16. Le long et compliqué procès intenté à Sonthonax et à Polverel opposait les intérêts des planteurs aux deux commissaires et à leurs amis jacobins. Les deux hommes prirent eux-mêmes leur défense ; ils furent en fin de compte renvoyés à Saint-Domingue pour y poursuivre leur travail. Le procès, qui représentait la défaite des intérêts des planteurs en France, du moins pour un

temps, fut réimprimé en dix volumes : *Débats entre les accusateurs et les accusés dans l'affaire des colonies*, Paris, Imprimerie nationale, Pluviôse An III (février 1795).

17. « Sonthonax, ci-devant commissaire civil, délégué de Saint-Domingue, à la Convention nationale », 2 Fructidor An II (17 août 1794), NA, AD VII, 20A. Notez que Sonthonax, comme les autres administrateurs du nouvel ordre, utilise le mot « Noir » par opposition à « nègre ».

Le sens de la citoyenneté

1. « Le commissaire délégué par la Convention nationale aux îles du Vent adresse aux républicains des armées de terre et de mer de la République, actuellement à la Guadeloupe », 1 Thermidor An II (19 juillet 1794), ANSOM C⁷ᴬ47, 18.

2. « Les commissaires délégués par la Convention nationale aux îles du Vent adressent à tous les citoyens de la Pointe-à-Pitre et des communes adjacentes », 20 Prairial An II (8 juin 1794), ANSOM C⁷ᴬ47, 9.

3. « Victor Hugues au Comité de salut public », 4 Thermidor An II (22 juillet 1794), ANSOM C⁷ᴬ47, p. 20-25.

4. Pour la meilleure étude des campagnes militaires anglaises durant cette période, voir Michael Duffy, *Soldiers, Sugar and Seapower : The British Expeditions to the West Indies and the War Against Revolutionary France, op. cit.*

5. Patrick Chamoiseau, *Texaco*, Gallimard, 1992.

6. Je décris en détail comment les nouveaux citoyens utilisèrent leurs droits à travers l'histoire des communautés de Basse-Terre et de Trois-Rivières dans mon mémoire, « A Colony of Citizens : Revolution and Slave Emancipation in the French Caribbean, 1789-1802 », Thèse de doctorat, University of Michigan, 1998, chap. 7-8. Pour le « baptême » des nouveaux arrivés d'Afrique, voir par exemple ANSOM EC (Basse-Terre 10, naissances, 1797), nᵒˢ 64, 65, 71-73. Sur l'armée, voir aussi Louis-François Tigrane, « Histoire méconnue, histoire oubliée que celle de la Guadeloupe et son armée pendant la période révolutionnaire », *Revue historique*, nᵒ 571 (juillet-septembre 1989), p. 167-186.

7. Voir Julius-Scott, « The Common Wind : Currents of Afro-American Communication in the Era oh the Haitian Revolution », art. cité, pour la meilleure étude sur la communication des nouvelles des événements dans la Caraïbe française parmi les communautés d'esclaves des Amériques. Pour la Louisiane, voir aussi Gwendolyn Midlo Hall, *Africans in Colonial Louisiana : the*

Development of Afro-Creole Culture in the Eighteenth Century, Baton Rouge, Louisiana State University Press, 1992, particulièrement les chapitres 10 et 11. L'opuscule de Robin Blackburn, *The Overthrow of Colonial Slavery, 1776-1848*, démontre la centralité de l'émancipation française dans la destruction de l'esclavage aux Amériques.

8. C'était le cas dans divers processus d'émancipation aux Amériques. Les deux ouvrages qui ont le plus contribué à élucider les contradictions complexes du processus d'émancipation sont de Thomas Holt, *The Problem of Freedom : Race, Labor and Politics in Jamaica and Britain*, Baltimore, Johns Hopkins University Press, 1992, et de Rebecca Scott, *Slave Emancipation in Cuba : The Transition to Free Labor, 1860-1899*, Princeton, Princeton University Press, 1985.

9. Pour une description détaillée du régime de Hugues, voir ma thèse, *A Colony of Citizens*, vol. 2. Malgré son important rôle historique, Hugues n'a guère reçu d'attention de la part des historiens. L'illustration la plus connue de sa vie est le roman historique d'Alejo Carpentier, *Le Siècle des Lumières*, Paris, Gallimard, 1962, qui apporte un point de vue fascinant sur ses contradictions. Voir aussi Sainte-Croix de la Roncière, *Victor Hughes : le conventionnel*, Paris, 1932.

10. Carlo Celius a noté l'importance de la pensée abolitionniste progressive sur le régime de Toussaint Louverture, notamment grâce à l'influence d'un avocat de couleur, Julien Raimond. La vision de Celius m'a permis d'établir le lien entre le régime de Hugues — à bien des égards parallèle à celui de Louverture — et la pensée abolitionniste pré-révolutionnaire. Voir son article « Le contrat social haïtien » (non publié).

11. « Discours prononcé par Laveau, sur l'anniversaire du 16 Pluviôse An II », Corps législatif, Conseil des Anciens, 16 Pluviôse An VII (4 février 1799), Bibliothèque nationale.

12. Je remercie Bernard Bailyn de m'avoir suggéré cette comparaison. Sur Jefferson et l'esclavage, qui ont fait l'objet de nombreuses polémiques, voir David Brion Davis, *Was Thomas Jefferson An Authentic Ennemy of Slavery ?*, Oxford, Clarendon Press, 1970, qui compare ses actes à ceux de Bryan Edwards et Moreau de Saint-Méry ; et John Chester Miller, *The Wolf By the Ears*, New York, The Free Press, 1977.

13. Condorcet, *Réflexions sur l'esclavage des nègres*, Paris, Froulle, 1788 ; citations des p. ıɪ et 17. Les réflexions de Condorcet sur l'esclavage sont une partie de sa réflexion politique générale ; son attitude envers les esclaves est parallèle à son attitude envers d'autres groupes de la société française. Pour une étude

de l'œuvre de Condorcet, voir Keith Michael Baker, *Condorcet : From Natural Philosophy to Social Mathematics*, Chicago, University of Chicago Press, 1975.

14. Condorcet, *Réflexions sur l'esclavage des nègres, op. cit.*, p. 28-31.

15. *Ibid.*, p. 12-14.

16. *Ibid.*, p. 29-30.

17. « Extrait du procès-verbal de la Convention nationale du 16ᵉ jour de Pluviôse, An II de la République », 19 Prairial An II (7 juin 1794), ANSOM C⁷ᴬ47, 8.

18. « Les commissaires délégués par la Convention nationale aux îles du Vent aux habitants des campagnes de toutes les couleurs », 25 Prairial An II (13 juin 1794), ANSOM C⁷ᴬ47, 10.

19. « Nous commissaires délégués par la Convention nationale aux îles du Vent au Comité de salut public », 26 Prairial An II (14 juin 1794), ANSOM C⁷ᴬ47, p. 12-13.

20. « Le commissaire délégué par la Convention nationale aux îles du Vent aux citoyens noirs », 2 Messidor An II (20 juin 1794), ANSOM C⁷ᴬ47, p. 14.

21. « Victor Huges au Comité de salut public », 5 Thermidor An II (23 juillet 1794), ANSOM C⁷ᴬ47, p. 31.

22. « Victor Huges, au Comité de salut public », 4 Thermidor An II (22 juillet 1794), ANSOM C⁷ᴬ47, p. 20-25. Hugues oscille entre l'utilisation du terme « noir » quand il parle de sa mission en Guadeloupe et « nègre » quand il évoque son passé de propriétaire d'esclaves. En général, les activistes antiesclavagistes tels que Sonthonax ont tendance à utiliser le terme « noir » comme une affirmation de leur égalité en tant que citoyens, bien qu'ils passent souvent d'un terme à l'autre.

23. « Extrait du registre des délibérations du Conseil général de la commune de Port-de-la-Liberté », 29 Vendémiaire An III (20 octobre 1794), ANSOM C⁷ᴬ47, 117. À cette date, environ 50 p. 100 des plantations de la Guadeloupe étaient sous séquestre, et par conséquent sous le contrôle direct de l'État. Le reste des plantations était administré par les propriétaires.

24. Pour les recensements, voir ANSOM G1, p. 500-504. Les catégories raciales des recensements sont « blanc », « rouge » et « noir ». La catégorie « rouge » correspondait aux gens de couleur, mais son attribution était très fluide. Je n'ai pas trouvé de preuve de l'origine du terme, mais je soupçonne qu'il provient du drapeau républicain apparu en France et à Saint-Domingue à la fin de 1793, où le personnage du mulâtre est surimposé sur le rouge du drapeau (voir chapitre précédent). Les riches informations démographiques de ces recensements, de même que

d'autres documents disponibles de la période, font l'objet d'une thèse d'histoire actuellement préparée à la Sorbonne par Frédéric Régent.

25. L'« ordre du travail », de même que la nouvelle *Marseillaise*, sont repris par Auguste Lacour dans son *Histoire de la Guadeloupe, op. cit.*, 2, p. 384-386.

26. « Arrêté sur les journées de travail », 23 Ventôse An III (13 mars 1795), ANSOM C7A48, p. 8.

27. « Les commissaires délégués par la Convention nationale aux îles du Vent au citoyen Laveaux », 19 Messidor An III (7 juillet 1795), ANSOM C7A48, p. 17-18.

28. "Victor Hugues au Comité de salut public », 20 Frimaire An III (10 décembre 1794), ANSOM C7A47, p. 37.

29. « Les envoyés des commissaires auprès du Comité de salut public », 22 Thermidor An III (9 août 1795), ANSOM C7A48, 72-76.

30. Pour une analyse de ce mouvement général dans la politique coloniale, voir Bernard Gainot, « La constitutionnalisation de la liberté générale sous le Directoire », in *Les Abolitions de l'esclavage, op. cit.*, p. 213-229.

31. « Proclamation aux citoyens français des îles du Vent actuellement aux États-Unis », 27 Brumaire An V (18 novembre 1795), ANSOM C7A48, p. 34.

32. « Les commissaires délégués au ministre de la Marine et des Colonies », 22 Thermidor An IV (9 août 1796), ANSOM C7A49, p. 43-45.

33. « Les commissaires délégués aux ministres de la Marine et des Colonies », 21 Thermidor An IV (8 août 1796), ABSOM C7A49, p. 43-45. Les phrases soulignées le sont dans l'original.

34. « Le commissaire délégué au ministre de la Marine et des Colonies », 20 Frimaire An V (10 décembre 1796), ANSOM C7A49, p. 61-63.

35. « Extrait d'une lettre de Hugues à Fourniols », 26 Frimaire An V (16 décembre 1796), ANSOM C7A49, p. 65-66. Fourniols était l'un des députés de la Martinique en exil à Paris.

36. « Les commissaires délégués au ministre de la Marine et des Colonies », 4 Brumaire An VI (25 octobre 1797), ANSOM C7A49, p. 228-229.

37. Daniel Lescallier, *Notions sur la culture des terres basses dans la Guiane et sur la cessation de l'Esclavage dans ces contrées. Extraits du voyage à Surinam et dans l'intérieur de la Guiane du capitaine J. G. Stedman*, Paris, F. Buisson, An VII (1799).

38. L'histoire de la résistance au rétablissement de l'esclavage est devenue capitale durant les dernières décennies ; elle a été

traitée par de nombreux auteurs. Voir Jacques Adelaïde-Mermande, *Delgrès : la Guadeloupe en 1802*, Paris, Karthala, 1986 ; Germain Saint-Ruf, *L'Épopée Delgrès : la Guadeloupe sous la Révolution française (1789-1802)*, Paris, L'Harmattan, 1977 ; André Nègre, *La Rébellion de la Guadeloupe (1801-1802)*, Paris, Éditions Caribéennes, 1987 ; Roland Anduse, *Ignace : le premier rebelle*, Paris, Jasor, 1989. Voir aussi les essais publiés dans la collection de Michel Martin et Alain Yacou, *Mourir pour les Antilles : indépendance nègre ou esclavage, 1802-1804*, Paris, Éditions Caribéennes, 1991. Deux romans explorent cette période historique, André Schwartz-Bart, *La Mulâtresse solitude*, Paris, Seuil, 1972, et Daniel Maximin, *L'Isolé Soleil, op. cit.* Je décris les événements de 1798 à 1802 à la Guadeloupe dans ma thèse, *A Colony of Citizens*, vol. 3.

39. Voir Carolyn Fick, *The Making of Haiti, op. cit.*, p. 204-206. Pour plus de détails sur l'impact de Julien Raimond, et les idées abolitionnistes en général, sur la constitution de Toussaint et l'histoire de la post-indépendance de Haïti, voir Celius, « Le contrat social haïtien », *op. cit.*

40. Voir Yves Benot, « Bonaparte et la démence coloniale (1789-1804) », in *Mourir pour les Antilles : indépendance nègre ou esclavage, 1802-1804, op. cit.*, p. 13-15.

41. Rapport du général Ménard, ANSOM C[7A]21-37, p. 28-30 ; voir aussi Jacques Adelaide-Mermande, *Delgrès : la Guadeloupe en 1802, op. cit.*

42. Dans deux lettres écrites en août 1802, Leclerc mentionne déjà l'effet désastreux des nouvelles du rétablissement de l'esclavage à la Guadeloupe. « Pouvais-je m'attendre dans ces circonstances à la loi sur les traités et surtout aux arrêtés du général Richepanse qui rétablissent l'esclavage et défendent aux hommes de couleur de prendre la qualité de citoyen. » Trois jours plus tard, Leclerc écrit : « Les arrêtés du général Richepanse circulent ici et font bien du mal. Celui qui rétablit l'esclavage, pour avoir été émis trois mois trop tôt, coûtera bien du monde à l'armée et à la colonie de Saint-Domingue. » Voir les *Lettres du général Leclerc*, Paul Roubier (éd.), Paris, Ernest Leroux, 1937, p. 201-206 et 253-259. Voir aussi Carolyn Fick, *The Making of Haiti, op. cit.*, p. 215-222, et C.L.R. James, *The Black Jacobins, op. cit.*, p. 344-345.

43. ADG, Dupuch 2E2/26, 8 Germinal an XI (29 mars 1803).

44. Jacques Adelaïde-Merlande, « Lendemains de Bainbridge et de Matouba. Coureurs de bois et brigands », in *Mourir pour les Antilles, op. cit.*, p. 203-210 ; voir aussi Auguste Lacour, *Histoire de la Guadeloupe, op. cit.*, p. 383-397, pour une description

des actes de Vermont et d'autres planteurs dans les chasseurs des bois.

45. Voir Pierre Lacour, « Auguste Lacour : sa vie, son œuvre », in *Histoire de la Guadeloupe, op. cit.*, vol. 5, p. 7-76.

46. Le fort Saint-Charles fut renommé en l'honneur de l'homme qui avait rétabli l'esclavage à la Guadeloupe. Il s'appela fort Richepanse pendant un siècle et demi. Grâce aux efforts de Daniel Maximin et d'autres à Basse-Terre, le fort fut rebaptisé en l'honneur de l'homme qui s'opposa à l'esclavage : il est devenu le fort Delgrès en 1989. Depuis peu, une rue de Paris porte le nom de Delgrès, et une plaque l'honore au Panthéon.

47. Lacrosse écrit au gouverneur de Saint-Thomas que toutes les nations devraient s'unir pour détruire « le germe d'insurrection » représenté par les Guadeloupéens qui continuent de résister tant à l'intérieur qu'à l'extérieur de l'île : Lacrosse au gouverneur de Saint-Thomas, 29 Vendémiaire An XI (21 octobre 1801), ANSOM C^{7A}56, p. 184-185. Des lettres similaires furent envoyées à la colonie suédoise de Saint-Barthélemy, mais le gouverneur, invoquant les lois internationales, refusa de livrer les insurgés aux Français, arguant qu'ils devaient comparaître devant une cour suédoise avant d'être expatriés. Voir gouverneur de Saint-Barthélemy à Lacrosse, 23 Brumaire An XI (14 novembre 1802), ANSOM C^{7A}56, p. 198-199 ; et Lacrosse au ministre, 24 Brumaire An XI (15 novembre 1802), C^{7A}56, p. 196-197.

48. Voir le long rapport de Delacroix et Duclos-Guyot à Lacrosse le 23 Brumaire An XI (14 novembre 1802), ANSOM C^{7A}56, p. 207-213. Sur le pied estropié de Nabau, voir leur lettre antérieure à Lacroisse du 4 Brumaire An XI (26 octobre 1802), ANSOM C^{7A}56, p. 215.

49. M. X. Tanc, *De l'esclavage aux colonies françaises, et spécialement à la Guadeloupe*, Paris, Delaunay, 1832, p. 7-11.

50. Nelly Schmidt, *Victor Schœlcher*, Paris, Fayard, 1994.

Table des matières

Photocomposition Nord Compo
59650Villeneuve-d'Ascq

Achevé d'imprimer en octobre 1998
par la SOCIÉTÉ NOUVELLE FIRMIN-DIDOT
Mesnil-sur-l'Estrée
pour le compte des Éditions Calmann-Lévy
3, rue Auber, Paris 9ᵉ

Imprimé en France
Dépôt légal : octobre 1998
N° d'édition : 12662/01 - N° d'impression : 44444